歴史と人口から読み解く東南アジア

川島博之
Hiroyuki Kawashima

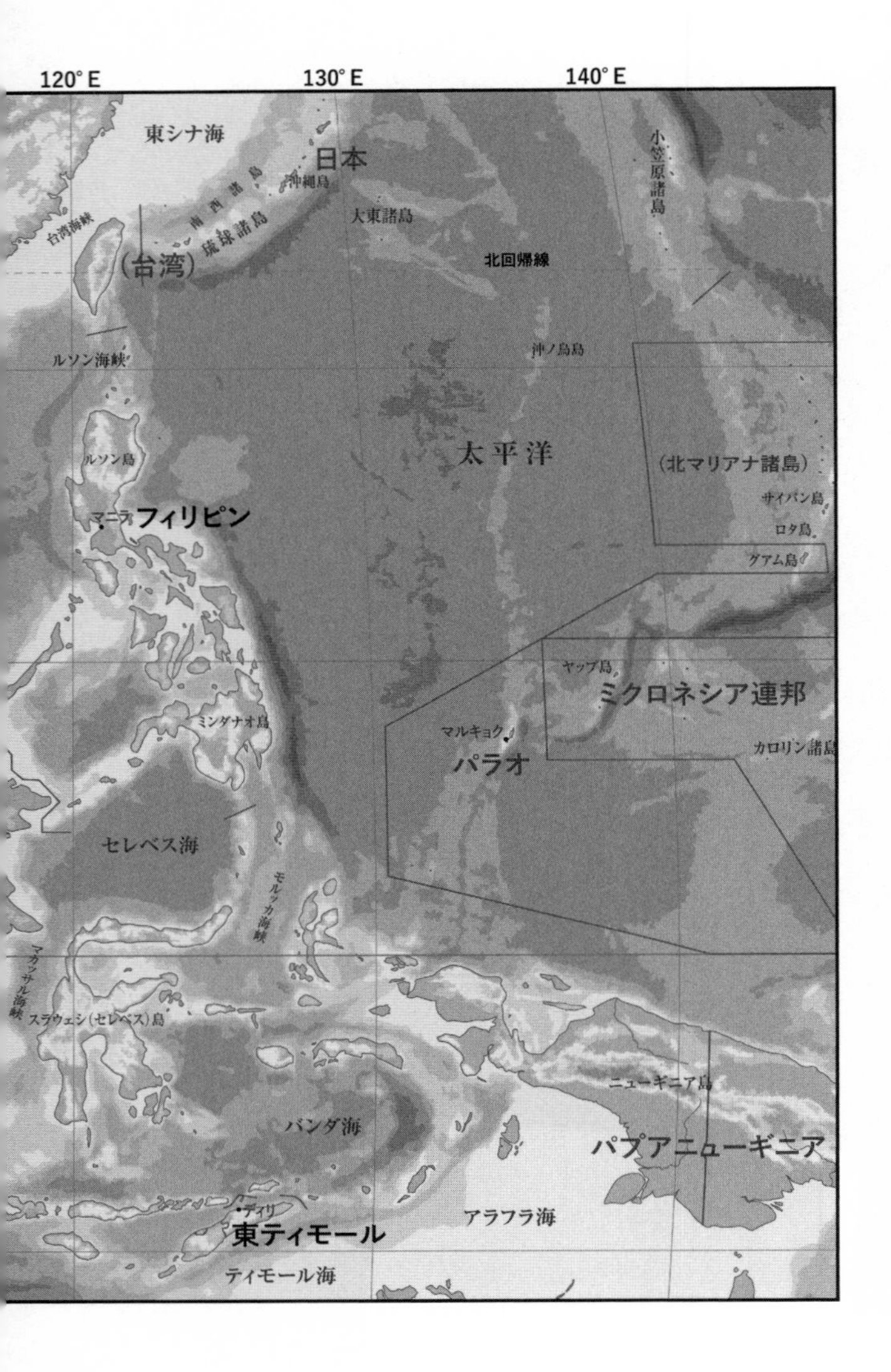
120° E
130° E
140° E
東シナ海
日本
沖縄島
南西諸島
琉球諸島
台湾海峡
(台湾)
大東諸島
北回帰線
小笠原諸島
沖ノ鳥島
ルソン海峡
ルソン島
太平洋
(北マリアナ諸島)
サイパン島
ロタ島
グアム島
マニラ
フィリピン
ヤップ島
ミクロネシア連邦
ミンダナオ島
マルキョク
パラオ
カロリン諸島
セレベス海
モルッカ海峡
マカッサル海峡
スラウェシ(セレベス)島
ニューギニア島
バンダ海
パプアニューギニア
ディリ
東ティモール
アラフラ海
ティモール海

図１　東南アジア地図

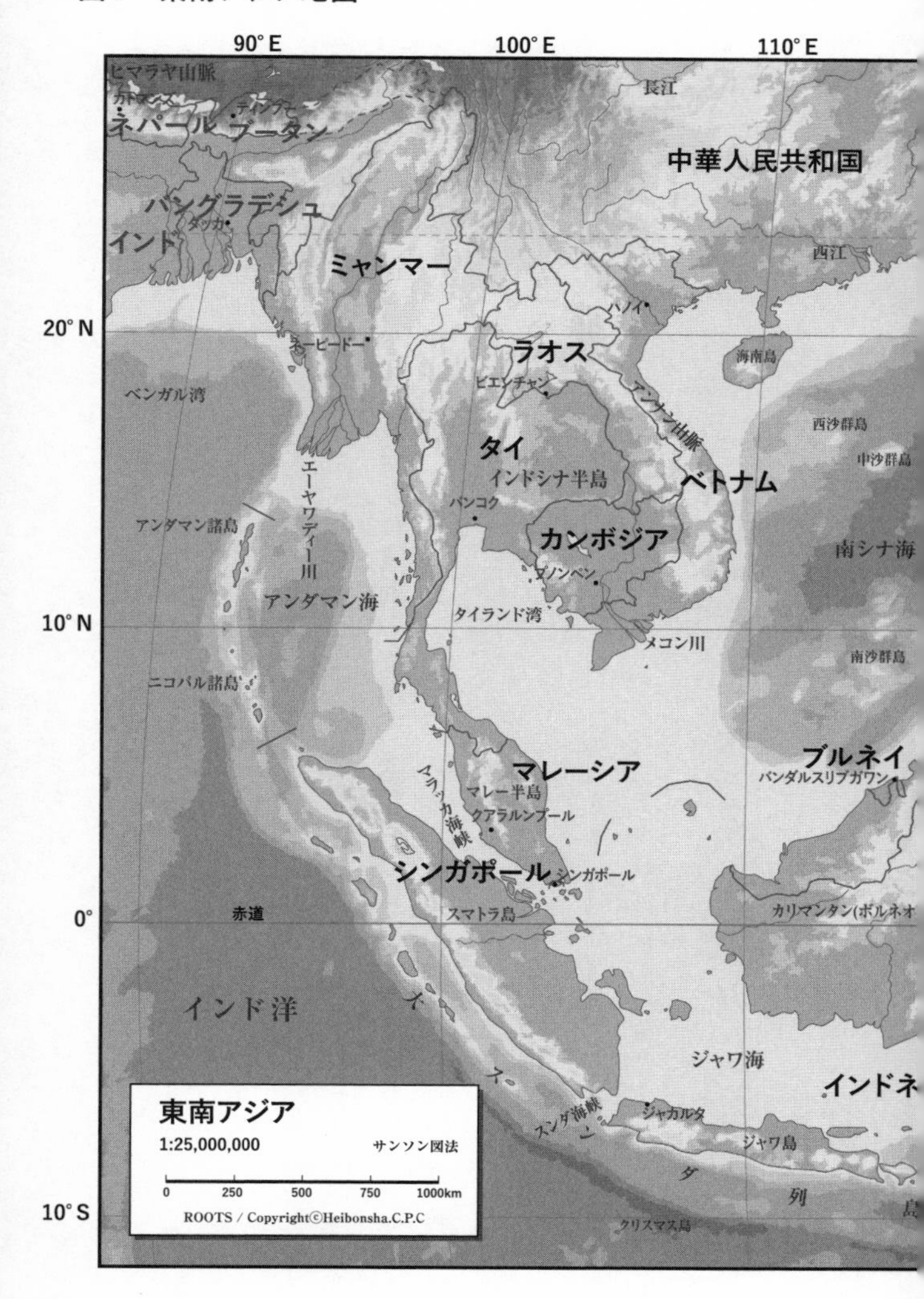
90° E
100° E
110° E
20° N
10° N
0°
10° S
ヒマラヤ山脈
カトマンズ
ティンプー
ネパール
ブータン
長江
中華人民共和国
バングラデシュ
ダッカ
インド
ミャンマー
西江
ハノイ
ネーピードー
ラオス
海南島
ビエンチャン
ベンガル湾
アンナン山脈
西沙群島
タイ
中沙群島
エーヤワディー川
インドシナ半島
ベトナム
バンコク
アンダマン諸島
カンボジア
南シナ海
プノンペン
アンダマン海
タイランド湾
メコン川
南沙群島
ニコバル諸島
ブルネイ
マレーシア
バンダルスリブガワン
マラッカ海峡
マレー半島
クアラルンプール
シンガポール
シンガポール
赤道
スマトラ島
カリマンタン(ボルネオ
インド洋
ジャワ海
インドネ
東南アジア
1:25,000,000
サンソン図法
0
250
500
750
1000km
ROOTS / Copyright©Heibonsha.C.P.C
スンダ海峡
ジャカルタ
ジャワ島
クリスマス島

はじめに

米中貿易摩擦の受け皿として注目される東南アジア

東南アジアとは、インドネシア、カンボジア、シンガポール、タイ、フィリピン、ブルネイ、ベトナム、マレーシア、ミャンマー、ラオスのＡＳＥＡＮ（東南アジア諸国連合）加盟10か国と、東ティモールで構成される地域を指す（**図1**）。この地域は約６億７３００万人（２０２１年）もの人口を抱え、程度の差こそあれ、どの国も経済が著しい勢いで発展している。また、どの国の政情も20世紀に比べれば大変に安定している。もはや、ベトナム戦争のようなことが繰り返されることはないだろう。

中国の経済成長が曲がり角を迎えた今日、次の成長セクターは東南アジアになると見て間違いない。少子高齢化に悩む日本にとって、いまだに人口構成が若い東南アジアは魅力的なパートナーになる。

国際協力銀行（ＪＢＩＣ）が、海外事業の実績のある国内製造業９４６社を対象に行った２０２２年度の海外直接投資アンケート（２０２２年7～9月実施。回答企業５３１社、有効回答率56・１％）では、米中貿易摩擦による関税合戦の影響を避けるために「世界の工場」

として君臨してきた中国向けの投資を手控える動きが本格化していることが明らかになった。

今後3年程度の有望事業展開先（複数回答）の得票率を見てみよう。

1位　インド　40・3％
2位　中国　37・1％
3位　アメリカ　32・2％
4位　ベトナム　28・9％
5位　タイ　23・2％
6位　インドネシア　21・0％
7位　マレーシア　8・4％
8位　フィリピン　7・6％

1位のインドが前年比2・3％上昇の40・3％。前年47・0％で1位だった中国は9・9％減の37・1％と大幅に後退した。4位〜8位までは東南アジア各国が並び、「米中貿易摩擦の受け皿」として東南アジアが注目されている。

筆者は現在ベトナムに住んでいるが、ベトナムは急速に発展しており、ベトナムから日本に若者が働きに来る時代は、もう10年もすれば終わることになろう。21世紀は、これから多くの日本人が東南アジアに行って働く時代になると思う。現に韓国人は、ベトナムに大量に来ている。日本人の持つノウハウは、若いアジアの国々で役に立つ。

日本人は、ともすればグローバル化というとアメリカやヨーロッパをイメージするが、東南アジアは、日本人が最も活躍しやすい「海外」である。それは、同じ東アジアの国である中国や韓国にとっても同じで、彼らはものすごい勢いで東南アジアに進出し始めている。

日本にとって東南アジアは、中国、韓国などの次に近い地域である。ただ、その割には、東南アジアについての情報は少ない。街の本屋を覗（のぞ）いても、いわゆる中国や韓国に関する本を目にすることはあっても、東南アジアについて書かれた本に出合うことはまずない。あってもその多くは、観光ガイドの類である。多くの日本人にとって東南アジアとは、バリ島、プーケット、セブ島、ダナンなどといったリゾート名と共に語る地域なのだろう。

東南アジアは日本の最良のパートナーになる

そんな東南アジアが21世紀に入って大きく変わり始めた。東西冷戦の後遺症を引きずっていた時代が終わり、政治的に安定したことから、猛烈な勢いで成長し始めた。もはや東南アジアを経済発展の遅れた地域とみなすことはできない。

すでにシンガポールは先進国であり、マレーシア、タイも先進国入りを控えている。シンガポールの一人当たりGDPは日本より高い。2022年国際通貨基金（IMF）統計によれば、シンガポールは8万2808ドルで6位、日本は3万3822ドルで31位である。

日本にとって東南アジアは、観光地であるとともにビジネスの対象として重要な地域になった。「中進国の罠」なる言葉も聞かれて、それなりの問題を抱えてはいるものの、10年もすればマレーシアやタイも先進国入りするだろう。また、インドネシアやベトナムも現在のマレーシアやタイに近い水準にまで達すると思う。

そんな東南アジアは、低成長に悩む日本にとって最良のパートナーになる。東南アジアとの良好な関係を築き上げることは、少子高齢化に悩む日本にとって極めて有力な国家戦略である。東南アジアは、日本企業にとってチャンスが広がる地域になっている。

また、個人にとってもチャンスは広がっている。それは、東南アジアの発展の過程が日本の戦後の姿によく似ているからだ。日本で働いて得た知識は、意外と役に立つ。そんなわけで若い人だけでなく、筆者がそうであるように定年後に東南アジアの会社で働くことも可能である。

本書はそんな東南アジアについて、〝日本人として〟知っておきたい知識を書き連ねたものである。本書では〝日本人〟が重要なキーワードになっている。そんなわけで、必ずしも客観的に東南アジアを紹介する本ではない。もちろん、独りよがりになってはいけないから、努めて客観的に書いたつもりだが、それでも研究者が書く東南アジアの本とは少々毛色が異なっている。

私は、アジアの農業について研究してきた。過去30年間にわたりアジアの農村部を訪ねて歩いてきた。初期は農業と環境の関係を研究していたが、農業や環境問題を考える上で経済が果たす役割が極めて大きいことに気づいたために、後半は農業から見たアジア経済の研究に力点を移した。学問分野で言えば開発経済学になる。

私は、コメを作っているアジアを歩いてきた。コメは、日本や朝鮮半島、中国、東南アジア、バングラデシュ、インドなどで栽培されている。もちろんそれ以外の地域でも作られているが、インドの西に位置するパキスタンではコメの地位は大きく低下する。パキスタンの主要な穀物は小麦である。コメを作るアジアで私が訪問したことのない国は北朝鮮だけと言ってもよい。

私のこの経験は、かなり特殊なものだと思う。ビジネスパーソンや経済学者は、北京や上海、バンコクやジャカルタを訪問することは多いが、農村部を訪ね歩くことは稀(まれ)であろう。また、地域研究をしている学者は、ある地域に留まって研究することが多く、広くアジアの農村を見て回ることはない。

東南アジアと〝あの戦争〟

アジアの農村部を調査していると、都市を見ているだけでは知ることができない、その国の〝地〟とも言える感情に出合うことがある。そんな経験を重ねるにつれて、東南アジアの人々と付き合う際にも、〝あの戦争〟のことを知っておく必要があると考えるようになった。

言うまでもなく、中国や韓国との間には歴史認識に関する問題が存在する。中国や韓国の人々と付き合う場合に、歴史認識が異なることを知っておくことは必須であろう。ビジネスの際には、歴史問題に深入りすることを避ける工夫が必要になる。

東南アジアでは、中国や韓国のように歴史認識が表面に出ることはまずない。ただし、〝地〟の部分では〝あの戦争〟は意外に大きな意味を持っている。インドネシアとタイは比較的親日的だが、シンガポール、フィリピン、ミャンマー、ベトナム、マレーシアの東南アジア5か国との間に歴史認識問題があることは、ほとんど知られていない。日本人が忘れてしまった歴史を東南アジアの人々は、心のどこかに引きずっている。それを無視しては、東南アジアの人々と深い付き合いはできない。

現在、多くの日本人は〝あの戦争〟と東南アジアとの関係について、全くと言ってよいほど知識を持ち合わせていない。それは小学校から大学まで、学校では東南アジアについてほとんど何も教えてくれないからだ。

一方、私たちがすっかり忘れてしまった〝あの戦争〟を東南アジアの人々は意外によく覚えている。その理由は、自分の住んでいる町や村が戦場になったからだけではない。〝あの戦争〟が東南アジア諸国の独立と深く関わっているためである。

だから、東南アジアにおける〝あの戦争〟の記憶は、朝日・岩波論壇で語られる「日本がアジアの人々に多大な犠牲を強いた」といういわゆる自虐史観を裏づけるものにはなっていない。しかし、そうかといって産経新聞に代表される保守論壇の「日本はアジア諸国の独立を助けた」というものにもなっていない。その双方が入り混じって存在しており、国や民族によってもその混ざり具合は異なる。

このような状況にあるために、東南アジアの人々とお付き合いする際には、〝あの戦争〟と東南アジアとの関係について学校で習わなかった部分を補っておく必要がある。

本書の構成

本書では、多くの日本人が東南アジアの人々と付き合う上で役立つ知識を書いてみた。

第1章では、東南アジアの歴史を概説した。特に〝あの戦争〟と東南アジアの関係については、少々脱線気味になった部分もあるが、若い人にも興味を持ってもらえそうなエピソードを交えて書いてみた。

第2章では、多くの図表を用いて東南アジアの人口や経済について概説する。そこでは、よく見かけるビジネスパーソンのための東南アジア入門のように無味乾燥なデータを羅列して説明を加えるだけでなく、現代日本との関連で興味を持ってもらえるように書いたつもりである。

第3章では、東南アジア経済の現状について、特に筆者が専門にしてきた農業との関係から記述した。また、原発や新幹線など日本の産業界が関心を持っているテーマについても触れた。

第4章では、東南アジアを語る上で外すことができない華僑について、国別にその肝になる部分を書いてみた。

本書は、日本人が東南アジアに行ってビジネスを行おうとする場合に、日本人として知っておくべきことを書いたつもりである。よく見かける東南アジア紹介書とは異なり、筆者の体験を基にして、東南アジアの人々と心の奥底で触れ合うには何が重要か書いてみた。本書が東南アジアで活躍したいと思っている人にとって、少しでも役に立つことがあれば、それは筆者にとって望外の幸せになる。

目次

第3章　世界が注目する東南アジアの経済発展

第4章　華僑を知らなければ東南アジアは語れない

※本書は2020年3月に発行した『日本人が誤解している東南アジア近現代史』（扶桑社新書）を改題し、その後の国際情勢を踏まえて大幅に加筆・再編集したものです。

第1章 日本人が知っておくべき東南アジアの歴史

第1節◉東南アジアの歴史を学ぶ前に

ある国を理解するにはその国の歴史を知るべき

ある国を理解する上では、その国の歴史を理解することが極めて重要になる。日本人の行動パターンは、諸外国から見ると奇妙に思われることが多いが、奇妙な行動をとる原因は、近世に江戸時代（1603〜1867年）という265年間にわたる奇跡とも言える平和な時代が続いたためである。その江戸時代に日本人の行動パターンの原型が作られた[1)]。

江戸時代に地方は約270の藩に分かれていたが、その藩の中で人々はそれなりに暮らしていくことができたために、藩というシステムが日本人の心に強く残った。

いくら批判されても終身雇用制や卒業時に社員を一括採用する制度が続くのは、会社が藩の役割を担っているからである。どこの藩にも所属しない武士は浪人だ。会社を辞めることは、浪人になることを意味する。急に世間の目が冷たくなる。そんな雰囲気が江戸時代から150年が経過しても、まだ生き続けている。

藩に所属していれば、上下関係で嫌な思いをしても藩はそれなりに福利厚生に意を砕いてくれる。困った時には、藩の仲間も助けてくれる。だが、浪人になるとそうはいかない。日本で浪人として生きていくことは辛い。

武士は支配者階級だったが、江戸時代は武士だけがよい暮らしをしていたわけではない。江戸時代の日本では、庶民もそれなりに生きていくことができた。

日本人は温帯でコメを作っているが、コメは熱帯地方が産地だから温帯で作るにはかなり無理がある。短い夏を有効に利用しなければならないために、熱帯のように直播(じかまき)はできない。まだ気温が低い時期に苗代(なわしろ)を作って、その苗を初夏に一斉に田に移植する必要がある。田植えである。そして9月頃に一斉に稲刈りをする。

田植えや稲刈りは村中で行う必要があるから、そんな社会では何よりも協調性が要求された。このことは半世紀ほど前にベストセラーになったイザヤ・ベンダサンこと山本七平の『日本人とユダヤ人』で指摘されたことだ。

それにもう一つの要素が加わった。島国であり外敵が攻めてこないことだ。そのため、強い権力が必要なかった。結果として、奇妙に権力が分散した社会ができあがった。

戦国時代が終わった時、権力と富は武士に集中していた。実力で領地を切り取った戦国武将は、いわばオーナー社長である。彼らは、権力と富を独占していた。しかし、それから100年ほど経過した元禄時代になると、オーナー社長時代とは大きく異なった奇妙なシステムが動き出す。本来、強者であるはずの武士が貧しくなってしまった。貨幣経済の進展とかったためである。

ともに豊かになる商人が出てきたのに、年貢に依存していた武士の収入がほとんど変わらなかったためである。

農業の分野でも大きな変革があった。戦国の世が終わり人々の生活に余裕ができたことから、全国で開墾が進んだ。利根川など大河川の下流域が水田地帯に変わったのは、江戸時代初期のことである。農村地域では水田面積が増加しただけでなく、肥料などの改良により単位面積当たりの収穫量も増えた。その結果、1600年の時点で1500石とされていた農村の生産量が1700年には3000石になっていたケースも考えられる。

それによって人口が増加した。関ヶ原の戦いが行われた1600年の日本の人口は約1500万人と推定されているが、100年後の1700年（元禄時代）には3000万人にもなった。

増加した農業生産に対して、武士は適切に課税することができなかった。戦国時代後期から兵農分離が進んだが、江戸時代になると全ての武士は、城下町に住むことになった。農村の行政は、庄屋など上層百姓が行うことになった。

武士は、生産量が上昇した分に見合うだけの税金を取ろうとした。しかし、城下町に住んで農村の実情に暗くなってしまった武士は、その増加の全てを把握できなかった。隠田とは、税を逃れている水田をいう。農民は、武士が農村に来て調査を行うことを嫌った。土地台帳を作ることを検地と言うが、豊臣秀吉が行った太閤検地以降は、全国的な検地が行われたことはなかった。だから、太閤検地が有名なのだ。戦国の世を統一した秀吉の絶大な武力と権威があって、初めて全国規模の検地ができた。

江戸時代の武士も検地を試みるが、その度に農民の抵抗に遭ってなかなかできなかった。その年の出来高を調査することを検見（けみ）と言うが、農民は武士が精密な検見を行うことも嫌い、農業の実際に暗い武士を騙していた。武士が強引に精密な検見を行おうとすることは、一揆の原因になった。大半の一揆は、農民の示威的な行動であり、検地や検見を嫌がったためとされる。

その結果、江戸時代の農民はそれなりに豊かであった。一方、増税することができなかった武士は、時代が下るにつれて困窮していった[2)]。江戸時代の農民が貧しかったという史観は、明治政府が自己の治世を評価するために作り出した話である。

日本は、トップに立つ者が豊かではない奇妙な社会を作り上げた。それは世界でも稀な平等な社会と言ってよい。この伝統は、大会社の社長になっても諸外国の社長に比べて著しく給与が低いという伝統になって残っている。外国から招かれて会社の再建に貢献した社長であっても、高い給与をもらうことは許されない。それが不満でインチキをして収入を増やそうと思った社長は、みんなで捕まえてひどい目に遭わせる。これは、現代人の心に今も江戸時代が息づいている証拠である。

社長について言えば、もう一つの伝統も生きている。トップが偉くなくても務まることである。外敵がいなくて協調性が重んじられる社会では、トップはお飾りでよい。そんな日本では、トップを血統で決めるとコンセンサスを得やすい。

それが、日本企業の地位が低下し続けた平成においてもトヨタがそれなりの地位を保ち続けている理由だと思う。血統で決まったトップは、よほどの暗君でない限り重臣が反乱を起こすこともなく社内のライバル同士が妙な争いを起こすこともない。秩序を保ちやすい。それは、トヨタを日産や東芝と比べるとよく分かる。日産や東芝は上層部の内紛で社業が傾いた。

導入部としては少々長くなったが、日本人の性格が江戸時代に規定されているとすれば、似たようなことは、他の国でも起きているはずである。その国の歴史を知ることは、その国の人々の考え方や行動様式を知る上で極めて重要である。

〝あの戦争〟をどう呼ぶか

これまで〝あの戦争〟という言葉を使ってきたが、〝あの戦争〟をどのように呼べばよいのか日本では十分に定まっていない。それは、日本人が〝あの戦争〟について正面から議論することを避けてきた結果でもある。

終戦の日の天皇陛下のお言葉では、〝先の大戦〟と表現している。戦後75年以上が経過したが、〝あの戦争〟をどう呼ぶかについてその議論はますます混迷の度を深めていると言っても過言ではない。

昭和の時代には、〝あの戦争〟は太平洋戦争であり、その名称に疑いを持つものは少なかった。NHKは、現在でも太平洋戦争と呼んでいる。太平洋戦争とは、日本を占領したアメリカにとって日本との戦争が“Pacific War”であったことに由来する。アメリカは、日本と太平洋で戦った。だから“Pacific War”であり、その日本語訳が太平洋戦争というわけだ。太平洋戦争という名称は〝あの戦争〟が終わってから付けられたものであり、いわば占領軍の押し付けと言ってよい。

しかし、元号が平成に変わった頃から、保守陣営を中心に〝あの戦争〟を大東亜戦争と呼称する人々が現れた。大東亜戦争という呼称は戦時中の1942（昭和17）年に日本政府が決定したものであり、そんなことからアメリカから押し付けられた名称より大東亜戦争の方が戦争の目的がはっきりするなどと主張している。

戦争の名称は、戦争当事国の名前（日露戦争、普仏戦争など）に由来することが多い。ただ、〝あの戦争〟では多くの国が複雑に絡み合って戦ったために、当事国の名称で言い表すことはできない。日本は中国、アメリカ、イギリス、オランダ、オーストラリア、最後にはソ連とも戦っている。

だから、戦いが行われた場所として太平洋戦争と呼称するのだろう。同様に戦いが行われた場所を名称としたものにクリミア戦争、ベトナム戦争などがある。しかし、よく考えると太平洋戦争という名称は適切なものではない。それは、〝あの戦争〟はアメリカと太平洋で戦っただけでなく、中国大陸や東南アジアでも戦いが行われたからだ。特にミャンマーやフィリピンでは激しい戦闘が繰り広げられた。

そうであるならは、中国や東南アジアを含む名称として、大東亜戦争の方がより適切に思えてくる。しかし、大東亜という言葉には、日本を盟主としたアジアというニュアンスが強く含まれており、適切な名称ではないとの批判がある。そんなことから、左派陣営ではアジア・太平洋戦争との呼称を用いているが、その名称には自虐史観が濃厚に含まれているような気もする。筆者は、〝あの戦争〟は第二次世界大戦の一部だと思っているが、「アジアにおける第二次世界大戦」では長過ぎて適当な名称とは言えない。

〝あの戦争〟の名称について長々と書いてきたが、それは東南アジアで激しい戦闘が行われたことを言いたかったからだ。

大陸部と島嶼部の歴史の特徴

東南アジアは大きく二つに分けて考えることができる。大陸部と島嶼部である。その歴史は大きく異なっている。大陸部にはミャンマー、タイ、ラオス、カンボジア、ベトナムが含まれる。島嶼部の国はインドネシア、マレーシア（マレー半島とボルネオ島の北部からなるが、東南アジアを分類する際には島嶼部とされる）、フィリピン、シンガポール、ブルネイ、それに東ティモールが含まれる。

島嶼部には多くの人がまとまって住む広い平野がない。それに加えて、マラリアがはびこる熱帯雨林に人間が分け入ることが難しかったために、島内部に農地を作ることができなかった。熱帯林の開発が進んだのは西欧人が技術を持ち込んだ19世紀になってからである。

それ以前、人々は海岸部のわずかな平地に住んでいたが、島の他の地域と陸路で交流することが難しかった。そんなわけで島嶼部には、近代になるまで国家が作られることはなかった。島嶼部の歴史は、中国や日本の歴史に比べてはるかに短い。

一方、大陸部には紅河（ホン川）、メコン川、チャオプラヤー川、チンドウィン川、エーヤワディー川などの大河が流れており、その沖積平野ではコメが作れた。コメは多くの人を養うことができる。そのために、大陸部は国家や文明を生むことができた。

そうは言っても、大陸部の歴史も中国や日本の歴史に比べれば短いものだ。どこから歴史が始まるかを定義することは難しいが、日本は少なくとも１５００年ほどの歴史を持っている。今から１５００年ほど前になると文字で書かれた歴史が始まる。それ以前は考古学の対象である。同じように考えると中国大陸には、約３０００年の歴史がある。それに対して、東南アジアの歴史は大陸部でもせいぜい数百年に留まる。

島嶼部のインドネシア、マレーシア、フィリピンに暮らす人々は、海岸部に小さな村落を作っていた。島を覆う密林は、島の他の部分との交流を妨げた。だが、その一方で海は世界に通じる交通路であった。そこには、早くからインドの商人がやって来て彼らと交易を始めた。

その結果、東南アジア、特に島嶼部にインドの文明がもたらされた。観光地として有名なインドネシアのバリ島では、今でもヒンドゥー教が強い影響力を持っている。インドネシアの航空会社の名前にもなっているガルーダは、インド神話に登場する神の鳥である。また、イスラム商人も海を渡ってやって来た。その結果、イスラム教がインドネシア、マレーシア、フィリピンのミンダナオ島に伝播した。

ここで不思議に思うのは、インドと共にアジアのもう一つの大国である中国の影響が東南アジアの島嶼部に及んでいないことである。現在、インドネシアやマレーシアには、たくさんの華僑が住んでいる。そのことについては後で触れるが、華僑が東南アジアに住み着いたのは、ここ100年ほどのことに過ぎない。

中国は、最近になって一帯一路などと称して、海外に対する影響力を強めようとしているが、歴史を振り返ってみれば中国人は、インド人のように海を渡って他国の人と交流することはなかった。文化や宗教を広めることもなかった。

筆者は、中国が力を入れている「一帯一路」政策は、単なる習近平（しゅうきんぺい）国家主席の思いつきであり長くは続かないと考えている。それは、中国は大陸国家であり海を越えて外に打って出ることは好まないためである。中国は、太古から優れた文明を築いていたが、それを交易船に乗せてアジアの国々に輸出しようとはしなかった。

日本と中国の関係を見ても、日本が遣隋使や遣唐使を派遣したから中国文明が日本に伝わったのであり、もし遣隋使や遣唐使を派遣しなかったら、これほどまでに中国文明が日本に伝わることはなかっただろう。

今後、不動産バブルが崩壊するなどして経済が停滞すれば、中国は海外への影響力の強化を真っ先にやめるだろう。中国人は、自ら進んで海外と交流する人々ではない。それは、中国に近い東南アジアの島嶼部が中国文明の影響をほとんど受けていないことからも分かる。

独自の文字を作り出した大陸部

東南アジアの大陸部には、大河が流れていて沖積平野でコメを作ることができたために、島嶼部に比べて早い時代から人口が増えた。その結果として国家や文明が生まれた。

ベトナム、タイ、ミャンマーは、インドや中国の文明の影響を受けながら、独自の文字を作り出している。それは、ほとんど文字を持つことがなかった島嶼部とは異なる。

漢字文化の影響を強く受けたベトナムは、日本の「かな」に当たるチューノムと呼ばれる文字を作り出した。ただ、ベトナム語の音調が複雑であるために、チューノムは「かな」のように漢字を簡略化する方向には進まず、複雑な形態になってしまった。そんなこともあり、現在ベトナムでは、チューノムは使われていない。17世紀にフランス人宣教師が作り出したクオック・グーと呼ばれる音調表記が付いたローマ字が使われている。

ミャンマーでは11世紀頃に、タイでは13世紀頃に文字が作られた。それは今でも使われている。

一方、島嶼部のマレーシアやインドネシアは、ジャウィ文字を使用したとされるが、その使用範囲は、碑文や宗教的な文章などに限られ広く使われることはなかった。フィリピンのバイバイン文字も似たような状況にあり、広く使用されることはなかった。これら3か国では、現在、全ての国でローマ字が使用されている。

文字の発達が遅れたことから東南アジア諸国は、日本、中国、インド、ヨーロッパのように奥行きのある文学を作り出すことができなかった。それでも大陸部には独自の文学が存在するが、日本、中国、インド、ヨーロッパなどと比べるとかなり見劣りする。

こう書くと差別と非難されるかもしれないが、ベトナムの知識人（ヨーロッパに留学した経験がある）が、ある時、「ベトナムには古典がほとんどない」と話していたので、当のベトナム人が言うくらいだから、それほどの差別発言には当たらないだろう。中国の影響を受けて比較的早期に文字を持ったベトナムでさえそうである。島嶼部には文学がほとんどないと言ってよい。

東南アジアで唯一長い歴史を有するのは、ベトナムである。ベトナム（現在のベトナム北部）は約1000年前に中国から独立した。中国の影響を受けて比較的早い段階で国家を作っている。

タイとミャンマーにも数百年前に国家と呼べるものが成立している。ただ、どちらの歴史も文献資料が少なく、考古学的な手法に頼らざるを得ない。それは、国家としては原始的な段階に留まっていたことを示している。

近代になるまで東南アジアの歴史は、あまりハッキリしない。例えば、インドネシアのボロブドゥールに遺跡が残っているが、そこで栄えた文明は滅んでしまった。同じことはカンボジアのアンコールワットにも言える。比較的歴史のあるタイでも、現在のタイの領土に近い地域を統治するのはチャクリー朝になってからであり、チャクリー朝が始まったのは18世紀後半である。

そんな東南アジアであったが、タイを除いた全ての地域は、19世紀末までに西欧列強の植民地になってしまった。人々にとって植民地時代の記憶は鮮明なようで、東南アジアの歴史は、植民地になった時に始まると言っても過言ではない。第二次世界大戦を契機とした戦後の独立は、タイを除く全ての東南アジアの人々にとって輝かしい歴史になっている。

第2節◉ベトナムの歴史――アメリカよりも中国を嫌う理由

中国の友好国という誤解

日本人が考えるベトナムと現実のベトナムの姿は、大きく異なっている。多くの日本人は、ベトナムを誤解している。

ベトナムは、東南アジアの中で唯一、中国文明に属している。東南アジアは、中国文明とインド文明が混ざり合った地域であるが、ベトナムはインド文化の影響をほとんど受けていない。そのほぼ全域が中国文明に属していると言ってよいだろう。

ベトナムは、南北に細長い国である。ハノイを中心とした北部は、その歴史の中でずっと中国文明の一員であった。ただし、中部にはチャンパと呼ばれるカンボジアのアンコールワットとよく似た文明を持つ国があった。チャンパはインド文明の影響を強く受けていた。しかし、北部が15世紀頃から少しずつ中部へ侵攻して、19世紀初頭のグエン朝になって、その国土は、ほぼ現在のベトナムと同じような形になった。

グエン朝の創始者は南部の出身であるが、その都であるフエの王宮に行くと、グエン朝が中国文明の影響を強く受けていることがよく分かる。

ベトナム人は、自分たちは中国文明の一員であり東南アジアに属するのではないと思っているフシがある。そんなベトナム人に対しては、東南アジアの人と思って接するよりも中国人だと思って接した方がよい。

よくベトナム人は、東南アジアの中では勤勉だと言われるが、その文化が中国の影響を強く受けているためと考えられる[3]。言っては悪いが、東南アジアの〝おサボり文化〟(熱帯で暑いので、そのような文化になったのだと思うが)とは少々異なっている。ただ、それでもベトナムは熱帯から亜熱帯に位置しているので、日本などに比べればおサボリ文化ではあるのだが……。

もう一つ付け加えることがある。それは、ベトナムは中国文明の一員でありながら、中国が大嫌いなことである。これは、ベトナムの歴史を反映している。この事実は、日本ではほとんど知られていないと思う。第一の理由は、ベトナム人が「私は中国が大嫌いです!」と大声で言わないことにある。そして多くの日本人、とりわけ中高年にベトナム戦争の記憶が残っているためだ。

ベトナム戦争当時、ソ連と中国は北ベトナムを支援していた。ベトナム戦争は、植民地からの独立戦争であるとともに、社会主義と資本主義の戦いという側面も持っていた。そのために「社会主義国である中国はベトナムの味方、資本主義国であるアメリカはベトナムの敵」、そんな図式が日本人の頭の中に刷り込まれてしまった。

ベトナムは、現在でも社会主義国であるから、多くの日本人は、ベトナムを中国の友好国と思ってしまう。しかし、これから書くような理由で、ベトナム人は中国を恐れると共に強く憎むようになった。ベトナム人のアイデンティティは、中国に対する恐怖と敵愾心から成り立っていると言ってもよい。

一方の中国は大きな国であるため、多くの中国人は隣国でありながらベトナムのことをよく知らない。一般の中国人は、東南アジアを南蛮として軽く見る傾向があり、ベトナムもそんな国の一つだと考えている。ただ、政府首脳や東南アジア外交を担当する部門は、タイ、ラオス、カンボジアに比べてベトナムを扱いにくい国と考えている。それは、歴史が証明している。

現在、貿易などの面で交流は盛んであるが、ベトナム人の心は、常に中国に対する警戒心と嫌悪感に満ちている。そして、警戒心の方が強いために、口に出して「中国が嫌い」とはっきり言わない。そんなことから日本人は、ベトナムが中国の仲間だと誤解している。

こんな話があった。日本の中小企業は、後継者不足に悩んでいる。そんな中小企業をアジアの開発途上国に売却したらどうかという話が持ち上がった。アジアには、日本の中小企業の技術を欲しい会社がたくさんある。そんな話を聞いて政府機関に相談に行った時のことである。

現職の課長と面談して、ベトナムが精密機械を作る中小企業を探していると伝えたところ、協力はするがベトナムに技術を渡すと中国に渡る可能性があり、自民党の先生方から圧力がかかる可能性があると言われた。政府機関の現職課長や国会議員にして、このような認識なのである。日本は島国であり世界情勢に疎い。

ベトナムも日本も中国文明の影響を受けた

20世紀末にアメリカの政治学者であるサミュエル・ハンチントンが書いて物議を醸した『文明の衝突』の中で、朝鮮半島とベトナム北部は中国文明に分類されている。ハンチントンは日本を中国文明に入れることなく、日本文明として独自に扱った。

これは日本人の自尊心を大いにくすぐったが、より大きな目で見れば、日本はやはり中国文明の一員だと思う。中国文明の影響なしに日本を語ることはできない。日本人が作り出した文字である「ひらがなやカタカナ」も中国から伝来した漢字をアレンジしたものである。日本の思想は、中国から輸入した儒教や仏教の影響を強く受けた。

朝鮮半島とベトナムも漢字を輸入している。そして日本と同様に漢字をそのまま使うのではなく、その言語に適するようにアレンジを試みた。朝鮮半島は、漢字とは全く別体系のハングルを考案して漢字と混ぜて使った。

ベトナムもチューノムと呼ばれる文字を作り出した。しかし、日本の「かな」のように普及することはなかった。それは、ベトナム語の音調が複雑であるので漢字から表音文字を作ると複雑なものになってしまったためである。「かな」のように簡単なものにならなかった。現在、ベトナムはフランスの宣教師が約200年前に考案したローマ字表記を用いている。

このような事実を知ると、朝鮮半島とベトナム北部が中国文明圏で、日本だけが独自の文明圏を作り上げたと言い切ることは難しいだろう。ハンチントンが日本だけを独自の文明圏としたことは、割り引いて考えておいた方がよさそうである。

宗教についても、日本とベトナムは中国文明圏である。中国は、インドから大乗仏教を輸入した。それは1世紀頃と推定されている。中国の仏教は、唐に入って大いに栄えた。日本文化に大きな影響を与えた禅も、唐時代に中国が生み出したものである。現在、インドから中国を通じてもたらされた大乗仏教は、朝鮮半島、ベトナム、そして日本に根付いている。宗教を考える時、朝鮮半島、ベトナム、そして日本は兄弟と言ってよい。

ハイバーチュンの乱

ベトナムは、漢の時代に中国の植民地になり、漢からは節度使と呼ばれる代官が派遣され、代官が年貢を集めて漢に送っていた。そんな時代、紀元1世紀に反乱を起こした姉妹がいる。徴税に絡んで姉が漢に反旗を翻すと妹も協力した。それは周辺の部族を巻き込んで大反乱へと発展していった。漢（後漢）は、大軍を派遣して乱を鎮圧した。姉妹は処刑され、その首は塩漬けにされて漢都洛陽に送られたという。ハイバーチュン（ベトナム語でチュン姉妹）の乱である。

この話を知らないベトナム人はいない。現在もハイバーチュンの話はベトナム人の琴線に触れるようで、姉妹を祀る寺院があり、また大通りや地区の名前にもなっている[4]。

ところで、ベトナムでは一般に女性の地位が高い。古代では反乱の主役も女性だった。現在は中国文明の影響で、政治の世界では女性がトップになることを嫌うが、それでも女性は強く、政府諸機関において部長や課長が女性で男性が平社員などというケースにしばしば遭遇する。トップが女性の民間会社も多い。

ベトナムの女性は、職場でも家庭でも働き者である。妻の収入が夫を上回るケースも多い。男は酒飲みが多い。ベトナムのビールの一人当たり消費量はアジアのトップクラスであり、どの男性も口を揃えて「妻には頭が上がらない」と言う。

李朝初代皇帝の李太祖

話を戻すと、ベトナムではそんな状態が約1000年続いたが、日本で言えば平安時代中期、唐が滅びて中国で混乱が続いた時代にベトナムは中国から独立する。ベトナムの英雄である呉権が呉朝を打ち立てた（939年）。しかし呉朝はすぐに内乱によって滅びて丁朝、丁朝も滅びて前黎朝に変わる。ただこの王朝もすぐに滅びた。呉朝や丁朝、前黎朝は、日本の織田信長や豊臣秀吉のような役割だったのだろう。

その後、徳川家康に相当する李公蘊（リコンウアン）によって1009年、李朝の長期政権が作られることになる。初代皇帝の李公蘊には、中国と同じように太祖の名称が付けられている。「李太祖」、ベトナム読みで「リ・タイ・ト」である。彼の像がハノイの中心部、ハノイの象徴とも言えるホアンキエム湖を望む一等地に建てられている。これは、ベトナム人の心情を探る上で極めて興味深い。

ベトナムは、社会主義を標榜している。そうであるなら、天安門広場に毛沢東の写真があるように革命に尽力した人の像を一等地に建てるべきだろう。もちろんホー・チ・ミンの遺体は、ハノイの中心部に立派な廟堂を作って安置されているが、ホアンキエム湖を望む一等地には歴史上の人物を据えている。

ベトナム人の心情は、ベトナムの最初の王様であるフン王の命日が祝日（旧暦3月10日）になっていることからも分かる。フン王は全くの伝説の人物であり、遺跡も発見されていない。日本で言えば神武天皇のような存在である。マルクス・レーニン主義を国是とする社会主義国が、そんな伝説の王様の命日を祝日にしている。

日本が戦後、「建国記念日」を制定しようとした時、左翼陣営が「戦前の紀元節の復活であり、神話に基づく荒唐無稽な話は受け入れられない、軍国主義への逆戻りだ」と反対した。だが、社会主義国であるベトナムにも神話に基づく建国の日があるのだから、一概に神話に基づく祝日が軍国主義への逆戻りとは言えないだろう。

ベトナム版元寇の英雄チャン・フン・ダオ

さて、ベトナムが独立してからも中国は、ことあるごとに攻めてきた。モンゴルが南宋を滅ぼして中国大陸に元を打ち立てた時にも攻めてきた。それは、まさにベトナム版の元寇である。時期も日本とほぼ同じである。

元からの使者が来た時、ベトナム王は、元にはとてもかなわないので降伏したいと言い出した。それに対して武将である陳興道（チャンフンダオ）が、降伏するなら私の首をはねてからにしろと、強硬な主戦論を述べた。王はその勢いに押されて戦いを決意し、陳興道は全軍を率いて巧みなゲリラ戦法を用いて戦い、元軍に勝利することができた。陳興道は、今でも語り継がれているベトナムのヒーローである。

ベトナム海軍は、主要な艦艇に歴史上の英雄の名前をつけており、陳興道はフリゲート艦の名前になっている。ベトナム海軍は、2018年に日本に初めてフリゲート艦を派遣したが、その時に選ばれたのがフリゲート艦「チャン・フン・ダオ」である。この名前は、日本で言えば北条時宗に相当しよう。

ベトナムは日本に、「一緒に中国に対抗しましょう」という意味を込めてフリゲート艦チャン・フン・ダオを派遣した。しかし、その意図について、この手の話が好きな産経新聞も含めて日本のマスコミは、どこも全く気がつかなかったようだ。何の報道もなかった。筆者は、ベトナムの意図を理解した数少ない日本人の一人だったと思う。

レ・ロイとホアンキエム湖の亀

中国とベトナムは何度も戦い、その度に英雄が生まれている。もう一人だけ紹介する。それはハノイの名所、ホアンキエム湖にちなむ話である。

初めてハノイに行くと、必ずと言ってよいほどホアンキエム湖（湖というよりは大きな池）を訪れることになる。ガイドブックには必ず書いてある。現地のガイドを頼んでも必ず連れていってくれる。その湖に小さな島があり、寺が建てられている。その寺の中に大きな亀の剥製がある。ホアンキエム湖で捕獲された亀であり、神の使いとされる。

10世紀末に独立を果たしたベトナムであるが、15世紀の初頭、明の永楽帝の時代に再び中国の植民地にされてしまう。永楽帝は明の太祖の子であるが、2代目皇帝になった兄の子を殺して（靖難の変）、実力で帝位を簒奪した人物である。優れた軍事能力を持っていた。明の有名な武将の鄭和をアフリカまで遠征させたのも永楽帝である。

その時にベトナムで立ち上がった男が、後黎朝の始祖となる黎利である。レ・ロイは神から剣を授かり、その剣によって明軍を打ち破ることができたと伝えられる。勝利の後にホアンキエム湖に亀が現れて、剣を返してくれるように言った。亀は剣をくわえて湖底に消えたという。

この物語はベトナムでは広く信じられており、ホアンキエム湖で大きな亀が捕獲されると、国を挙げての大騒ぎになる。「ホアンキエム」とは、ベトナム語で「還剣」の意味である。

それまでベトナムの政権は、北部だけを支配しており、南部はチャンパ国が支配していたが、後黎朝は本格的に南進を始めてベトナム統一の基礎を作った。その意味でも人々は、後黎朝に敬意を抱いている。

レ・ロイの話には、阮廌の物語も付随している。レ・ロイは勇気があり喧嘩が強かったが、そんな腕っ節だけで人々を糾合して明に勝つことはできない。参謀が必要になる。また、周りに多くの人が集うようになると、文章が書ける人も必要になる。その役割をグエン・チャイという学者が担った。

ベトナムは、中国から科挙の制度を取り入れていたために学問のある人物がいた。レ・ロイとグエン・チャイは、名コンビである。グエン・チャイは、今でもベトナムの人々の敬愛を集めている。

付言すれば、科挙の伝統のあるベトナム人は、勉強が好きであり、こういう点はラテン的であるフィリピンとはだいぶ違う気がする。また、ベトナム人は先生を大切にするが（休日ではないが祭日として「先生の日」がある。先生に花やプレゼントなどを贈る習慣がある）、そこにはグエン・チャイの物語も力になっていると思う。

清朝のハノイ侵攻

中国は、ベトナムの政局に大きな影響を及ぼしている。中国がベトナム政治に干渉するというよりも、ベトナムの内政が割れた際に、形勢の悪いグループが中国に支援を頼むことで混乱が生じると考えた方がよい。その好例が18世紀の黎朝の末期にある。

ベトナムは、日本の室町時代から江戸時代中期に存在した黎朝において、後半は南北に分裂していた。黎朝の皇帝はハノイにいたが、実権は鄭氏に握られていた。鎌倉幕府の4代目以降の将軍と執権の北条氏の関係のようなものである。南部は黎朝の家臣であったがグエン氏が支配していた。

そんな南部で反乱が起きた。南部の山岳地帯の西山（タイザン）で三人兄弟がグエン氏の支配に対して反乱を企てた。反乱は成功して、三兄弟はグエン氏を南部から駆逐した。その勢いに乗って、兄弟の2番目である阮恵（グエンフエ）が北上し、彼の軍勢がハノイを攻略した。その際に黎朝最後の皇帝である昭統帝（しょうとうてい）は、中国の広西に逃げ込み清朝の乾隆帝（けんりゅうてい）に助けを求めた。

それに応じた清朝は、大軍を以てベトナムに攻め込み、ハノイを攻略して昭統帝を皇帝の地位に据えた。当然のこととして、実権は清朝の軍司令官が持つ体制が作られた。

ベトナムはハノイを占領されてしまったが、阮恵は現在のゲアン省付近で農民兵を募り、その軍勢をもってハノイに陣取る清朝軍に戦いを挑んだ。

清朝の軍勢はハノイのドンダーの丘に布陣していたが、旧正月を前にしてその準備で油断していた。そこを阮恵が率いる農民を主体とした軍勢が襲いかかった。この戦闘はベトナム側の完勝となり、ベトナム史上最大の戦勝としてベトナム人の心の中に深く記憶されている。阮恵は軍事の天才として、現在までベトナム人に深く敬愛されている。一方の昭統帝は、ベトナムを危機に陥れた愚帝として記憶されることになった。

この話は、後述する現在のベトナム政局を理解する上で重要である。

ベトナムの歴史を知らず敗れたアメリカ

このようにベトナムは、中国と戦い続けてきた。強大な敵との戦いの連続であり決して楽な歴史ではなかったが、不屈の闘志で１０００年間独立を守ってきた。

こんな話を聞いたことがある。ベトナムでは、村から兵士が出征する時に兵士を村娘と交わらせた。それは出征する兵士への餞（はなむけ）の意味もあろうが、兵士が戦死した場合でも子を残し、その子が再び中国と戦うためであった。父親が戦死した場合には、子供は村中で育てるという。まさに抵抗の精神である。

その歴史を深く理解しなかったのがアメリカである。ベトナム戦争に深入りして結局負けた。米ジャーナリストのデイヴィッド・ハルバースタムによる『ベスト&ブライテスト』という本がある。ケネディ、ジョンソン両大統領の下で国防長官を務めたロバート・マクナマラなどアメリカの知的エリートたちが、ベトナム戦争を起こして敗れたという話だ。あれほどまでに頭のよいマクナマラが、なぜ失敗したのか。それは、彼が経営学には秀でた人物だったがアジアの歴史には暗かったためだろう。

マクナマラは、経営に数理的な手法を導入して、フォード自動車の再建などに辣腕を振るった。それは、日本でも人気のＭＢＡ（経営学修士）に代表される知性である。常にコストとベネフィットを考えて行動する。マクナマラは、ベトナム戦争でもベトコンを一人殺すのにいくらかかるか計算していたという。

マクナマラは、戦争を始めるまでベトナムの歴史を全くと言っていいほど知らなかった。MBAに代表されるお金儲けの技術だけでは、東南アジアのビジネスを成功させることはできない。歴史に学ぶ謙虚さが必要になる。

フランス植民地時代の日本への東遊運動

ベトナムは、19世紀にフランスの植民地になった。その経緯は複雑だが、阮朝（グエン）（1802〜1945年）がフランス人宣教師の手を借りて王朝を樹立したことが、植民地にされてしまうきっかけになった。そんなことからベトナムでは、今もグエン朝は人気がない。「グエン朝の王様は馬鹿ばかり」、人々からそんな陰口も聞かれる。

民衆はフランスに反感を持ち、ベトナムでは戦前から独立運動が盛んだった。しかし、いくら抵抗しても西欧文明の中心とも言える強大なフランスに勝つことはできない。そんな時代、アジアに希望の星が現れた。日本である。

ベトナムの歴史に日本が絡むのはここからである。ベトナム中部の街ホイアンには、安土桃山時代から江戸時代初期にかけて日本人町があった。だが、それは昔話であり、現在のベトナムと日本の関係を考える際には関係ない。

「アジア人は西洋人にかなわない」と多くの人が思っていた時代に、日本はロシアと戦争して勝った。それは、アジアの人々を大いに勇気づけた。ベトナム人は、そんな日本に学びたいと考えた。東遊運動である。最初は、日本に武器を援助してくれるように頼んだのだが、日本は武力闘争を助けることはしなかった。これは正しい判断だろう。

その後、科挙に合格した優秀な若者200名が日本に留学したのだが、フランスは警戒して、日本にベトナム人学生を留めないように要請した。日本はその求めに応じてベトナム人留学生を国外に追放している。当時の日本は、日露戦争に勝ったといっても、まだ東洋の小国である。欧州の大国フランスの要請を聞かなければならなかったことは理解できる。しかし、それでも他にいい方法があったように思う。だが、当時の日本は脱亜入欧を国是としており、日本政府は遅れたベトナムを無視してフランスに迎合した。

ベトナム人は、そんな日本人のアジアに対する視線を見逃さなかった。ベトナム人は、日本人がアジア人を蔑視していること、また、自分だけが西洋の一員になろうとしていることを見抜いた。ベトナム人と同じ立場にいれば、日本人だって深く傷ついただろう。現在、それを口にするベトナム人はいないが、一部のインテリはよく知っており、時に日本人に対して不信感を抱く原因になっている。

日本の北部仏印進駐と援蔣ルート

東遊運動から約30年後に、ベトナム人が日本人に対して再び不信感を抱く出来事が起きた。それが仏印進駐である。これが実質的に〝あの戦争〟の引き金になった。

１９３７年に日本と中国の間に本格的な戦争が始まった。戦争当事国になると石油や鉄など戦略物資の輸入が途絶える可能性があったので、日本政府は戦争とは呼ばずに「日華事変」や「支那事変」と称した。海外から物資を輸入しなければ経済を維持することができない。こんな名称を付けたことからも、日本が長期戦には耐えられなかったことが分かる。

そんな日本の弱みを見た蔣介石(しょうかいせき)は、首都である南京が陥落しても降伏することなく抗戦を続けた。蔣介石は、武漢を経て重慶に逃げた。そこは内陸部の山奥である、補給の面から日本軍は攻略することができなかった。米英は、そんな蔣介石に武器や戦略物資を供与して抗戦を手助けした。

日中戦争は当初の見込みとは異なり泥沼化してしまった。日本は、１９４１年の夏にアメリカと戦争を始めるかどうかで大いに悩む。

杉山元(げん)参謀総長は、アメリカとの戦争について昭和天皇に、「南洋方面だけは三ヶ月位にて片付けるつもりであります」と奉答している。それに対して昭和天皇は、「汝は支那事変勃発当時の陸相なり。其時陸相として、『事変は一ヶ月位にて片付く』と申せしてことを記憶す。然るに四ヶ年の長きにわたり未だ片付かんではないか」と詰問している。そこで杉山が、「支那は奥地が開けて居り予定通り作戦し得ざりし」などと言い訳すると、天皇は、「支那の奥地が広いといふなら、太平洋はなほ広いではないか。如何なる確信あつて三月と申すか」と叱っている。杉山参謀長はうなだれて、返答することができなかったという[5)]。有名なエピソードである。

蔣介石が逃げ込んだ重慶は大陸の奥深くにあり、日本軍の補給能力では、そこを攻め落とすことはできなかった。長引く戦争に国内では、厭戦気分が広がり始めた。陸軍は、戦争に勝つことができない理由を探さなければならなくなった。そんな陸軍は、米英が蔣介石に対して援助物資を送るから蔣介石は降伏しないという理屈を言い始めた。

確かに援助物資は、重慶政府を勇気づけていた。だが、援助物資の量はそれほど多くはない。日中戦争が終わらない真の理由は、日本に戦争終結のプランがなかったからである。日本は、なんとなく満州と同様に華北を日本の支配下に置こうと考えていた。しかし、中国政府にとって満州族の地であった満州とは異なり、北京を含む華北を日本に割譲することは受け入れることができない。蔣介石は、日本が完全に中国大陸から撤兵するまで重慶に逃げ込んで徹底的に戦い続けることにした。

中国は広いから、日本の国力では全土を支配することは無理である。中国は、戦いに勝つ必要はない。負けなければよい。時間が経てば、日本軍は疲れて撤兵する。蔣介石はそう考えた。

それは、米英の利害と一致する。そのために米英は、重慶に逃げた蔣介石に援助物資を送り続けた。その道が「援蔣ルート」である。日本はその遮断に力を入れることになったが、それは〝あの戦争〟の導火線になってしまった。

援蔣ルートは二つあった。一つは、ミャンマーから雲南を通るルート。これは山道が延々と続く。もう一つは、ベトナムのハイフォン港から現在の広西チワン族自治区を経て重慶に送るルートである。

日本軍は、まず、ベトナムからのルートを遮断しようと中国南部の南寧に軍を入れた。しかし、南寧を占領したところで広い大陸では、一度中国に入った物資を遮断することはできない。

そのために、日本はベトナム北部を占領して物資の輸送を遮断しようとした。ベトナムはフランスの植民地であるが、フランスは1940年6月にドイツに敗れた。チャンスが訪れた。日本は、その隙に乗じて北部仏印に進出した。これは火事場泥棒と言われても仕方がない行為であろう。

日本は、ナチスドイツの傀儡政権であるフランスのヴィシー政権と交渉して北部ベトナムに進駐した。少々の戦闘は起こったものの、比較的平和的な進駐であった。この進駐は、大東亜を解放するという高邁な理念を掲げて行ったものではない。大東亜戦争という名称は、米英との戦いが起きた後、1942年に付けられたものである。

そのために、北部仏印進駐が行われた当時、ベトナム人はフランスに代わって日本人が新たな支配者になったとの思いを強くした。実際に、日本はヴィシー政府と共同でベトナムを統治することにした。そんなわけで1943年に大東亜会議が開かれた際にも、日本政府はベトナムの代表を呼んでいない。

これらは、日本人が忘れてしまった歴史である。だが、ベトナム人にとっては、日本人から「あの戦争はアジア解放のための戦争であった」と聞かされても、そうは思えない理由になっている。

南部仏印進駐とマレー沖海戦

あの戦争の頃も、そして、今になっても日本周辺からは石油が出ない。現在、日本は多くの石油を中東から輸入しているが、1930年代には日本はアメリカから石油を買っていた。

日本は、そんなアメリカと中国大陸での利権を巡って対立するようになってしまった。戦略物資である石油をアメリカに頼ることはできない。アジアで石油の出る場所を確保しておきたい。そう考えた日本は、油田地帯であるオランダ領インドネシアのパレンバン、イギリス領ブルネイなどを占領してしまいたいと思った。

しかし、そこに兵を進めればオランダやイギリスと戦争になってしまう。そうなればアメリカも黙ってはいないだろう。石油を安定的に確保するには、東南アジアからアメリカとイギリスの軍隊を追い出す必要がある。軍部はそんなことを考えていた。

日本軍は１９４１年夏に南部仏印進駐を行った。その目的は、イギリスの基地があるシンガポールを攻略するためだった。サイゴン（現在のホーチミン市）近郊に飛行場をつくれば、マレー半島の制空権が手に入る。日本軍は実際にサイゴンの郊外に飛行場をつくった。

軍事的理由だけで、南部仏印にまで兵を進めてしまった。だが、そんな身勝手なことが許されるはずもない。南部仏印進駐は、アメリカの逆鱗に触れた。アメリカは、日本への石油の禁輸に踏み切った。南部仏印に進駐した時点では、日本はアメリカが石油を禁輸することはないと思い込んでいたが、その見通しは甘かった。日本は世界情勢を読み誤っていた。

当時、アメリカのルーズベルト大統領はドイツと戦いたかった。ドイツに勝利すれば世界の覇権を握ることができる。ヨーロッパの戦争に参加することは、アメリカの国益になる。そう考えていたが、アメリカの人々はヨーロッパの戦争に巻き込まれることを嫌がっていた。

ルーズベルトは、戦争の口実を探していた。そこに日本軍が南部仏印に進駐して、アメリカの世論を刺激した。アメリカ国民は石油の禁輸を支持した。ルーズベルトは、石油を禁輸すれば日本は石油欲しさに東南アジアに攻め込んでくると考えていた。そうなれば日本との戦争になり、いずれは日本と三国同盟を結んでいるドイツとも戦える。石油の禁輸にはこんな思惑が隠されていた。

ところで、私見だがルーズベルトは、日本が真珠湾を攻撃するとは思っていなかったと思う。日本軍がアメリカ領のフィリピンを攻撃するだけでも戦争になる。それがドイツとの戦いにつながると読んでいたのだろう。だが、フィリピンへの攻撃だけでアメリカの世論をまとめ上げることは大変だと思っていたはずだ。ルーズベルトにとって、日本が真珠湾を攻撃したことは、全くの僥倖であった。

日本があの戦争を反省するのなら、北部仏印進駐から真珠湾攻撃にかけての政治判断を反省すべきである。日本には政略も戦略もなかった。軍部が考えた小手先の戦術的な判断によって、あの戦争を始めてしまった。

開戦は真珠湾ではなくマレー半島

さて、日本は、石油の禁輸からは坂を転げ落ちるようにあの戦争へと突き進んでしまった。あの戦争は、１９４１年12月８日に日本海軍がハワイの真珠湾を攻撃して始まった。そう思っている人が多いと思うが、正確には日本陸軍のマレー半島のコタバルへの上陸の方が早い。アメリカへの宣戦布告が攻撃開始より遅れたことが問題になっているが、日本軍はイギリスには何の宣戦布告もなく英領であるマレー半島に上陸している。

イギリスは、シンガポールを要塞化して、「東洋のジブラルタル」と豪語していた。シンガポールは、イギリスの東南アジア支配の拠点であった。シンガポールは、マレー半島の先端にある島である。マレー半島とはジョホール水道で隔てられている。マレー半島は熱帯雨林に覆われており、イギリスはマレー側から攻撃されることはないと考えていた。海側から艦砲射撃などによって攻撃されることを想定していた。

シンガポールの海側の守りは固い。そのために日本軍は、マレー側からジョホール水道を越えて攻め込むことを考え、マレー半島のコタバルに上陸した。その上陸の援護には、戦時中に歌や映画で大いに有名になった陸軍の加藤隼戦闘隊が当たっている。隼はフーコック島から出撃しているが、フーコック島はベトナム最南端の領土であり、現在はきれいな海が広がるアジア有数の観光地になっている。

日本軍のマレー半島への上陸を阻止しようと、シンガポールからイギリスの最新鋭戦艦であるプリンス・オブ・ウェールズと巡洋戦艦レパルスが出動してきた。それを日本海軍の陸上攻撃機が攻撃した。マレー沖海戦である。

その前に、日本の空母航空部隊が真珠湾を攻撃してアメリカの戦艦を沈めているが、それは停泊した戦艦に対する奇襲攻撃であり、航行している戦艦を飛行機が沈めることができるかどうかは疑問視されていた。しかし、マレー沖海戦は飛行機が戦艦に勝ることを証明した。

マレー沖海戦に参加した日本海軍の飛行機は、サイゴン付近の基地から出撃した。隼戦闘隊もそうであるが、事前に南部仏印を占領しておいたことは、マレー作戦において大いに役に立った。

1945年の北部大飢饉

あの戦争の末期に、ベトナムで悲劇が起きた。戦争中、日本はベトナムをフランスと共同統治していたが、1945年になると米軍のベトナムへの上陸に備えるために、日本が単独でベトナムを統治することにした。戦闘が始まった際に共同統治のままだと各種の不都合が生じると考えたためである。

1945年、ベトナム北部のコメは不作だった。当時からベトナムの米作地帯は、メコンデルタであった。北部の人は、南部から海路で運ばれてくるコメも食べていた。しかし、日本が南シナ海の制海権を失ったことから、南部のコメを北部に運ぶことができなくなった。

その結果、1945年の夏に北部は、深刻な食糧不足に襲われた。そんな時期に日本軍は、戦争に備えて農民から大量にコメを徴発したために飢饉が発生した。

その実数については、いまだに議論があるが、この1945年の飢饉で約100万人が死亡したとされる。この飢饉は、日本軍が引き起こしたものとしてベトナム人の記憶に残っている。それは、祖父母が語る記憶だけではない。教科書にも書かれており、現在、それを知らないベトナム人はいない。

ただ、現在、ベトナム人は日本人に対して、このことに関連した恨みごとを言うことはない。それよりも日本のODAへの感謝の念の方が大きいように思う。

また、中国と長い間戦い、中国が骨の髄から嫌いであるために、戦略上のパートナーとして日本に秋波を送っている。親日国と言ってよいが、その心の奥底にはこのような事実が隠されている。

日本人が東南アジアに進出したことが東南アジア諸国の独立につながったことは事実である。しかし、その経緯をよく知る人々が両手をあげて日本に感謝しているわけではない。この辺りはよく知っておく必要がある。「アジアから感謝される日本」的な発想でアジア人に接しても、本当の意味でアジア人の心を捉えることはできない。

ドイモイと経済成長

日本の敗戦からベトナム戦争までの話は、次節で述べる。長かったベトナム戦争は、1975年に終わった。第二次世界大戦の終結から30年が経過していた。ベトナムの経済成長は、他の国より30年遅れたことになる。それだけではない。1978年にカンボジアに侵攻したことから国際的な孤立を招き、それに関連して79年には中国と戦争している。ベトナム戦争が終わっても、ベトナム人は平和を享受することができなかった。

そんなベトナムであるが、1986年にドイモイ（ベトナム語で「刷新」。中国が1978年に開始した改革開放路線によく似る）を始めると、少しずつ経済が発展し始めた。1991年に中国と、1995年にはアメリカとの国交を回復した。経済成長の準備が整った。

21世紀に入ると、ベトナムは年率で7％前後の成長を遂げるようになった。2019年に入って、ベトナム経済は思わぬ投資増に沸いた。米中貿易戦争によって、中国にあった工場が急遽ベトナムに移ってきたからだ。中国企業には愛国心などないようだ。中国で操業していてはうまくいかないと思えば、すぐに他の国へ工場を移す。

また、日韓関係もベトナムを利している。韓国から日本へ行くはずの旅行者がベトナムを選んでいる。これまでもダナンは熱帯のリゾートとして韓国人に人気であったが、日韓関係の悪化によって、日本旅行をやめた韓国人がダナンに押し寄せている。

そんなこともあり、現在、ベトナム経済は絶好調である。2021年の一人当たりGDP

は3756ドルであり、すでに開発途上国を卒業して中進国ということになる。このような状態があと数年続けば、ベトナムは東南アジア有数の経済大国になるだろう。

古地図が語る南シナ海の領有権

古地図は、我々にいろいろなことを教えてくれる。**図2**はオランダ人のヨドクス・ホンディウス（Jodocus Hondius・1563〜1612年）が描いたインドと東南アジアの地図である。ホンディウスは、ロンドンやアムステルダムにおいて得られた情報をもとに地図を作成している。この地図は、17世紀初頭（江戸時代の初期）にヨーロッパ人が東南アジアをどのように理解していたかを示している。

地図は、現在の目から見れば不十分ではあるものの、概ね東南アジアの概要を伝えている。シャム、カンボジア、ルソン、ボルネオ、スマトラなどの表記も見られ、これらの名称が当時から使われていたことが分かる。

興味深いのは、南シナ海の島々がナイフのような図形で囲まれて、その帰属が現在のベトナムとされていることだ。当時の船乗りにとって南シナ海の島々は、マラッカ海峡を通過して日本や中国に至る上で重要な道標だった。

西洋から航海してきた人々は、その島々がどこに帰属しているのか聞いたに違いない。そして、その答えはベトナムであったようだ。だから、このように南シナ海の島々を囲んで、その帰属をベトナムとしたのだと思う。

この事実は、南シナ海に面する国々の中で、ベトナムが早くから国家を形成していたことと無縁ではないだろう。フィリピンやマレーシアが国家としての体裁を整えるのは、第二次世界大戦が終わってから後のことである。

この南シナ海の島々の帰属は、１８９６年に作られた地図（**図3**）を見るとより明確になる。**図3**は、現在我々が目にする地図と遜色がない。19世紀後半になると人類は、世界の地形について正確な知識を有するに至ったのだが、この地図では南シナ海の島々にベトナムの名前が付けられている。

19世紀になるとベトナムでは、グエン朝が全国を統一しており、国土に対する意識も高まったことから西欧人に南シナ海の島々は、ベトナムに所属することを伝えていたようだ。それがこの地図に反映されている。

現在、中国は南シナ海の島々である南沙諸島、西沙諸島などに対して、その領有権を主張している。だが、明王朝の時代（**図2**）、清王朝の時代（**図3**）に中立的な立場にあった西洋人が描いた地図には、それらの島々はベトナムに帰属すると記されている。

東南アジアにヒンズー文明やイスラム教が伝播した経緯を記したところでも述べたが、中

1613年にアムステルダムで出版された地図。南シナ海の島々がナイフのような形で囲まれて（図中囲み部分）ベトナム南部に帰属するように描かれている。

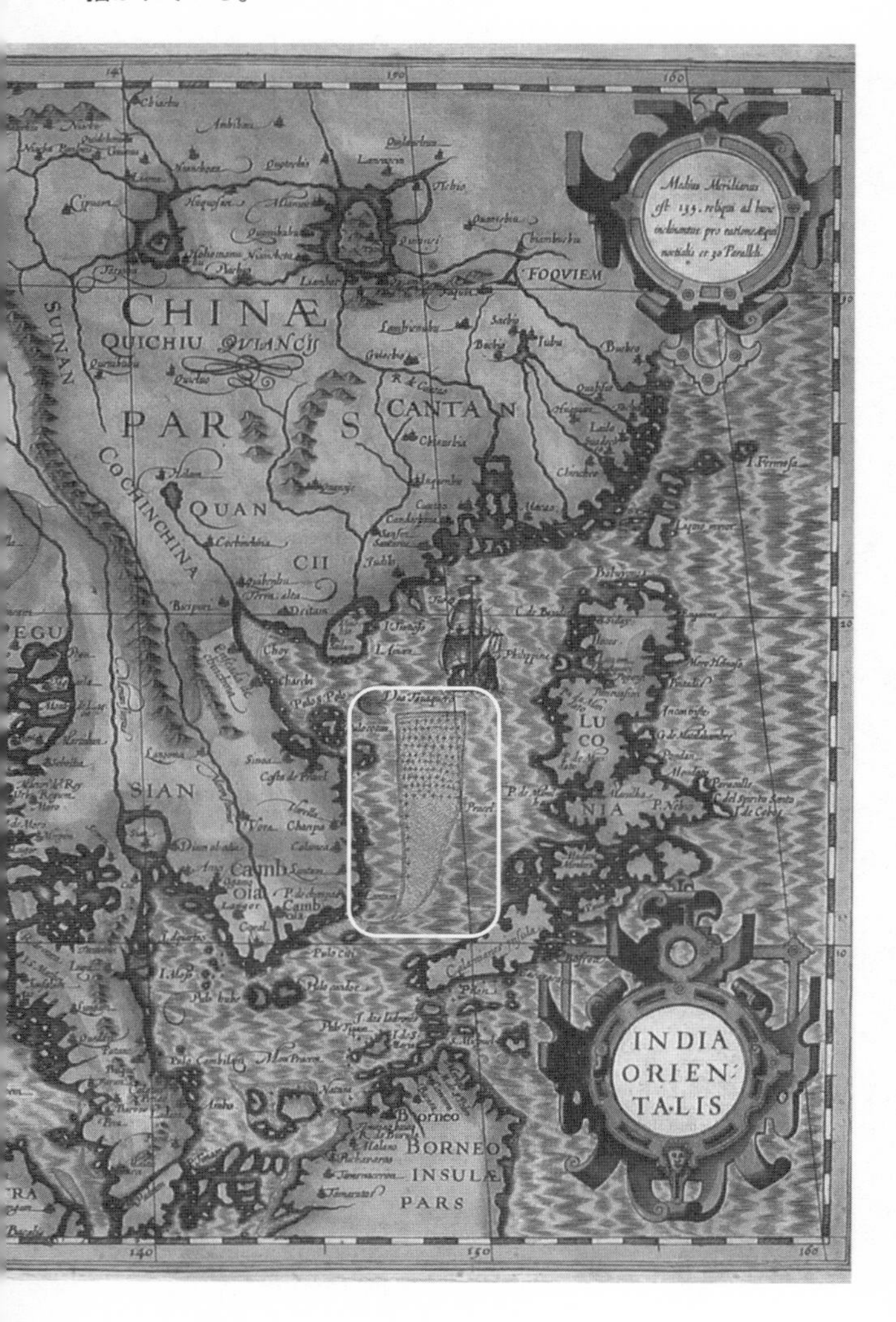

図２　東南アジアが描かれた地図（1613 年）

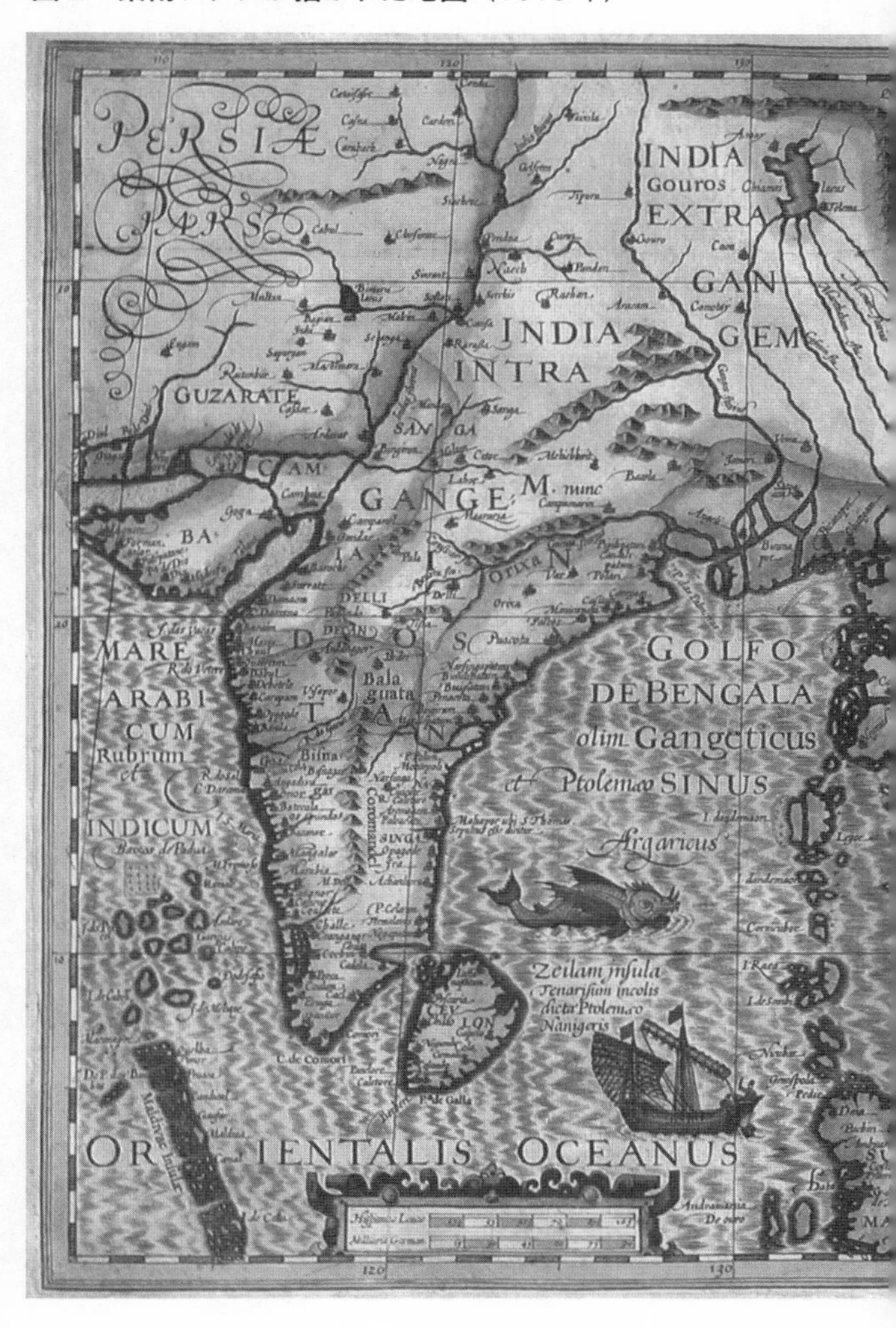

1896 年にタイムズ・アトラスの一部としてロンドンで出版された地図。中国が近年、領有権を主張するようになった「西沙諸島」は、「Paracel Islands and Reefs」（パラセル諸島）と表記されているなど、南シナ海の島々の名前としてベトナム人が用いていた名称が記載されている。

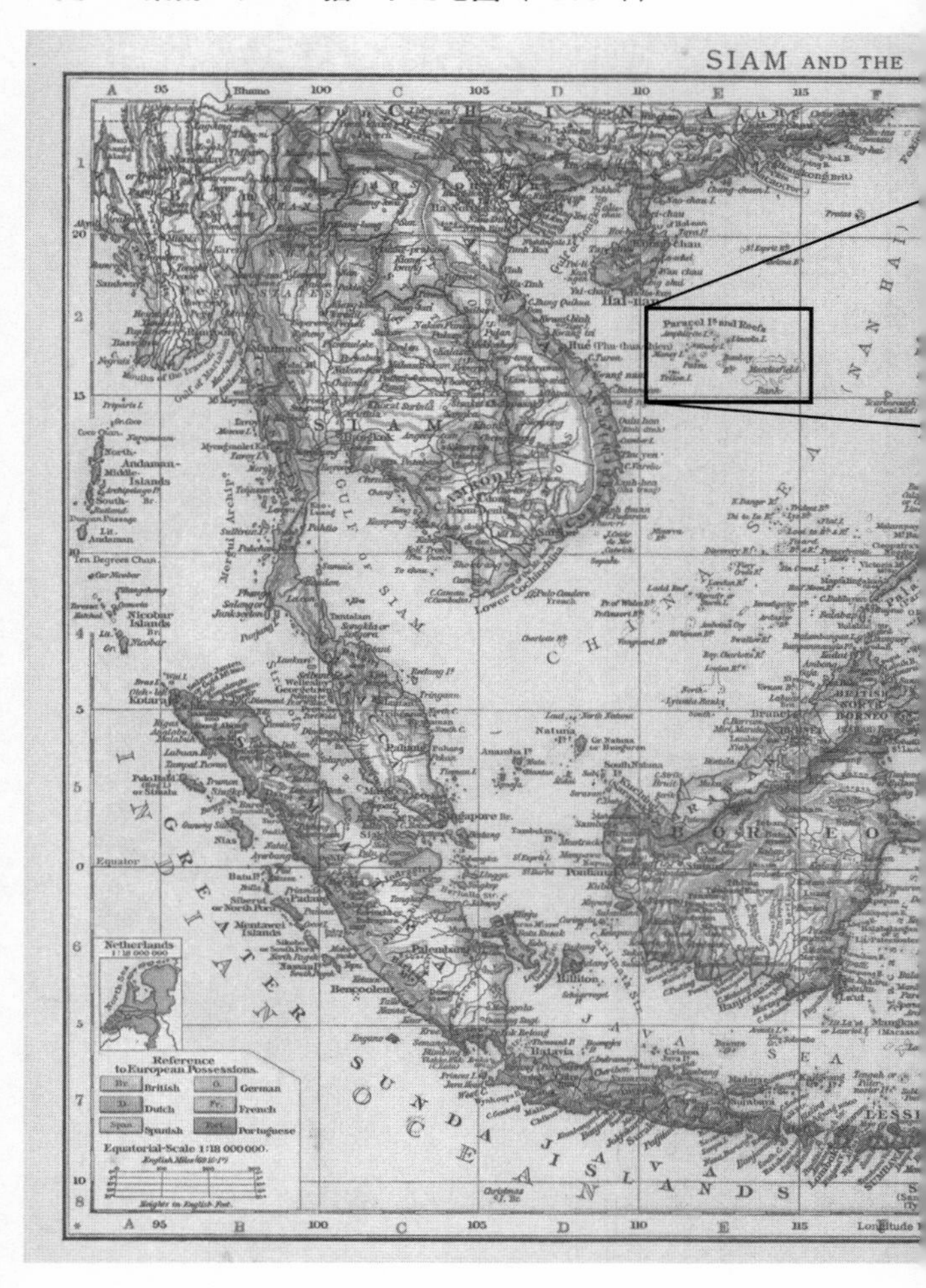

図３　東南アジアが描かれた地図（1896 年）

国人は海外進出に興味を持っていなかった。興味を持たないどころか、明も清も鎖国制度（海禁）を採用しており、自国民が外洋に航海することを禁じていた。そんな関係もあり、16世紀になって西欧人がアジアに来た時に、南シナ海の島々は、ベトナムのものとされていた。

このような事実を見ても、中国が南シナ海の島々の領有権を主張することには根拠がない。歴史を知る時、中国が南シナ海の島々の領有権を軍事力の行使を伴いながら主張することは、容認できるものではない。その行為は、まさに帝国主義的と言ってよいだろう。

第３節◉ベトナムと朝鮮半島比較論——北と南に分断された国家

中国と陸続きの隣国

中国から容易に行くことができる隣国は、朝鮮半島とベトナムだけである。その他にもモンゴル、ロシア、カザフスタン、インド、ミャンマーなどがあるが、砂漠やヒマラヤ山脈を越える必要があり簡単ではない。中国と朝鮮半島との間には、鴨緑江（おうりょくこう）や豆満江（とまんこう）が流れているだけである。それほどの大河ではなく簡単に渡れる。ベトナムにも、２０１９年にハノイで開かれた米朝首脳会談に北朝鮮の金正恩（キムジョンウン）が鉄道で向かい、国境の街ランソンで自動車に乗り換えて行ったように、簡単に行くことができる。

そんなわけで朝鮮とベトナムに住む人々は、陸続きの隣国である中国の脅威にさらされてきた。中国は、両地域を植民地にしたかったようだが、どちらの国も植民地として支配することはできなかった（ベトナムは１０００年ほど前まで中国の植民地だったが、それ以降はごく一時期を除き独立していた）。

ただ、そんなベトナムと朝鮮の中国に対する対応は大きく異なっていった。このことは、現在になっても朝鮮とベトナムに住む人々の思考や行動に大きな影響を与えている。まず、朝鮮について語ろう。

儒教を国教にした朝鮮の「事大主義」

朝鮮は、中国に対して逆らわずにご機嫌を取ることに終始した。喜んで中国の冊封体制の中に入った。1392年に李氏朝鮮が建国されると、それは揺らぐことのない国策になった。

一般に李氏朝鮮と言われる時代は、日本の室町時代から明治時代に相当する。李氏朝鮮時代は豊臣秀吉による侵攻を受けたが、中国と戦ったのは後述する明から清への代替わりの時だけである。

江戸時代に定着した考え方が現在の日本に息づいているように、李氏朝鮮時代に定着した考え方は、現代の朝鮮半島に色濃く残っている。高麗の時代には仏教が国教であったが、李氏朝鮮は儒教を国教にした。

その儒教は、伝統的な孔子に始まる儒教ではなく、南宋の時に朱熹（しゅき）が作り上げた朱子学である。朱子学は、名分論を大切にして君主と臣下の関係を明確化する。そんな朱子学を取り入れたために、朝鮮が中国に仕えるという関係は一層強化されてしまった。

なぜ、李氏朝鮮は君主と臣下の関係に厳しい儒教を国教にしたのであろうか。その理由はいろいろ考えられるが、最大の理由は明で仏教の影響力が弱まり儒教の影響力が強くなったからだろう。親分である明で儒教が支配的になっていたので、その真似をしただけだと思う。
それは、朝鮮半島に住む人の精神構造に大きな影響を与えた。それまでも強い者に従うべきであるという考えはあったものの、儒教を本格的に取り入れたことにより「事大主義」が公式見解になったからだ。

「事大主義」は、孟子が言い出したものとされ、大きく強いものに従うことを言う。それまでの朝鮮も常に中国の意向を忖度して生きてきたのだが、朱子学を取り入れたことによって「事大主義」は、朝鮮半島の人々の基本的な身のこなし方になってしまった。

清国へ従属した朝鮮

ただ、そんな李氏朝鮮も中国に攻め込まれたことがある。正確には、満州族が攻め込んだ（丁卯胡乱と丙子胡乱の2回にわたる）。攻め込まれた原因は、朱子学にある。

隆盛を誇った明も末期になると、お決まりの農民反乱が頻発した。そんな中で満州に住む女真族が力をつけて明に攻め込んだ。

その際に、朝鮮は、明と女真族から援軍を求められた。勢いは明らかに女真族にある。建国から約300年が経過した明朝の官僚組織は腐敗しきっており、農民反乱に苦しんでいた。国際情勢に明るければ、明を見限って女真族を応援するだろう。

しかし、朱子学に凝り固まっていた李氏朝鮮は、国際情勢を無視して名分論から明に味方することにした。女真族を満州に住む文化程度の低い奴らとバカにしていたためでもある。明と女真族の戦いは、女真族の勝ちに終わった。女真族は、北京に入って清朝を打ち立てた。その後、清は報復として朝鮮半島に攻め入った。李朝は、ろくに戦いもせずに降伏した。

李朝は、屈辱的な講和条件を突きつけられたが呑まざるを得なかった。皇太子を人質に差し出すこと、毎年多額の貢物を清に送ること、清の使者が来た時に朝鮮王は三跪九叩頭（さんききゅうこうとう）の礼で迎えなければならないことなどである。また、大清皇帝功徳碑といって朝鮮王がいかに愚かで清の皇帝がいかに偉いかを書いた石碑まで建立させられた。まさに屈辱である。

清が日清戦争に敗れるまでその石碑は存在したが、日清戦争に清が敗れた後に引き倒されて地中に埋められた。この辺りもいかにも朝鮮的である。清は日本に敗れたのであり、朝鮮が勝ったわけではない。それなのに清の力が弱まったと見ると、石碑を倒して地中に埋めた。他力本願であり卑怯と言ってよい。

このように常に強いものに従ってきた生き方は、どこかで民族の心根を腐らせてしまう。誰にでもどの民族にでもプライドがある。そのプライドを「事大主義」によって捨て去ってしまったことは、民族の悲しみである。

朝鮮半島では、その悲しみが時にヒステリックに現れる。特に文在寅（ムンジェイン）前政権では、韓国の国内の政情、そして日本との関係において、常に強いものに従ってきた人々の悲しみを見た。日本より中国の方が強くなったと思ったので、日本への積年の恨みを言い出した。一方で、中国には文句を言わずに下手に出ていた。そこに正義はない。強いものに媚びているだけだ。人間の生き様の全てを利害損得で決めるべきではない。時には、損得を度外視して決然と立つことも必要になる。

こんなエピソードがある。昭和の時代に医師会のドンとして君臨した医師の武見太郎は、戦後まもなくの頃、銀座に診療所を構えていた。その患者に、戦前に総理大臣を務めて最後の海軍大臣として終戦工作に尽力した米内光政（よないみつまさ）がいた。彼は、糖尿病を患っていた。米内は昭和天皇の信任が厚く、軍部の中では穏健派、良識派として知られていた。

武見は、そんな米内に診療後に「なぜ負けると分かっている戦争を始めたのですか」と聞いたことがあった。

「開戦前、海軍上層部の見通しはどうだったんですか。まさか勝てると思ってたわけじゃないんでしょう」

武見が聞くと、

「軍人というものは、一旦（いったん）命令が下れば戦うのです」

と答えた。

「陸軍の支配下に伸びて行った日本の、偏狭な国粋主義思想は世界に通用するものではなかったけれども、日本には古来から日本独自の伝統思想風習がある。その上にアメリカ流の民主主義を無理にのっけようとすると、結局反動が来るのではないか。それを心配している。民族のものの考え方は、戦争に負けたからといって、そう一朝一夕に変るものではない」

と、占領軍の日本民主化政策を批判するようなことを言うので、

「しかし、科学技術を振興して行けば、日本は立ち直って新しい国に生れ変ることが出来ると思いますがね」

物理屋でもある武見が反論すると、

「国民思想は科学技術より大事だよ」

と、言葉はおだやかだが謝礼を呉れない患者にしてはいやに迫力のある答であった。

（阿川弘之著『米内光政』新潮文庫）

あれから70年以上が経過し、あの戦争が歴史の一コマになり始めると、理解できないでもない。現在の日本の繁栄は、あの敗戦があったからとも言える。

フランスとアメリカに勝ったベトナム

ベトナムとアメリカとの間には、ベトナム戦争のわだかまりがある。それは、ベトナム側のわだかまりではなくアメリカのわだかまりと言ってよいように思う。あれほど激しかった戦争であるから、ベトナム人はさぞかしアメリカを恨んでいるかと思いきや、意外に思えるほどアメリカを恨んではいない。

それは、北ベトナムにおいて地上戦が戦われなかったことに関係しているように思う。北ベトナムは、米軍によって激しく爆撃されたが地上戦が行われることはなかった。爆撃だけか地上戦が行われたかは、戦後の人々の感情に大きな影響を与える。

ベトナムは、アメリカを恨んではいない。フランスへの思いは複雑だが、今更文句を言うことはないという心境のようだ。それは結局、ベトナムがフランスとアメリカに勝ったためである。

フランスとの独立戦争は、ディエンビエンフーの戦いという伝説を生んだ。あの戦争で日本が降伏すると、フランスはベトナムに帰ってきた。再び植民地としてベトナムを支配しようとした。それに対してベトナム人は、徹底的に抵抗した。近代兵器を持つフランス軍に対してベトナム軍は、ゲリラ戦で対抗した。

ベトナム軍のゲリラ戦法に悩んだフランス軍は、ラオスとの国境の街ディエンビエンフーに退いた。そこは、周囲を山に囲まれた天然の要害であり、空輸で補給を行えば難攻不落の基地になる。戦いは長引くと思われた。

だが、ベトナム軍は、ディエンビエンフーを囲む険しい山々に大砲を分解して運び上げるという離れ業をやってのけた。西欧人は、あんな険しい山は登りたくないと思うのだが、そこを裸足に近い兵士が危険を冒して大砲や弾薬を人力だけで運び上げた。

総司令官はホー・チ・ミン、参謀長はボー・グエン・ザップ。大砲を分解して山に運び上げる計画は、ボー・グエン・ザップが考え出したとされる。彼は智略に優れ、平地の戦でも大いにフランス軍を悩ませていた。ボー・グエン・ザップは、フランスから「赤いナポレオン」と呼ばれた。

ベトナムでボー・グエン・ザップを知らない人はいない。彼は、102歳まで生きて2013年に国葬をもって葬られた。ベトナムでは書記長経験者などが国葬になるが、基本的に軍人は国葬にはならない。しかし、軍の強い要請によってザップ将軍は国葬になった。その弔問の列は3日間も続き、どの政治家のものよりも長かったという。

約2か月の戦いの末、ディエンビエンフーのフランス軍は降伏した。これは、日露戦争の日本海海戦と並んで、アジア人がヨーロッパ人に完勝した戦いとして記憶されている。この戦いが契機となり、フランスはジュネーブ協定に応じることになった。

その後、ベトナムはアメリカと戦うことになる。その経過はよく知られているが、ベトコンのゲリラ戦に巻き込まれた米軍は、いつになっても南ベトナムを平定することはできなかった。厭戦気分が広がったアメリカは、パリでベトナムとの和平について話し合うことになった。

その時、アメリカはベトナムから譲歩を引き出すために、ハノイを大型爆撃機Ｂ52で猛烈に爆撃した。それに対してベトナム軍は、ソ連製のＳＡＭミサイルで応戦した。その戦いで、数字はベトナム側の発表とアメリカの発表が異なるが、15機程度のＢ52が撃墜されたとされる。

当時、高度1万メートルを高速で飛行するＢ52を撃墜することは、不可能と思われていた。アメリカも慢心するところがあったのであろう。Ｂ52の多くはタイから出撃したが、あまりに撃墜される数が多いので、米兵が出撃を嫌がったという報道もあったくらいだ。この戦いをベトナム人は、「空のディエンビエンフー」と呼んでいる。誇らしい記憶なのだろう。

ベトナムとアメリカの間で１９７３年にパリ協定が結ばれるが、北ベトナム軍は協定を無視して南に進軍し、１９７５年にベトナム全土を解放した。アジアの小国が超大国アメリカに勝利した。

そんなベトナムでは、アメリカについて恨み言を言う人に会ったことがない。多くの犠牲を払ったが、あれは歴史の1ページだと捉えている。フランスについては、植民地の時代が長かったからその感情は複雑にも見えるが、少なくとも今になって賠償を要求するようなことはない。

ベトナムに対するアメリカの複雑な感情

先ほど例に挙げた米内光政の言と重なるが、全力をあげて戦えば恨みが残ることは少ない。全力で戦うとその後の関係は未来志向になる。もちろん、日本でも東京大空襲や広島、長崎に対する原爆投下に対してアメリカを恨む向きもあったが、それよりもアメリカの文化に憧れ、これからはアメリカと仲良くしていきたいと思う気持ちの方が強かった。だから、戦後の日米関係は良好なのだ。

また、先述のように爆撃だけの被害と地上戦の戦場になったのとでは、憎しみの感情に違いがあるように思える。例えば東京大空襲であるが、戦争が終わるとそれは関東大震災などの天災に対するものと同じような感情になってしまったのか、東京都の慰霊施設では東京大空襲の犠牲者は関東大震災の死者と並列して祀られている。どちらも下町で多くの焼死者を出したために、このような慰霊の方式がとられているのだろうか。

広島と長崎への原爆投下の惨状については今更述べるまでもないが、なぜか広島の慰霊碑には「過ちは繰返しませぬから」と書かれている。これでは何が過ちなのかはっきりしない。慰霊の文を書いたのは日本人だから、アメリカが過ちを繰り返さないと言っているわけではない。軍国主義に走り無謀な戦争を始めたことを過ちとしているようだが、慰霊碑の文言としてはどこか他人事のような気がする。

このようなことから分かるように、日本人のアメリカに対する反感は限定的である。戦争が終わり時が経つと、多くの人にとってアメリカは憧れの国になってしまった。

ただ、激しい地上戦が戦われた沖縄だけは、米軍や戦争に対して、本土の人々とは異なった感情を持つようになった。米軍の基地が沖縄に多く押し付けられているために、沖縄の人々に反米感情が強いと考えられているが、その根底には地上戦が行われ、それを直接体験したことがあると思う。

ベトナム戦争では南ベトナムで地上戦が戦われた。だが、その状況は沖縄の経験とも異なる。南ベトナムにおいて米軍は北ベトナムの援助を受けたベトコン(南ベトナム解放民族戦線)と戦ったのであり、南ベトナムの正規軍は米軍と共にベトコンと戦っている。

南ベトナムの住民は、昼間は南ベトナム正規軍の味方であり、夜になるとベトコンの味方になったと言われる。そして、北ベトナムが米軍に勝利した後に、北ベトナム軍は南ベトナムの住民に対して占領軍として振る舞った。このような経緯があるために、南ベトナムの人々も米軍を憎いと思う人は多くなく、むしろ、心の中には占領軍になった北ベトナム軍に対する反発があるようだ。

このような感情が重なって、現在、ベトナム人は、それほど強くアメリカを恨んではいない。その一方で、現在になってもアメリカは、ベトナムに対して複雑な感情を抱いている。それは、5万人を超える戦死者を出して多くの人が負傷したためだ。あれから45年が経過したが、まだ戦死者の家族の多くが生きている。負傷した人の多くも存命である。

その状況は、日本で言えば昭和の末年に当たる。昭和の末年から平成の初めは、あの戦争に参加した兵士の多くが定年を迎えて、時間に余裕ができたために戦友会が最も盛んな時期であった。

アメリカにとってベトナム戦争は、まだ歴史にはなっていない。生々しい記憶である。だから、アメリカは中国を封じ込める上でベトナムが重要な位置にあることを理解しながら、軍事面でも、そして経済面でもベトナムともう一つしっくり付き合うことができない。

これまで述べてきた事情でベトナム人は、アメリカ人を恨んではいないが、その一方で、フランスに対しては複雑な思いがあるようだ。フランスは、ベトナムを約100年にわたって侵略して植民地にしてきた。その侵略は、爆撃とは異なり目に見える侵略であった。フランスは、独立運動に参加した多くの人々を殺害した。その記憶は今になっても消えないようだ。あからさまに言うことはないがベトナム人は、フランスを心の中で嫌っている。

よく日本のガイドブックには、ベトナムはフランスの植民地だった関係でフランスの食文化が浸透していて美味しいなどと書かれているが、それは浅薄な観察だろう。ベトナムにフランス料理屋は少ない。もちろんホテルの中などにはあるが、街でフランス料理屋を見かけることは、ほとんどない。バインミーというフランスパンにベトナムの食材を挟んだものがあるが、あれはフランス料理ではなくベトナムの味であり、ベトナム料理と言えるだろう。

いつまでも日本を恨む朝鮮

一方の朝鮮半島について考えてみたい。朝鮮半島は、中国との戦いを避けた。そして、李朝になってからはその傾向は一層強くなり、清国に対しては屈辱的な態度で接し続けた。

そのような朝鮮は、清が日本に敗れると手のひらを返したような行動に出た。それは朝鮮を激動の渦に放り込むことになった。

1895年に日本の公使らが李朝国王高宗の妃の閔妃（びんひ）を暗殺したという事件も、日清戦争で清が影響力を失うと、閔妃がロシアに近付こうと画策した結果、生じたものである。朝鮮の内紛であり、日本だけが悪者ではない。

常に強いものに助けを借りて生きていく、それは朝鮮の処世術である。大国の隣に住む小国として憐れむべきなのかもしれないが、その歴史はベトナムとはあまりに対照的である。

１９１０年の韓国併合後、朝鮮半島の人々は、日本の統治下で日本軍に協力している。後で大東亜共栄圏下のタイについて触れるが、朝鮮半島に住む人々は、タイとは比べものにならないくらい日本軍に協力している。特攻隊員として死んだ朝鮮人もいた。安重根（あんじゅうこん）が伊藤博文を暗殺したことが英雄視されているが、抵抗はその程度である。万歳事件、つまり三・一独立運動も、その後に長い抵抗を招くことはなかった。戦前の朝鮮人は、概ね日本を盟主として仰ぎ、日本人として生きる道を選んだ。

筆者の父は、日本軍の一兵士として４年間、中国戦線に従軍した。１９４４（昭和19）年頃になると、部隊には朝鮮人兵士も多く配属されたという。最初、日本軍は朝鮮人を警戒して銃を持たせることはなく、弾薬や食糧の運搬などに従事させた。しかし、昭和19年も終わり近くになると戦局が悪化し、兵士の数が足りなくなったために、朝鮮人兵士も日本人兵士と同じように戦闘に加わったという。

こんな話も聞いた。中国戦線では、日本軍は街に駐屯した際に、中国人から食糧などを購入しており、部隊には下働きとして多くの中国人が出入りしていた。そんな中国人に対して朝鮮人の兵士は、居丈高な態度で接したという。朝鮮人は「準日本人」であり、中国人より上だと考えていたのだろうか。私の父は、その態度を見てよい気持ちはしなかったという。

強いものに媚び、弱い者に居丈高に出る人間は、どんな国でもどんな時代でも嫌われる。

昨今の日本と韓国の問題の根底には、侵略者に対して戦うことなく降伏して、強いものに阿（あ）諛追従（ゆついしょう）して生きてきた歴史がある。そんな歴史が、「恨みは１０００年経っても忘れることはない」などと言わせるのだろう。相手が弱いと思うと居丈高に出る。これは、朝鮮半島に住む人の悲しい性なのであろうか。

ライダイハン問題

日本と韓国の間のいわゆる慰安婦問題に関連して、ベトナムと韓国の間にはライダイハンの話がある。ベトナム戦争の際に韓国は、アメリカの要請に従ってベトナムに軍隊を派遣している。その際に韓国軍兵士とベトナム人女性との間にできた子供をライダイハンと呼んでいる。日本では強姦によって作られた子供と言われることもあるが、そのようなケースは稀である。

このことに関して韓国は、政府も民間もほぼ何も言っていない。沈黙を貫いている。韓国政府は謝罪する気はないようだ。日本には慰安婦問題で強く謝罪を求めるが、自分がしでかしたことに対しては沈黙している。

興味深いのは、この問題に対するベトナム人の態度である。ベトナムは、ライダイハン問題に対して謝罪や補償を求めていない。現在はこの問題を知る人も少なくなった。一部の知識人はこの問題を知っているが、今後、問題にするつもりはないという。

そんな知識人の一人は、「この種の問題は、戦争になればしばしば起きる。歴史の中で、中国人がベトナム人を虐殺したことは何度もあった。また、軍隊は若い男性で構成されるから、彼らが進駐してくれば現地の女性との間で種々のトラブルが生じる。それは、歴史の中ではよくあったことである。ライダイハンは悲しい事実だが、今となっては歴史の一コマに過ぎない。そして、重要なことはライダイハンと呼ばれる人々もベトナム人であることだ。この問題をそっとしておくことは彼らのためにもなる」という趣旨のことを語った。筆者はそこに、血を流して実力で独立を勝ち取った国の誇りを見た。全ては歴史の一コマであり、忘れるべきではないが、それにこだわる必要もない。

戦争を賛美することは厳に慎むべきだが、祖国が侵略された時は決然として立って戦うべきである。そうすれば、たとえ大きな犠牲を払っても、子孫は誇りを持って生きていける。一時の和平を求めて降伏し、へつらうことを繰り返していると子孫は誇りを失う。韓国とベトナムの歴史は、そのような教訓を私たち日本人に語っているように思えた。

第4節◉現代ベトナム政治の対立軸

ベトナムの「田中角栄」の失脚

最後に、現代ベトナムの政治事情について述べておきたい。その前に、まず、グエン・タン・ズン元首相とグエン・フー・チョン現書記長の確執について説明しなければならない。

グエン・タン・ズンは、2006年から2016年までベトナムの首相を務めた。彼は、南部出身でベトナム戦争時はベトコンの中隊長を務めたとされる。グエン・タン・ズンは、ベトナムの経済成長を市場原理に基づいて強く主導した。彼が首相を務めた10年間でベトナム経済は大きく成長した。彼はちょっと強引なところがあり、かつ、彼の時代に汚職が蔓延したことから、ベトナムの田中角栄のような存在になっている。

グエン・タン・ズンが首相であった10年間で、予算や許認可において権限を持つ政府が強くなった。その一方、憲法において政府を指導するとされている共産党の力は弱くなってしまった。マルクス・レーニン主義を振りかざしていては、市場経済を主導することはできない。政府を主導したグエン・タン・ズンの考え方は、市場経済にのっとったものである。ベトナムは、1986年からドイモイ（刷新）と呼ばれる中国の改革開放路線と同様の路線をとっていたから、グエン・タン・ズンのやり方が間違っていたわけではない。

だが、このような事態に共産党の中央にいた人々は恐怖を覚えた。このままでは、共産党は力を失い、ベトナムは資本主義の国になってしまう。そこにベトナム特有の南北問題が絡んだ。グエン・タン・ズンは南部の出身である。ハノイを中心とした北部の人々は、ベトナム戦争を勝利に導いた北部が政治を主導すべきだと考えていた。その中心にグエン・フー・チョンがいた。

グエン・フー・チョンは、中国に助けを求めた。２０１５年11月、習近平がベトナムを訪問した。この訪問で習近平は、ベトナムの首脳を恫喝するとともに、政界首脳に多額の金（ドル紙幣）を配って、グエン・タン・ズンの失脚とグエン・フー・チョンが書記長として続投することを画策したとされる。ハノイで密かに噂される話だ。この辺りのことについては確たる証拠はないが、現在ベトナムの識者の多くは、ここに書いたこととほぼ同じ認識を有している。ベトナムのある識者は、「中国は用事があるとベトナムの首脳を北京に呼び付けるのに、わざわざハノイを訪れるのはおかしいと思った」と言っていた。

鄧小平（とうしょうへい）が１９９３年に南巡講和を行って以来、江沢民（こうたくみん）、胡錦濤（こきんとう）の時代に中国は、過度に資本主義化してしまった。たしかに経済的には豊かになったが、このようなことを続けていると共産党は力を失い、中国は資本主義国家になってしまう。

習近平は、それを阻止することが自分の歴史的使命と考えている。その思いはベトナムのグエン・フー・チョンも同じである。だから、グエン・フー・チョンを救援するために、習近平はわざわざハノイを訪問したのであろう。

共産党書記長の復権と中国傾斜

グエン・タン・ズンが失脚し、グエン・フー・チョン書記長が権力を握った２０１６年以降のベトナムの政局は、２０１２年に習近平が共産党総書記になってからの中国の政局にそっくりである。汚職を理由にして政敵を滅ぼしていった。

政治は共産党の独裁、経済は市場経済というシステムでは、どうしても汚職が蔓延する。共産党独裁を標榜するシステムでは、選挙がないので民衆は権力者を引き摺り下ろすことができない。また、報道の自由を認めないので権力者はやりたい放題になってしまう。

マルクス・レーニン主義は、政治を指導する共産党のエリートが清廉な人物であることを前提にしている。マルクスやレーニンは、権力を持つと清廉な人物も欲に溺れてしまうことを見抜けなかった。マルクスやレーニンの人間観察は浅かった。

イギリスの首相を務めたウィンストン・チャーチルの人間観察は、より深い。彼の言う「民主主義は最悪の政治形態と言われてきた。他に試みられたあらゆる形態を除けば」は至言であろう。

中国でもベトナムでも全ての役人は、多かれ少なかれ汚職を行っている。誰でも探せばボロが出る。失脚させたいなら罪状はいくらでも見つかる。

習近平は、過去に彼を支えた側近を要職につけることによって権力を揺るぎないものにしていった。この辺りの手腕は見事と言ってよい。だが、グエン・フー・チョンは、共産党の理論畑を歩いてきたために側近がほとんどいない。その結果として、政敵を失脚させることに成功しても、腹心を要職につけて政治を自由に操るまでには至っていない。

グエン・フー・チョンは、1944年生まれで、習近平より9歳年上である。また、2019年に脳梗塞を患い、回復したものの体調は十全ではない。左手が不自由であり、かつ長い距離を歩くことはできない。

そんなグエン・フー・チョンは、2022年10月の中国共産党大会で習近平が3期目も政権を担当することが決まると、真っ先に北京に駆けつけて祝意を述べた。その際に、中国が台湾に侵攻した場合にベトナムはそれを支持する立場を表明すること、その見返りとして南シナ海でベトナムが嫌がるような行為をしないことを密約したとされる。これもハノイで密かに噂されている話である。あるベトナムの識者は、「たしかにあれ以来、中国は南シナ海でベトナムが嫌がるような行為を行っていない。密約はあったと考えてよいようだ」と言っていた。

習近平は、世界に残った数少ない社会主義国であるベトナムがドイモイ路線を突っ走ることによって、実質的に共産主義を捨ててしまうことを防ぎたかったようだ。また、グエン・フー・チョンを間接的にコントロールすることによって、ベトナムがアメリカや日本に過度に近づくことを牽制したいと考えていると思う。

2022年末から2023年1月にかけて、筆頭副首相のファン・ビン・ミンや国家主席のフックが汚職を理由にして失脚したが、ファン・ビン・ミンは、ベトナムでは親米派と見られており、ハノイでは中国が彼を追い落としたと信じられている。また、フックはどの国に対しても中立的な立場であると思われているが、国家主席になる前に5年間首相だったことから国際的に名前を知られていた。彼を失脚させることは、ベトナムの権力中枢がグエン・フー・チョンであることを世界に知らしめる効果があった。

外交方針をグエン・フー・チョンが独裁的に決めることができれば、ベトナムが過度にアメリカや日本に近づくことはない。それは中国の望むところである。

汚職退治と庶民の目

グエン・フー・チョン書記長は、党の理論畑を歩いてきたために汚職とは無縁であり、周囲の汚職官僚に対して嫌悪感を抱いている。そんな彼の政策の中心は、汚職退治である。彼が政敵排除として行う汚職退治によって、ベトナムの行政は大きく混乱しているが、それも中国の望むところである。

米中対立が激しくなった結果、外資系だけではなく中国企業も中国からベトナムに移動し始めている。そんな時に、ベトナムの行政を混乱させて行政手続きを遅らせることは、中国の国益にかなう。また汚職退治によって頻繁に高官が変わるベトナムを、日本などがカントリーリスクの高い国と見て投資を抑制することがあれば、それも中国の国益にかなう。この辺りグエン・フー・チョンは、中国の思惑通りに動いている。

グエン・フー・チョンは、庶民に人気がある。それは、汚職官僚を叩くからである。ベトナムの庶民は、何かにつけてお金を要求する汚職官僚に苦しんできた。また、莫大な財を築いた汚職官僚を憎んでいる。そんなベトナムでは、グエン・フー・チョンは日本の時代劇の水戸黄門のような存在になっている。病身の老人が最後の力を振り絞ってベトナムを綺麗な国に作り変えている。彼の汚職退治は、そんなイメージで捉えられている。

だが、そんなグエン・フー・チョンにも弱みがある。それは、彼がベトナム人から黎朝の昭統帝として見られていることだ。昭統帝の物語は庶民も広く知っている。グエン・フー・チョンは、そのようなイメージが付くことを極力避けようとしている。彼が習近平の3期目突入を祝すために北京を訪問した際に、中国側は当然のこととして晩餐会を用意した。だが、グエン・フー・チョンは、健康が優れないとして晩餐会を断っている。

これは、外交儀礼上、問題のある行為であるが、グエン・フー・チョンは晩餐会でにこやかに習近平と盃を交わす場面をビデオに撮られたくなったのであろう。ただ、昼間の会談において握手をした後に抱き合っているシーンは写真に撮られており、それは広くベトナム国内に流布している。彼を水戸黄門と見て拍手喝采を送っている庶民も、そんな写真を複雑な思いで見つめている。

ベトナムの不動産市況は、２０２２年の秋から急落し始めた。１９８６年のドイモイ以来、ベトナムでは土地神話が信じられてきたが、その神話も終焉を迎えたようだ。アメリカ経済の景気後退によって、不動産産業と共にベトナム経済のもう一本の柱である輸出産業にも翳りが見え始めた。経済の失速は、政治に影響を与える。グエン・フー・チョンは、国家主席を失脚させるなどして強い政治基盤を築いたように見えるが、庶民までが彼を中国派であると見ているために、その政治基盤は決して盤石ではない。

現時点では、不動産の暴落と輸出産業の減速がどこまで深刻化するか見通せないが、経済の不調は必ず政治を揺さぶる。ベトナムにおけるグエン・フー・チョンの独裁は、彼が病身の高齢であることもあり、習近平の独裁のように長く続くことはないと思われる。

第5節◉ミャンマーの歴史——アウンサンスーチーと日本との因縁

130以上の少数民族

東南アジアの大陸部には、少数民族が多く住む。そんなわけでどの国も政府は、少数民族との付き合いに苦労している。東南アジアの大陸部にはベトナム、タイ、ミャンマーの3国の大国があるが、その中で少数民族との摩擦がほとんど問題になっていないのは、ベトナムだけである。

ベトナムでは、全人口の86%をキン族が占める。つまり全人口の14%もの少数民族がいるが、現在のところキン族と少数民族との間に深刻な対立は生まれていない。その理由の一つは、多くの少数民族が中国やラオス国境の山岳地帯に住んでおり、キン族との接触が少ないためだろう。

ベトナム政府は、少数民族の村に学校を造るなど、それなりに宥和政策に努めている。このような政策を採用する原因を大乗仏教に求めれば言い過ぎになるのだろうが、ベトナム人は少数民族に対してあまり偏見を持っていないように見える。日本と同様にその多くが大乗仏教徒であり、宗教に対していい加減なところが、少数民族問題を深刻化させないのかもしれない（少数民族は独自の宗教を持つ場合もあるからだ）。

タイは、南部のマレーシア国境付近に住むイスラム系の人々との深刻な問題を抱えている。タイは仏教徒が人口の93・5％を占め、イスラム教徒は5・4％である。だが、彼らは独立を求めてバンコクで爆弾事件を起こすなど対立が続いている。タイ政府が強硬な姿勢を崩さないことも問題を深刻化させている。この問題は、宗教が絡むだけに容易に解決されない。

だが、ミャンマーの少数民族問題は、もっと複雑で深刻である。それは、ミャンマーには多くの少数民族がいるからだ。ミャンマーにはビルマ、カレン、カチン、モン、シャン、チン、ラカイン、カヤーの八つの民族がいる。各民族はそれぞれいくつかの部族に分かれており、その総数は国籍法で１３５と定められている。そのうち、ビルマ族が人口の約7割を占め、残り約3割を少数民族が占める。

ここに含まれない一部の少数民族もいる。最近になって顕在化したのは、ロヒンギャの問題である。

ロヒンギャは、バングラデシュとミャンマーの国境付近に住んでいるイスラム系の人々であり、約１００万人いるとされる。ロヒンギャは、バングラデシュからの難民とされるが、いつ頃からなぜ住み着いたかなどを含めて、よく分かっていないことも多い。ロヒンギャは、ミャンマーに住む人とは顔立ちや肌の色が異なる。また、イスラム教徒である。

そんなロヒンギャは、ミャンマーの仏教徒から迫害を受けている。迫害を逃れて多くのロヒンギャがバングラデシュに逃げ込んで、難民キャンプで暮らしている。現在、それは大きな問題になっている。

ミャンマーでは、ロヒンギャだけでなく、カチン族、シャン族などの問題も深刻である。中国との国境付近のカチン州は、人口約160万人で、主にカチン族が住んでいる。彼らは、カチン軍を組織して独立運動を行っている。ミャンマー軍が攻めても山岳地帯に逃げ込むために容易に平定できない。

同様の緊張関係は、シャン族との間にもある。その他の民族もビルマ族がミャンマー政治の中心にいることを歓迎しているわけではない。対立の火種はいくらでもある。

そんなミャンマーを一つの国としてまとめていくことは大変な作業になる。それには、軍隊の協力が不可欠である。その結果として政府は、軍の意向を無視できない。ミャンマーでは、軍が政府に非協力的になればすぐに内戦が始まる。

そのためミャンマーでは、長らく軍政が続いていた。それは、北朝鮮と同様に国際的な孤立を招いていた。

アウンサン将軍と南機関

そんなミャンマーであったが、２０１５年に総選挙が行われて、アウンサンスーチーが代表を務めるＮＬＤ（国民民主連盟）が政権の座についた。

ただ、軍政時代に作られたミャンマーの憲法では、夫や妻、子供が外国籍の者は、大統領になることができないという規定があった。スーチーの夫（故人）と二人の息子の国籍はイギリスである。この憲法の規定はスーチーが大統領になることを阻止するために作られたとされる。そのため、スーチーは大統領には就任せず、国家顧問兼外務大臣の職を担うことになった。それを受けて国際社会は、ミャンマーと交流を活発化させた。日本もその例外ではなかった。

アウンサンスーチーを語るには、彼の父親であるアウンサン将軍について語らなければならない。アウンサン将軍と日本は、深いつながりがあった。アウンサン将軍は、比較的裕福な家庭に育ち、当時としては珍しく大学教育を受けている。イギリスの植民地だったビルマ（現ミャンマー）では反英運動が起こっていたが、アウンサンは、そこで学生のリーダーになった。

日本軍は、そんな彼に目をつけた。１９４０年のことである。当時、アウンサンは25歳だった。目をつけたのは、日本陸軍参謀本部の鈴木敬司（けいじ）大佐。彼は、南機関と呼ばれるビルマの独立を支援する機関のトップであった。

日本陸軍は、援蔣ルートを遮断したかった。先述したように援蔣ルートとは、日中戦争の時に重慶に逃げ込んだ蔣介石に対して欧米が支援物資を送ったルートである。援蔣ルートは、あの戦争と東南アジアとの関係を語る上で、重要なキーワードになっている。

鈴木大佐は、アウンサンにビルマで同士を30人募らせて密かに出国させ、南シナ海北部の海南島に送って教育した。この30人は、ビルマでは「30人の志士」と呼ばれており、その中には、後に軍事政権のトップを長く務めたネウィンも含まれている。

戦争が始まって日本軍がビルマに進軍すると、アウンサンらは、ビルマ独立義勇隊を組織して日本軍に協力した。ビルマにバーモーを首班とするビルマ国が作られると、アウンサンは国防相に任じられた。わずか28歳の時である。アウンサンは、1943年には日本に招かれてビルマの若きリーダーとして持ち上げられた。大東亜会議にはバーモーが出席した。

インパール作戦で救われた日本軍

日本軍は、1944年にインパール作戦を行った。インパールとはインドのアッサム地方にある街の名前である。日本軍がビルマを占領しても、連合軍は新たな援蔣ルートを築き、インドのアッサム地方を通じて重慶の蔣介石に援助物資が運ばれていた。日本軍は、それを完全に阻止するためにインパールを占領しようと考えた。

インパールに行くには、険しい山をいくつも越えなければならない。日本軍は十分に準備することなく作戦を行ったために、途中で糧秣がなくなってしまった。英軍は日本軍の行動を察知し、補給線が伸びきったところで十分な準備をして反撃に出た。日本軍は各所で敗退し、撤退を余儀なくされた。

この作戦は多くの犠牲者を出し、強引に主導した司令官牟田口廉也中将の名前とともに、あまりにも愚かな作戦として有名である。名著『失敗の本質――日本軍の組織論的研究』の中でも取り上げられている。

インパールからの撤退は、困難を極めた。熱帯の山岳地帯は、十分な準備をしても踏破することが難しい。ましてや、ほとんど食糧を持たない敗残兵にとって、帰りの道は地獄だった。多くの兵士が途中で餓死した。

インパールから兵士が撤退した道は、白骨街道とも靖国街道とも呼ばれた。戦死すると靖国神社に祀られることになっていたために、このような名称がついた。インパール作戦では、戦って死んだ兵士より餓死した兵士の方が多かった。

インパールに進撃する際に、日本軍は周辺の農家から水牛を徴発するなど、ビルマの農民に対して高圧的な態度で接した。そのために戦いに敗れて撤退してくる時、日本兵はビルマの農民から復讐されることを恐れたという。

しかし、現実は大きく異なっていた。負けてボロボロになって戻ってきた日本兵に対して、ビルマの農民は進んでお粥を差し出したという。無事に日本に帰還できた兵士の中には、「あの一杯の粥がなかったら、自分も白骨街道の骨になっていた」と思う人が少なくなかった。戦後、日本が復興してから、生きて帰ることができた人々が戦友の慰霊のためにミャンマーを訪れると、日本人の墓がきれいに掃除してあったなどという話にも事欠かない。

そんな思いもあり、戦後、ミャンマーに軍事独裁政権ができて国際社会から隔絶してしまった時も、日本はミャンマーを密かに支援していた。そして、ミャンマーの人々は孤立していた時に日本がこっそり支援してくれたことを記憶している。そんな歴史がミャンマーを親日国にしている。

ビルマの独立

話を当時に戻そう。あの戦争中に日本はビルマを独立させたが、実権は日本が握っていた。そんな不満から日本軍がインパール作戦に失敗して劣勢に立たされると、アウンサンは日本を裏切って反日武装活動を行った。連合国側は、ビルマを独立させるつもりはなかったが、アウンサンが反日活動をするのは都合がよいので支援した。

日本が戦争に敗れて降伏すると、再びイギリスが戻ってきた。独立を希求するアウンサンとイギリスは対立するが、フランスやオランダとは異なり、第二次世界大戦後の世界情勢を冷静に分析していたイギリスは、ビルマを植民地として維持することは難しいと考えた。

そしてビルマは1948年1月に独立した。しかし、アウンサン将軍は独立を見ることなく1947年7月に政敵ウーソオの一味によって暗殺されてしまう。その背後にイギリスがいたとも言われるが、混乱の時期であり、ウーソオの野心が引き起こした事件とも言われる。

なお、日本に反旗を翻したアウンサンだが、南機関の鈴木大佐（終戦時は少将）がBC級戦争犯罪人としてイギリスに逮捕されると、激しく抗議して鈴木大佐を釈放させている。その後、1981年に軍事政権のトップであったネウィンは鈴木大佐の未亡人らにアウンサン勲章を送っている。情勢の変化によって反旗を翻したとはいえ、アウンサンやネウィンは日本に感謝していたようだ。

ここに書いた話は、ミャンマーではよく知られた話である。アウンサン将軍は紙幣にも描かれている。お札の顔になっているくらいだから、この話を知らないミャンマー人はいない。そんなこともあり、ミャンマー人は日本に親近感を寄せている。

敬虔な上座部仏教徒である彼らと接していると、同じ仏教徒といっても信仰においていい加減な生活を送っている日本人は、心が洗われるような思いがする。先に敗残兵になった日本兵にお粥を差し出したエピソードを紹介したが、人生において忘れていた大切な何かを思い出させてもらったような気になる。そんなことからミャンマーに関わった日本人の多くが、ミャンマーが大好きになる。ミャンマーにメロメロ、略して「ミャンメロ」などという言葉もあるくらいだ。

ミャンマー人との私的な交流は、それでいいと思う。しかし、外交やビジネスになると、「親日国だから大丈夫」とはいかない。それは、ミャンマーの国内が安定していないからに他ならない。日本人は竹山道雄の名作『ビルマの竪琴』の影響か、ミャンマーを好きな人が多いように思うが、実際のミャンマーは小説の中の世界ではない。中国の影響が極めて強く、かつ複雑な利害が絡まっている。

軍政の時代

ミャンマーでは、1962年にネウィンがクーデターによって政権を獲得して以来、軍は政府の要職に人を送り込み、官僚機構を直接動かすようになっていた。2012年に総選挙が行われて、NLDが圧勝を収めたが、官僚機構は既に軍人が支配していた。

筆者は、2000年にミャンマーの農業研究所を訪ねたことがある。そこの研究者に連絡をとって訪問したが、これは研究者間の交流ではごく普通のことである。

しかし、研究所に着くとすぐにパスポートを取り上げられて、小部屋に閉じ込められてしまった。そこに現れた軍服を着た所長から詰問を受けた。英語で、この訪問はOfficialかどうかを何度も聞かれた。「Official」という言葉が何を意味するのかよく理解できなかったが、外務省を通してミャンマーの政府の了解を得ることを「Official」と言っているようだった。

だが、研究者間の交流でそれまでそのような手続きを要求されことはなく、そんな法律や習慣は国際社会に存在しない。だから、研究者間の連絡だけで訪問したのであり、外務省には連絡していないと答えた。しかし、なかなか納得してくれない。

拘束されて2時間ぐらい押し問答が続いたが、調べても何も怪しい点は見つからなかったので、次回からは外務省を通してこちらに連絡してから訪問するようにと念を押されて解放された。パスポートも戻された。

所長は、30代で陸軍の大尉か少佐クラスの人であった。農業研究所の職員は約100人である。小部屋から解放された後に、連絡を取り合っていた研究者と面談した。その後、また別の小部屋に通されて副所長と面談した。60代に見えた年配の副所長は、先ほどは若造の所長が迷惑をかけた。これがミャンマーの実態であり、まあ仕方がないと思ってほしいとのニュアンスを英語で伝えられた。副所長は研究者であり、研究所の管理は軍から派遣された若い所長が行っているとのことだった。ミャンマーにおける政府と軍の関係を見た瞬間であった。

2021年のクーデターの背景は、民主化が進むことによって軍が官僚機構のポジションを失うことに密接に関係している。研究所の所長は、利権のあるポジションではないが、官僚機構には許認可に関わるポジションが多く存在する。軍はそのポジションを独占し、ミャンマー経済を動かしている華僑と組んで大きな利益を上げていた。

軍人が政府に入り込み不当な利益を得ていることを、ミャンマーの人々はよく知っていた。民主化は、この利権を文民に取り戻すためでもあった。2015年の選挙においてNLDは圧勝した。このことは民主化の要求とその後の混乱を理解する上で鍵になる。

ミャンマー人の中国に対する恐怖と嫌悪

軍はなぜ、選挙を行えば負けると分かっていながら、民主化に応じたのであろうか。北朝鮮のように独裁者が永遠に権力を手放さないという選択もあったはずだ。なぜ、欧米社会から孤立し続けるという選択をすることができなかったのであろうか。

軍が民主化を決断した背景には、中国の存在があった。歴史においてミャンマーに最も大きな影響力を及ぼしてきたのは中国であった。ミャンマーは文化的にはインドの影響を強く受けているが、軍事的、政治的な圧力は中国から受けてきた。

日本ではほとんど知られていないが、モンゴル（元）は、ほぼ日本と同じ時期にミャンマーに侵攻している。ミャンマーも元軍を撃退した。ただし、日本が神風によって元寇を撃退した記憶とは異なり、陸路で攻めてきた元軍との戦いは激烈なものだった。当時ミャンマーを支配していたバガン朝は、それが原因で滅亡している。

また、18世紀の清朝の乾隆帝の時代にも攻めて来た。この時もミャンマーは清軍を押し戻すことに成功したが大きな損害を被り、それが原因でアユタヤを滅ぼして以来占領していたタイから撤退せざるを得なくなった。そして清の朝貢国となった。

近くは、第二次世界大戦後に国共内戦に敗れた国民党軍（蔣介石の軍隊）の一部がミャンマーの北部に逃げ込み、そこに居座る事件が発生した。ミャンマーは国民党軍を追って毛沢東の人民解放軍がミャンマーに侵攻してくることを恐れた。この時は外交交渉によって人民解放軍がミャンマーに侵攻してくることを防ぐことができた。このようにミャンマーは、歴史の中で常に陸路国境を接する中国の脅威にさらされてきた。

日本でミャンマーを紹介した本は、この事実を軽視している。ジャーナリストの解説も多くはアウンサンスーチーを中心とした民主化勢力と軍の対立という構図の中でミャンマーの情勢を捉えてきたが、ミャンマー人の心の中には、中国に対する恐怖心と嫌悪感が隠されている。

筆者は、ミャンマーの農村を訪ねた際に、多くの人から中国に対する恐怖感と嫌悪感を伝えられた。中国は、ミャンマーにガスを輸送するパイプラインを建設した。これはミャンマーで産出される天然ガスを共同開発するものとされる。その一方で、マラッカ海峡が封鎖された場合に、中東から運ばれている液化天然ガスをミャンマーの港でガス化して、それを中国に運ぶための手段であるとも言われる。その昔の援蒋ルートを彷彿とさせる発想である。

筆者は、このパイプラインを建設している現場を見たことがあるが、多くのミャンマー人は、「中国はミャンマーで出る天然ガスを一方的に持ち去るつもりでパイプラインを作っている」と非難していた。それが庶民の素朴な感情なのであろう。当時は軍の独裁が続いていたが、軍が中国に弱腰であることを非難する声も聞いた。

筆者が中国とミャンマーの国境付近を訪ねた際に、ミャンマー人は国境を超えて来る中国人に農産物を販売していたが、商売上手な中国人にいつも騙されていると不平を言っていた。少数民族も中国人を毛嫌いしていた。

そのような庶民感情が存在するミャンマーにおいて、軍は独裁を続けていた。当然、欧米は経済制裁を課すことになり、国際的な孤立が続いていた。そんなミャンマーに積極的に経済協力を申し出たのが中国であった。軍事政権は中国と交流せざるを得なかった。

中国の属国になるか民主化か

中国に弱腰と見られていた軍であるが、その一方で、中国に対して強い警戒心を持っていた。それは、国境付近の反政府勢力に対して陰で中国が支援をしているからだ。国境付近に住む少数民族は麻薬を作り、その資金で武器を購入していると言われる。

中国政府は、その事実を知りながら半ば黙認する形で反政府勢力を支援していると言われる。それは、ミャンマー政府を牽制するためである。中国にとってミャンマー政府は強くない方が都合がよい。この話の真偽を確かめるすべはないが、後に述べる国境のシャン族の街を訪ねた時にもそのような話を聞かされた。

21世紀に入ると中国は急速に経済力を増し、軍事力を増強し続けている。そのような状況の下で、欧米から孤立し中国に頼り切った姿勢を貫くと、ミャンマーは全てを中国に支配されるようになってしまう。軍事政権の内部でそんな恐怖心が生まれた。

それがミャンマーの民主化を後押しした。こんな状態を続けていれば、ミャンマーは中国に飲み込まれてしまう。軍部がそんな危機感を持ったことが、ミャンマーに民主化をもたらした。それは、民主化すれば制裁が解除されて欧米からの援助を得られるようになるからだ。経済が中国一辺倒になることを防ぐことができる。

２０１１年に軍政トップのタンシュエが大統領の地位をテインセインに譲り渡した背景には、軍内部に中国に近づきすぎた姿勢を修正したいという欲求があったと考えられる。テインセインは、軍の中で私欲のない能吏として知られていた。タンシュエはテインセインに権力の座を譲渡しても寝首をかかれる心配はない。

テインセインは、民主化路線に舵を切った。その結果、紆余曲折はあったものの2015年に総選挙が実施されることになった。軍は、民主化勢力に政権を渡すことになっても、中国の属国になるよりはましだと考えたのだ。その目論見は成功したと言ってよい。欧米は、ミャンマーとの交流を再開した。

少数民族対策としての中国関係

だが、民主化でミャンマーの少数民族の問題が解決されるわけではない。東南アジアの中で、ミャンマーは最も統一感に欠ける国である。多数派であるビルマ族は全体の約7割を占めるが、他の少数民族の中には、カチン族のように地下軍事組織を持つ部族もいる。

さらに困難なことにカチン族、シャン族などは、中国と国境を接する地域に住んでいる。筆者は、中国国境に近いミャンマー東部のシャン族の街を訪れたことがある。当時は渡航注意であったが現在は渡航自粛が勧告されている地域にまで足を運んだ。中国に近い地域でもミャンマー人は中国人に対して警戒感が強く、決して好意を持っているとは言えない印象であった。

しかし、そんな人々も何かの折には中国の助けを借りてビルマ族に反抗する。それはカチン族も同じだと聞いた。中国は嫌いだけれども、政府に反抗するために助けを借りる。また、負けた時はしばらく中国に逃げ込む。中国に逃げ込めば政府軍は追いかけてこない。そんな状況が長く続いている。

これは政府にとっては頭の痛い問題である。そんなわけで、ミャンマーにとって最も重要な国は中国になる。国内の統一を保つ上で中国への配慮は欠かせない。中国政府がヘソを曲げて、カチン族やシャン族を裏でそそのかすと、ミャンマーの治安は急速に悪化する。ミャンマー政府はそれを最も恐れている。

ついでに言うなら、アメリカを中心とした西欧が人権を理由に援助の停止や貿易の制限をかけても、援蔣ルートがそうであったように、中国との交易が確保されるのであれば、ミャンマーは生きていける。その逆で、アメリカや西欧が応援してくれても、中国が敵に回ればカチン族やシャン族との間で深刻な内戦が起きる可能性がある。つまり、ミャンマーは中国に首根っこを押さえられているというわけだ。

行政能力が欠如していたNLD

２０１５年の総選挙で圧勝して政権の座についたＮＬＤだったが、問題はその先にあった。最大の問題は、ＮＬＤのメンバーに行政能力がなかったことだ。

アウンサンスーチーは、ノーベル平和賞を受賞した人として知られているが、彼女は建国の英雄アウンサン将軍の娘であることからその地位を築いた人物であり、地の底から自分の力で這い上がった政治家ではない。お嬢様なのだ。彼女には、民主化政権を完全にコントロールする力がなかった。

また、アウンサンスーチーの周辺に集まった人々も理念的な民主活動家が多かったようで、実務能力に欠けていた。彼らは、政府から軍人を追い出して自分たちがそのポストに就いた。政権与党であれば当然のことであろう。

しかし、美味しいポストから追われた軍人は不満を募らせた。軍人は、50年以上にもわたって政権の中枢のポストにおり、華僑と組んで経済を動かしていた。華僑は、スーチーの周辺の人々と組んでミャンマーの経済を動かしていくことができなかったようだ。

日本企業のミャンマー進出

一方、それまでもミャンマーとの交流が深かった日本は、ミャンマーの援助に傾斜した。

2016年にアメリカでトランプ政権が誕生した。オバマ政権の頃から米中関係はギスギスし始めていたが、トランプ政権になると、その対立は誰が見ても明らかなものになった。

米中対立は、「トゥキディデスの罠」とも言われる両雄の覇権争いであり、どちらかが倒れるまで続く。それは国際社会の宿命と言ってもよいものであり、現在の国際情勢を考える上で基本的な構造になっている。

日本は、アメリカと協調して中国と対立する道を選んだ。そんな日本がミャンマーを支援することは、ミャンマーと中国の仲を割くことにつながり、アメリカの国益にも、そして日本の国益にも資する。ミャンマーの選挙においてＮＬＤが勝利してアウンサンスーチー政権が樹立された後、当時の安倍政権はそのように考えて、民間企業に積極的にミャンマーに進出するように呼びかけた。

ミャンマーはアジアに残された最後のエマージング・マーケット（新興国市場）である。国が要請し支援してくれるのなら進出しない手はない。三菱グループが中心になって、多くの企業がミャンマーに進出した。

ロヒンギャ問題

アウンサンスーチーは、時の軍事政権による自宅軟禁中の１９９１年にノーベル平和賞を受賞してスターになった。だが、民主化は彼女の力で成し遂げられたものではない。軍事政権は独裁を続けようと思えば、いくらでも続けることができた。彼女は軍事政権の掌の上で踊っているに過ぎなかった。

そんな彼女の政権ができると、ロヒンギャ問題に火がついた。ミャンマー南西部に住むイスラム系のロヒンギャが仏教徒であるミャンマー人から迫害されているとの情報が世界を駆け巡った。この事件は日本でも大きく報道されたので記憶している人も多いであろう。

彼女が国際世論を気にしてロヒンギャに同情的な発言をすると、軍は反旗を翻す。軍の支持を失えばミャンマーの統一を保つことができない。このことが、ノーベル平和賞まで受賞したアウンサンスーチーが、ロヒンギャの問題で人権を無視するような発言や行動を繰り返した理由である。

イスラム教徒であるロヒンギャは、敬虔な仏教徒であるミャンマー人とは相容れない。スーチーがロヒンギャに同情的なことを言えば、仏教徒によって構成される軍の支持を失ってしまう。だから、スーチーはノーベル賞を剝奪すべきだなどと言われても、ロヒンギャに同情的な発言をすることはできなかった。

軽率なもの言いは避けるべきだが、ミャンマーが敬虔な上座部仏教徒であることが裏目に出たような気がする。日本人やベトナム人のような大乗仏教徒ならば、宗教の違いにそれほど目くじらを立てることはないと思うからだ。ロヒンギャの問題を宗教問題だけに限定すべきではないと思うが、宗教が絡むだけに綺麗事では解決できない。

そんな状況の下で、彼女はカチン族が独立などと言い始めないように、カチン族の後ろ盾になっている中国との交渉を始めた。スーチーは中国との絆を強めなければ政権を維持できなかったのだ。スーチーがなぜ中国に近づくか理解できない向きもあろうが、現実の政治とはそのようなものである。

中国は嫌いだけれども経済は華僑に押さえられている。少数民族を抑えるためには中国との良好的な関係は欠かせない。そして、政権は軍部との協調関係が欠かせない。民主主義や人権などと綺麗事だけを言っていたのでは、ミャンマーを統治することはできない。

だが、振り返ってみると、このロヒンギャの問題は不思議である。先に述べたようにロヒンギャは、バングラデシュからの難民とも言われるが、その起源は古く、彼らがいつどこから来たのかを明確に語ることは難しい。つまり、問題は昔から存在したのだ。そして現在も存在する。

しかしながら、ロヒンギャ問題が注目されたのはミャンマーが民主化された後の一時期だけである。現在、日本でロヒンギャ問題が話題にのぼることはなくなってしまった。

そして、この問題に対するアウンサンスーチーの取り組み方に世界の注目が集まり、少数民族に対する弾圧を止めさせることができない彼女に国際社会は不満を募らせた。ノーベル平和賞を取り上げるべきだとの声も上がった。

なぜ、あのタイミングでロヒンギャ問題が注目されたのであろうか。そこに国際的な謀略の影を感じざるを得ない。謀略機関がロヒンギャを憎んでいる人々をそそのかして、ロヒンギャを殺させる。その逆もあり得る。ロヒンギャをそそのかして仏教徒を殺させる。双方が殺し合いを繰り返す。それを契機にロヒンギャ問題は世界中に知られることとなり、国際的な問題になった。

謀略に対して証拠をあげて論証することはほぼ不可能である。日本が戦争に負けたりソ連が崩壊したりした後に何年も経って、謀略の一部が明らかになることはあるが、多くは歴史の闇に埋もれる。あの時期にロヒンギャ問題が注目されたことも、そんな謀略の一つではないだろうか。

ロヒンギャ問題が注目されたことで利益を得たのが中国である。民主化の女王であるアウンサンスーチーが綺麗事を言う人物であることを世界に知らしめることができたからだ。中国は人権という単語が嫌いだ。

彼女の名声が地に落ちたことで、ミャンマー軍も利益を得た。ただ、軍はロヒンギャの弾圧に積極的であり、軍も国際社会から強く非難されたからか、ロヒンギャ問題が注目を集めたことは軍にとっては〝痛し痒し〟といったところだろう。

そんなミャンマーで、２０２１年2月1日に軍事クーデターが勃発した。クーデターは成功し、ミンアウンフライ大将を中心とした軍が実権を握り、ＮＬＤ政権の中心にいたアウンサンスーチーや政権の幹部は、拘束されてしまった。

クーデターに反発した市民は、デモなどを行ったが、軍は強行姿勢で臨み、市民に対する発砲をも辞さなかったために多くの死傷者が出た。ミャンマーにＮＬＤ政権が定着したと考えていた国際社会にとって、軍事クーデターは驚天動地の出来事であった。

軍事政権を嫌う欧米諸国は、ミャンマーに経済制裁を課した。日本は欧米に比べて多くの企業が進出していたために一方的な経済制裁には賛成し難い面もあった。だが、アメリカを中心とした国際世論が制裁を課すと言うのであれば、それに同調せざるを得ない。進出していた企業は事業を中止しなければならなくなり、大きな損失を抱えた。クーデターはミャンマーに進出していた日本企業にとって最悪の事態になった。

なぜ、このようなことになったのであろうか。日本社会と日本企業から反省の声は聞こえてこない。ミャンマーへの進出は国の方針であり、我が社だけが失敗したわけではない。そんな思いがあるのだろう。それ故に、カントリーリスクという言葉で語られ、「まあ運が悪かった」と総括されているようだ。

だが、もしミャンマーについてもう少し深く調査研究していたら、政府に言われたからといって喜んで進出しなかったと思う。そして進出するにしても、もっと用心深く進出したはずだ。

筆者は、２０２０年2月に出版した本書の初版で、「ミャンマーが部族連合とも言うべき国であることを忘れるべきではない。ミャンマーの政治はこれから20年経っても安定しないと思う。そうであるなら、ミャンマーが安定した経済成長路線に乗ることはないだろう」と、経済成長に期待してミャンマーに進出する日本企業に注意を促した。

筆者は、過去約30年にわたり農業分野からアジアを見てきた。ミャンマーの農村に入って農民の生活を直に見たこともある。少数民族が住む農村地帯も訪ねた。タイの農村に非合法で出稼ぎに行っているシャン族の人々に会ったこともある。彼らは、我々と直接話すことを拒んだが、その身なりや態度、また、タイでの雇用条件から、彼らの置かれた状況を理解することができた。タイの農家は、国境を越えて働きに来るシャン族を安い賃金で使っている。密航者であるために彼らの立場は弱い。

そんな姿を見てきたために、ミャンマーの大半を占める農村地帯や少数民族が住む地域では、政治が機能していないことをよく知っていた。中央の意向は農民や少数民族には及んでいない。そんな状態で選挙によって民主的な政府が作られても、農民や周辺の少数民族を巻き込んだ政府を作ることは不可能である。

中国の地政学的要衝としての存在

もう一つ、「なぜクーデターが起きたか」を考える上で、中国の存在は重要である。それは中国がインド洋に出ようと考える際に、ミャンマーが重要な位置を占めているからだ。21世紀に入って、中国はミャンマーへの経済的な進出を強めた。中国はミャンマーに強い関心を持っている。それはミャンマーが援蔣ルートの一つだったからに他ならない。

中国は、アフリカやヨーロッパから運ばれてきた荷物、また、中近東から運ばれてきた石油を船で中国に運ぼうとすると、マラッカ海峡を通らねばならない。通過した後もベトナムやフィリピンとの間で領有権を争っている南沙諸島や西沙諸島がある南シナ海を航行する必要がある。もし、アメリカと対立が激化すると、海軍力にそれほどの自信がない中国は、そのルートを使えなくなる可能性がある。

だが、ミャンマーを押さえておけば、中東からタンカーで運んだ石油を陸上げして、その後にパイプラインによって中国本土に持ち込むことが可能となる。また、アフリカやヨーロッパから運ばれてきた物資を陸上げして、トラックに積み替えて中国まで運ぶこともできる。ミャンマーを経由して石油や物資を運ぶルートは、中国にとって保険と言ってもよい存在になっている。

これは何も突飛な考えではない。ミャンマーは援蒋ルートの一つだった。中国政府にとってミャンマーは地政学的な要衝になっている。推測だが、今回のミャンマーのクーデターの背後には中国の意思があったのではないかと思われる。もちろん主役はミャンマー軍である。

ミャンマーの今後

では、ミャンマーは今後どうなるのであろうか。そんなミャンマーと日本は今後どのように付き合って行けばよいだろうか。

筆者は、中国に習近平政権が存在するかぎり、ミャンマーの軍事独裁は続くと考える。なぜならアメリカや旧宗主国のイギリスにとってミャンマーはそれほど重要ではないが、中国にとっては、21世紀の援蒋ルートの一つとして重要であるからだ。習近平はミャンマーを手放さないだろう。

2022年に習近平が共産党のトップとして異例の3期目に突入し、米中対立はもはや後戻りできない段階にまで達してしまった。不動産バブルが崩壊するなどして経済が順調に成長しなくなった中国で、習近平が政権を維持することは大変な困難な作業になる。日本ではバブル崩壊後に自民党の一党独裁が崩れて、細川政権や村山政権、果ては2009年に民主党政権が誕生したが、バブル崩壊のように経済の状況が大きく悪化することは政権交代を促す。マルクスの理論ではないが、下部構造（経済）は上部構造（政治）を規定する。

それは、共産党独裁の中国であっても例外ではない。文化大革命によって経済が疲弊してしまった中国では、毛沢東の死を契機に四人組が失脚して鄧小平が台頭した。このように経済の停滞が続けば、共産党といえども権力の交代が起こる。文化大革命によって経済が疲弊した際には、共産党内における権力の移行程度で済んだが、今後、不動産バブルの崩壊によって経済の悪化が止まらなくなれば、民衆だけでなく共産党のエリートまでもが不満を募らせて、共産党政権を転覆させる可能性もある。習近平はそれを恐れている。

そんな習近平は、いろいろな場面で国家非常時を演出して国内を引き締める手法を使い始めた。監視国家である。習近平が政権を維持するには、そのような方法しかなくなっている。それは習近平の知恵袋とされる共産党序列4位の王滬寧（おうこねい）がよく知るところであろう。

中国はロシアと組んで欧米から孤立する道を選んだ。そんな中国はミャンマーの軍事政権を強く支えるはずだ。それは少しでも仲間を増やしたいためでもあるが、ミャンマーが援蒋ルートの一つであり地政学上重要であるからでもある。

その一方、アメリカやイギリスはロヒンギャの問題でミソをつけたアウンサンスーチーを全面的に支援する気にはならない。また民主化を唱えるNLDのメンバーの行政能力が低いことは世界に広く知れ渡ってしまった。再び政権の座につけてもまた混乱が続くだけである。

だから、アメリカを中心とした欧米諸国は軍事政権に制裁を課し、口では民主化を叫んでも、もう一度ＮＬＤを政権の座につけようとは考えていないと思う。欧米諸国は、もはやミャンマーなどどうでもよいと思っている。

このような情勢の中でミャンマーの軍事政権は、だらだらと長続きする可能性が高い。欧米の経済制裁に同調せざるを得ない日本は、表向きミャンマーの軍事政権とお付き合いすることはできない。

だが、欧米のようにミャンマーの軍事政権を一方的に突き放すのは賢明ではない。それはミャンマーが中国と一体化することを黙認することになるからだ。

ここからは筆者独自の考えだが、アジア人である日本人は、欧米ほど民主主義にこだわらない。軍事政権が一般民衆を虐殺したり虐げたりするなら論外だが、どんな政権であろうと民衆を虐げない政府ならお付き合いしてもよいと思う。

実は、欧米も同じだ。アメリカはついこの前まで民主主義ではない中国との間で、経済において親密な関係を築き上げた。また、サウジアラビアには独裁を許している。アメリカはお金儲けができる相手には民主主義を要求しない。それなのにミャンマーのような国には、民主主義を要求する。要するにアメリカを中心とした欧米社会は、ダブルスタンダードなのだ。

日本は、欧米社会が中心を占める先進国の一員として経済制裁に付き合わざるを得ないが、同じアジアの仏教徒としてミャンマーとは心通じ合う側面がある。そんな日本はアメリカと歩調を合わせて一方的に軍事政権を非難するだけが能ではない。

日本財団の笹川陽平氏は、ミャンマーの軍事政権と密接な関係を有しているとされる。最近、それを非難する記事を読んだ。記事によると笹川氏が国軍とラカイン州の少数民族との和平を仲介したとされるが、笹川氏の行為は軍事政権の延命につながるので良くないとの論調で書かれていた。だが、彼に対する非難はあまりに欧米が主張する民主主義を理想化した考え方に沿うものであろう。

筆者は、アジア人である日本人はアメリカなど欧米とは少し違った形でミャンマーと交流を続けるべきだと考える。政府が表立って交流することは憚（はばか）られるとしても、日本財団のような組織が細い糸をつないでおくことは、遠い未来を考えた時に有益である。

アジアの農村を見て回った人間として、ミャンマーに民主主義が定着するには、まだ気の遠くなるような長い時間がかかると思う。そうであるなら、よりましな軍事政権になるように遠くから援助することも無駄なことではない。細い糸でもアメリカから非難されないような形で、そっと裏で交流を続けるべきである。

第6節◉タイの歴史——日本の同盟国だが敗戦国にならなかった

タクシーン将軍の活躍とチャクリー朝の成立

タイとミャンマーでは上座部仏教が社会に深く根ざしている。日本は大乗仏教国であり、同じ仏教といってもタイやミャンマーの仏教とは異なる。

タイやミャンマーは小さな部族が入り乱れて住む地域だった。現在の国境線は中近東やアフリカと同じように、19世紀に列強の意向で決まったと言ってよい。それまで、ミャンマー、タイ、ラオス、カンボジアの間の国境ははっきりしていなかった。

ベトナムについては中国の文献に記載があることから、かなり昔の状況も知ることができる。それに対して、タイやミャンマーでは残された文献が少なく、その歴史を語るには考古学的な手法によらなければならない。

米作地帯では、その昔、大河川の中流域に国家が出現したケースが多い。大河川は氾濫をコントロールすることが難しかったために、太古の技術ではその周辺を水田にすることは難しかった。タイでは約700年前にチャオプラヤー川中流域にスコタイが出現した。わが国でも大和朝廷は奈良盆地に出現した。奈良盆地には小さな河川が流れており、その周辺は比較的容易に水田にすることができたからだ。

スコタイの支配はごく狭い地域に限られていた。その後、タイではアユタヤ国が栄えた。アユタヤが栄えた時代は、日本の戦国時代から徳川時代の中期にあたる。1611年頃にタイに渡り、日本人町を中心に活躍した山田長政の話は有名である。ただ、アユタヤ国もその大きさは現在のタイに比べると著しく小さい。

だが、アユタヤ国は1765年に起こったミャンマーのコンバウン王朝との泰緬（たいめん）戦争によって攻め滅ぼされた。コンバウン王朝の軍隊はアユタヤの都を徹底的に破壊した。250年ほど前のことだが、この記憶はタイの人々にとっては今も鮮明なようで、多くのタイ人は今もミャンマーを怖がっている。

その後、アユタヤの軍人であったタークシン将軍がタイを占領したコンバウン朝に対して立ち上がった。タークシン将軍はミャンマー軍を撃退して、チャオプラヤー川の西岸（現在のバンコク西部）に新たな王朝を開いた。タークシン将軍は救国の英雄であり、今でも人気が高い。バンコクの中心部から橋を渡ってトンブリー地区に入ったところに大きな像が建てられている。

2001年から2006年までタイ首相を務めたものの、その後クーデターによって追放されたタクシン氏と発音が似ているが、有名な将軍の方は〝タークシン〟と伸ばして発音するのだそうだ。タイ人にとってタークシンとタクシンは大違いで、それを取り違えたら、話していても意味が全く分からなくなる。

そのタークシン将軍の晩年は謎に包まれている。そしてタークシン将軍が大好きなタイ人もあまり語りたがらない。それは現王朝の出自に関係しているからだ。現在のタイの王朝はチャクリー朝であるが、その始祖はタークシン将軍の部下だった。人望が厚く、タークシン将軍が晩年になって精神に異常をきたした時に、人々に推されて王になったとされる。

ただ、この話は史実ではないとも言われる。現王朝の始祖がタークシン将軍を暗殺して王になった可能性があると言われているのだ。タークシン将軍が晩年に精神に異常をきたして、僧侶にタークシン将軍を崇めるように強制し、それを拒んだ高僧を鞭で打たせたなどという話が伝わっているが、あまりに荒唐無稽で信じられないと言う人もいる[6]。それはチャクリー朝の成立を正当化するために作られた話である可能性が高いなどと密かに語られている。その詳細は今でも謎である。だが、不敬罪があるタイでは、この経緯について語ることは憚られている。

チャクリー朝の始祖は日本で言えば徳川家康と考えればよいだろう。家康は秀頼を殺して豊臣家から政権を奪った。また「本能寺の変」の黒幕だったなどとも言われている。信長暗殺の黒幕が家康だったとは思えないが、日本ではそんなことを書いた本が誰憚ることなく出版されている。

しかしタイでは、そんなことを書くどころか話すこともできない。うっかり話していると、不敬罪で逮捕される可能性がある。さすがに外国人である日本人が逮捕されることはないと思うが、タイに滞在している時は注意した方がよい。タイはそのようなお国柄である。

ミュージカル『王様と私』は上映禁止

タイは外交が上手である。東南アジアにおいて唯一植民地にならなかった。個人のレベルでもタイの人々は外交がうまいと思う。「微笑みの国タイ」とは、よく観光ガイドブックに見られる文言である。タイ人は外国人に微笑みを見せてくれるが、心から微笑んでいるわけではなさそうだ。その心の中は他の国の人々と変わらないと思う。微笑んでおいた方がうまくいくと思って微笑んでいるのだろう。

ラーマ4世から5世の時代、タイの西側のビルマ（現ミャンマー）はイギリスの植民地に、東側のインドシナ（現ベトナム・ラオス・カンボジア）はフランスの植民地になった。タイはその中間に位置して、イギリスとフランスの思惑を巧みに牽制しながら独立を保つことに成功した。

ラーマ4世（在位1851〜1868年）の頃の宮廷はアメリカのミュージカル『王様と私』

の舞台になった。ミュージカルでは、ラーマ4世は主人公であるイギリス人家庭教師を困らせる粗野な王として描かれているが、実際のラーマ4世は仏教哲学に通じた学識の深い王である。『王様と私』は映画化されたが、タイでは上映を禁止されている。

その治世は日本の幕末に相当するが、ラーマ4世は自身が積極的に西欧文化を学ぶなど開明的な政策を行っている。ペリー来航の際の日本のように攘夷を叫ぶことはなかった。軍備を増強し、当時イギリスがビルマのコンバウン朝を攻撃していたが、その戦いに巻き込まれることを注意深く避けて、独立を維持した。

ラーマ4世が没するとラーマ5世（在位1868〜1910年）が即位する。ラーマ5世の治世はほぼ日本の明治天皇の治世に重なる。幼名をチュラロンコーンというが、現在、その名はタイきっての名門大学の名前になっている。ラーマ5世は日本の明治天皇によく似ている。英邁な君主であり、現在も崇拝の対象になっている。タイではその写真がプミポン前国王（ラーマ9世）などと並んで掲げられているのをよく見る。

ラーマ5世は即位すると欧米を視察した。その訪問でタイが立ち遅れていることを痛感してチャクリー改革を実行した。これは日本の岩倉具視、大久保利通、伊藤博文などが明治初期に欧米を回って、その後に改革を進めたことにそっくりである。その内容も中央集権の強化、官僚制の整備、学制改革などとよく似ている。

ラーマ5世はタイ領だったカンボジアとラオスの一部をフランスに割譲した。またマレー半島の一部についてもイギリスに割譲して、それによってタイの独立を保ったとされる。イギリスとフランスがタイを緩衝地帯にしようと考えたことも幸いしたようだ。

ラーマ5世は独立を維持するために周辺地域を割譲せざるを得なかったとされるが、そもそもそこが本当にタイの領土であったかどうかは怪しいものだ。当時、タイがフランスやイギリスに割譲した地域に住んでいた人々は、タイに属しているとは思っていなかったのではないだろうか。

アンコールワットが長らく忘れ去られていたように、タイの王朝もカンボジアの王朝もその支配する範囲が限られており、多くの地域では国境はあってないような状態だった。そんなカンボジアとタイの間にフランスが線を引いただけのことであろう。

同様のことはラオスにも言えよう。ラオスは山国であり、長らく国とは言えないような小国（集落）が山によって分断されたような状態にあった。ルアンプラバンにあった国は比較的有名である。その他にも二つ有力な国があったとされるが、そのいずれもタイの支配下にあったという。しかし、当時の交通事情を考えると、山国の支配は弱いものだったと思う。

西欧人が東南アジアにやって来た時、人口密度が高い地域はタイのバンコクとミャンマーのマンダレー周辺に限られていた。その他の地域の人口は希薄であり、いくつもの部族が分立して暮らしているような状態だった。

タイの西郷と大久保

そんなタイはラーマ5世が亡くなると政治の季節を迎えた。ラーマ5世は西欧に多くの留学生を派遣した。それは明治政府と同じ発想である。ちょっと異なるのは、留学した学生が留学先で集まって国政改革を論じたことだ。

日本の留学生たちは帰国して国家のエリートとして歩む道を選んだ。それは明治政府が、皇室を戴く国体が絶対王政であるかのような建前を取りながら、実際には天皇機関説として運用していたからだろう。エリートは天皇を担いで政治を行うことができた。日本では政治のあり方に不満を持ったのは陸軍を中心とした若手の将校だった。彼らが五・一五事件や二・二六事件を引き起こした。

五・一五事件が起きた年である1932年に、タイで留学帰りのエリートたちがクーデターを起こした。これによって、タイは絶対王政から立憲君主制に移行した。そこで活躍した二人がプリーディー・パノムヨンとプレーク・ピブーンソンクラームである。この二人はわが国で言えば大久保利通と西郷隆盛に相当する。

プリーディー・パノムヨンは法律家、一方、プレーク・ピブーンソンクラームは軍人である。そして大久保と西郷がそうであったように、革命が一段落すると仲違いしてしまった。権力とはそのようなものなのだろう。

詳細な歴史は他書に譲るとして、ここでは新しい政府が行った「華僑の追放」について書いておきたい。タイは不思議な国である。中華系の人々が中華系でないような顔をして暮らしている。そして実権を握っている。

黄色シャツと赤シャツ

タイはタイ族の国である。その国は長らく中国の冊封体制の下にあった。タイが中国の冊封体制から脱したのは、清の国力が落ちたラーマ4世の時代（1854年）である。そんなタイでは、歴代の王様は多くの側室を中国から招いたという。中国文明への憧れが、そのような行動を取らせたようだ。ラーマ5世には側室が160人以上いたとされ、子供は77人もいた。

王様の子供は王族である。王族は成人すると結婚して子供を作る。その時にも側室を憧れの中国から連れてきた。歴代の王様やその子供たちが中国から側室を連れてきたので、中国系の王族がネズミ算的に増えることになった。

タイのエリートと話していると、自分は王様の遠い親戚であるというような話を聞くことが多い。現在、タイを動かしているのは彼らである。彼らは王様のカラーである黄色をシンボルにして、デモの時などに黄色いシャツを着ているので「黄色シャツ」などと呼ばれる。ちなみに中国では黄色は皇帝の色。タイの人々は、それを真似たのだと思う。

「黄色シャツ」の人々は色白であり、東南アジアの人々とはちょっと違った印象である。微笑みの国タイの女性は日本男性に人気があるが、それはこの色白のタイプを指すのだろう。彼女たちは中国系と東南アジア系の混血の末裔と考えられる。

タイには土着と言ってよいタイの人もいる。彼らの多くは北部や東北部の農村地帯に住み、肌の色は浅黒い。デモを行う場合のシンボルカラーは赤であり、「赤シャツ」と呼ばれる。

近年のタクシン元首相を巡るタイの政治的な対立は、「黄色シャツ」と「赤シャツ」の争いである。タイでは「黄色シャツ」が政治と経済の実権を握り、「赤シャツ」は人数が多いものの被支配民の地位に甘んじていた。

だが、民主主義は「赤シャツ」に力を与えた。誰もが一票を持ち公平な投票行動を行うようになると、人口が多いために「赤シャツ」が支持する政党が勝利するようになった。

この仕組みに目をつけたのがタクシンである。彼は中華系の3世と言われるが、北部の都市チェンマイの出身ということで、「赤シャツ」がどのような思いでバンコクのエリートを見ているのか知っていた。タクシンは警察学校出身のエリートではあるが、タイの田中角栄と言ってもよい。

彼は庶民へのバラマキを公約して選挙に打って出た。そして勝利して政権の座につくと、公約通り農民や貧しい人々に対してバラマキ政治を行った。

それに恐怖したのが「黄色シャツ」である。自分たちの富が「赤シャツ」に取られてしまうと思った。しかし、「赤シャツ」の方が多いので、再び選挙を行っても政権を奪還することはできない。その焦りが２０１４年の軍事クーデターにつながった。

一人当たりＧＤＰが６０００ドルを上回り、安定した民主主義国家と思われていたタイでのクーデターは、世界の人々を驚かせた。その背景には、ここに述べたような事情が隠されていた。

この「黄色シャツ」と「赤シャツ」の問題は人種間の争いではないが、起きている現象は人種間の争いに他ならない。王族の血を引くプライド高き「黄色シャツ」と、先住民である「赤シャツ」の争いは簡単には終わらない。

タイは「中進国の罠」にはまってしまった。不安定な政治は容易には解決されないだろう。次章で述べるが、タイでは少子高齢化も進行している。それに政治的な対立が加われば、その経済が再び成長路線に乗ることは難しい。タイの経済成長率は鈍化した状態が続くことになろう。

上座部仏教と大乗仏教

タイやミャンマーは敬虔な上座部仏教国として知られる。そのタイでは先に述べたような対立がある。その一端はタイ人とレストランで食事した時などに感じる違和感である。我々と一緒に食事をするのは、どうしてもタイのエリート層になるが、彼らは給仕などに対して厳しく接することがある。運んできたものをうっかりこぼすなどミスがあった時に、きつく怒るので驚いてしまう。同様の場面で、日本人がそのような態度に出ることは少ないと思う。

タイのエリートは、庶民は自分とは別の人種だと思っている。筆者にはそこに上座部仏教の欠点が隠されているように思う。

わが国では「小乗仏教」という呼称は大乗仏教から見た蔑称であるとして、「上座部仏教」という言葉を使用しているが、考えてみれば上座部仏教という言葉もかなり変な言葉だ。それは上座部とは、「上座に座る人の仏教」を意味しているからだ。それも差別用語だろう。

大乗仏教と上座部仏教、つまり小乗仏教との違いについて、もっと知っておく必要がある。

紀元前5世紀頃にお釈迦様が亡くなった。それから時間が経過すると、修行をして悟りを開くことを目的にした人々（僧侶）が教団の中心を占めるようになった。彼らは仏教の目的は修行をして、悟りを開くことにあると考える。彼らの頭の中から、お釈迦様が行っていた民衆を救うという行為が抜け落ちてしまった。仏教は閉じられた独善的な集団のものになってしまった。

そんな仏教を批判して紀元1世紀前後に出現したのが大乗仏教である。大乗仏教は、自分だけが悟りを開くとした仏教を小乗仏教と非難した。小乗とは小さな乗り物のことであり、これは漢訳された言葉だが、中国では「小」は悪い意味を含んでいる。

大乗仏教は広く衆生を救うことを目的としている。小乗仏教を批判していた大乗仏教が4世紀頃に中国に伝わり、それが漢訳されたテキストとともに朝鮮半島、ベトナム、日本にもたらされた。その後、中国と朝鮮半島では儒教が強くなり仏教の影響力は弱まってしまったが、日本とベトナムでは大乗仏教は現在でもそれなりの影響力を有している。

我々日本人の心には知らず知らずのうちに大乗的な考えが浸透している。そんな日本人は、全ての人は仏様の前で平等と考える。そんな風土があるために、レストランの給仕が失敗した時に、あからさまに怒ることは控える。

しかし、タイのエリート層は、自分はしっかり修行したエリートであるとの感覚がどこかに存在するようだ。事実、タイでは男性は生涯に一度は仏門に入り修行を積む。女性は仏門に入ることを許されない。そんな背景があるためか、タイのエリート層は一般にエリート然とした態度をとり、庶民との違いを明確に表す。それが一層、庶民の反発を招いているようにも見える。

現代では、日本とベトナムでは大乗仏教の宗教としての力が弱まり、生活習慣のようなものになってしまったが、上座部仏教はタイやミャンマーで宗教として強い力を持っている。そんなタイとミャンマーの人々は心優しい人々でもある。我々の信じる大乗仏教は、誰でも「南無阿弥陀仏」と唱えればすぐに極楽に行けるなどといった、ちょっといい加減なところがあるが、修行を重視する上座部仏教圏の人々の心には宗教が強く息づいている。時にそれが強く出ることがある。

1997年にアジア通貨危機が起きた時、バンコクなど都市部で失業者が急増した。地方から出稼ぎに来ていた人は失業して故郷の農村に帰らざるを得なかった。だがバスに乗るお金もない。多くの人が歩いて帰らざるを得なかったという。

そんなことをしたら多くの人が行き倒れになったのではないかと、食糧関係の研究者に聞いたことがある。彼はタイではそのようなことは起きなかったと答えた。それは沿道に住む人が、率先して粥などを恵んだためである。餓死者は一人も出なかったそうだ。

タイでは福祉は仏教徒である国民が進んで行う。農村部では寺院が文字通り駆け込み寺になっており、困窮した時に駆け込めば衣食の面倒を見てくれる。

改名させられたタイの華僑

中国人を王様の側室にしたくらいだから、タイにはたくさんの華僑が住んでいた。しかし、タイの人々はそのことを面白く思ってはいなかったようだ。東南アジアの中でタイはベトナムと共に古くからの歴史を誇る国である。その文化はインドの影響を強く受けている。敬虔な仏教徒が多い。そんなタイ人は世俗的な華僑がタイを跋扈（ばっこ）することが許せなかったようだ。

1932年に先述の立憲主義革命が起こった後に、タイは華僑を追放しようとした。中華学校も閉鎖した。実際には多くの華僑がタイに残ったが、その時に名前をタイ風に改めさせられたという。中華街も閉鎖された。

このような措置は1930年代の中国情勢に大きく依存しており、国際情勢を見るに敏なタイ人の面目躍如といった感がある。1930年代、日本をはじめとした列強の侵略によって中国は混乱していた。そんな時に、タイは華僑を弾圧したということだ。

その時に改名した華僑はタイに同化してしまったようにも見える。タイには中華系の人々は多いが、マレーシアやインドネシアのように、華僑とすぐに分かるような人は少ない。そんなこともあり、戦後、マレーシアやインドネシアでは華僑と地元民との深刻な対立があったが、タイではそのような話を聞いたことはない。

商売の上手な華僑はタイの経済界に大きな力を持っている。例えばタイの複合企業グループであるCPグループは、広東省東部の潮州出身の華僑である「謝家」が作り上げたものである。CPはタイ社会と良好な関係を保っている。一般的に華僑は財力があり「黄色シャツ」の一部を構成していると考えればよいだろう。

現在、バンコクには中華街がある。その中華街は公式には非合法だそうだ。そんなわけで、中華街の入り口に中華門を立てる時には少しもめたという話を聞いたことがある。しかし、1930年代とは異なり、現在の中国はアジアの超大国である。だから中華街は黙認されている。この辺りも外交が上手なタイならではの振る舞いと言えよう。

米英への宣戦布告

「わが国は、遠くない過去の一時期、国策を誤り、戦争への道を歩んで国民を存亡の危機に陥れ、植民地支配と侵略によって、多くの国々、とりわけアジア諸国の人々に対して多大の損害と苦痛を与えました。」

これは1994年の村山談話の一節である。多くのアジアの国に対しては、この談話は意味があり、有意義な談話だったと思っている。しかし、タイについて考える時、一方的に日本が反省すべき問題なのかとの疑問も湧いてくる。タイは日本の協力者であった。そして日本を裏切った。日本を手玉にとったと言ってもよい。

よく知られているように、タイは親日国である。そんなタイに有名な映画がある。それはあの戦争の最中に日本軍の若い将校とタイの美しい女性が愛し合う物語である。『メナムの残照』という題名が付けられている。この映画は大ヒットして、何度もリメイクされている。そんな映画があるくらいだから、タイでは日本の軍人は嫌われていない。

なぜ、タイの人々は日本軍を嫌わないのだろうか。それは、タイが日本に協力して米英に戦いを宣言したからだ。タイは、日本の圧力に逆らえずに日本に協力したなどと言っているが、詳細に検討するならば、タイは帝国主義的な野心から日本に協力した。日本の言いなりではなかった。この事実を知る日本人は少ないように思う。

あの戦争において、タイは国益を考えた上で米英に戦いを宣した。当時のタイの首相は、先ほども出てきたプレーク・ピブーンソンクラーム。立憲革命を行った当事者である。日米関係が風雲急を告げる中で、ピブーンソンクラーム首相はどうすべきか考えていた。

冷静に世界情勢を見渡せば、日本が強大なアメリカやイギリスに勝てるとは思えない。そうであるなら、日本に協力することはできない。しかし日本は南部仏印にまで進出しており、その軍事的な脅威を無視することもできない。日本と対立することは避けるべきである。

1941年の秋、ピブーンソンクラーム首相はそう考えていた。

だから、日本が12月8日に戦争を始めたことを知ると、ピブーンソンクラーム首相は日本の大使に会うことなく、身を隠してしばらく様子を見た。だが、日本海軍が真珠湾攻撃に成功したことや、マレー沖でイギリスの戦艦プリンス・オブ・ウェールズと巡洋戦艦レパルスを沈めたことを知ると、その情勢を生かすことにした。

タイはビルマとラオスの国境付近の領土を、イギリスとフランスによって不当に取られたと思っていた。日本が勝利するなら日本に味方して切り取られた領土を取り戻したいと思った。タイも領土にこだわり、帝国主義的な発想であの戦争に参加したのだ。

しかし、１９４３年になって日本の劣勢が明らかになってくると、タイは日本に対して面従腹背といった態度に出るようになった。そんなタイを引きとめようとして、１９４３年の夏に当時の東條英機首相がタイを訪問している。

東條首相はピブーンソンクラーム首相と面談して、日本が占領しているミャンマーの領地をタイに割譲するから、日本に協力し続けるように説得している。それに対してピブーンソンクラーム首相は「申し出はありがたいが、ミャンマーの領土を受け取るわけにはいきません」と答えた。領土を受け取ると日本が負けてイギリスが勝利した場合に、イギリスから報復されると考えたのだ。

その時、東條首相はピブーンソンクラーム首相に、秋に開催する大東亜会議に出席するように求めたが、彼は確約を避けた。

大東亜会議の思惑

多くの日本人は忘れてしまったが、１９４３年11月に開催された大東亜会議は日本と東南アジアの関係を考える上で重要である。

大東亜会議には日本が大東亜共栄圏と考える地域の首脳が集まった。満州国、中華民国（蔣介石政府ではなく日本の傀儡政権である汪兆銘政府）、それにフィイリピン、ミャンマー、タイの代表、そしてインドからは自由インド仮政府のチャンドラ・ボースが集まった。その会議に、ピブーンソンクラーム首相はワンワイタヤーコーン親王を自身の代わりに送り込んだ。これは政治とは距離のある王族を送ることにより、日本が負けた場合に備えた行為だった。

この会議には日本の領土の一部だった朝鮮半島や台湾の代表は参加していない。また、マレーシア、インドネシア、ベトナムの代表も参加していない。その理由は、マレーシア、インドネシアについては石油が出るために、日本は独立を認めずに保護領として維持したいと思っていたからだ。心中では、イギリスやオランダに代わって新たな宗主国になるつもりだった。また、仏ビシー政府と共同統治したいがために、ベトナムの代表も呼んでいない。

このような行動を見れば、日本がアジア解放のために戦ったとは言えないだろう。戦時中の日本の行動について、我々日本人はすっかり忘れてしまったが、このような経緯を東南アジアのエリートは意外によく知っている。日本人が酔っ払って「我々はアジア解放のために戦った」などと、昨今出版されている保守系論壇誌を読んで知ったうろ覚えの知識を持ち出すと、彼らは醒めた目で日本人を見ることになる。醒めた目で見られたら、商談もうまくいかない。

ちょっとネガティブなことを書いたが、日本人にとって嬉しい話も書いておく。それは大東亜会議に出席したチャンドラ・ボースが今でもインドで人気があることだ。特に彼の故郷のベンガル地方のコルカタなどで人気が高い。

インド独立の英雄というとガンジーとネルーの名前が思い浮かぶが、民衆の中ではチャンドラ・ボースの方がずっと人気がある。それはチャンドラ・ボースが武力でイギリスから独立しようとしたからだ。

チャンドラ・ボースはドイツがヨーロッパを席巻すると、ヒトラーに面会して援助を頼んだ。それが不首尾に終わると日本に飛んで東條首相に援助を頼んだ。東條首相はその志を高く評価して援助を約束し、彼を大東亜会議に出席させた。

無謀なインパール作戦については、前掲書『失敗の本質』にも語られるように、曖昧な組織の論理が無理な作戦につながったとの批判があるが、その底流には日本がチャンドラ・ボースの意を受けて、インドを武力によってイギリスから解放しようと考えたことがある。

民衆は非暴力の英雄より、武力で戦う英雄の方を好む。だから、ガンジーは表向きの国父であり英雄であるが、血湧き肉躍る英雄としてチャンドラ・ボースは今でも語り継がれている。その英雄を助けた国として日本が記憶されている。それは、「アジアから感謝される日本」である。

日本の敗戦後、チャンドラ・ボースは中国の延安に行って中国共産党の援助を受けてそこに仮政府を作ろうと考えた。どこまでも戦う男なのだ。そんな彼は台湾から大連に行って、延安仮政府の件をソ連と交渉しようと考えていたとされるが、離陸した飛行機が墜落して台湾で亡くなっている。

敗戦を免れたタイ

あの戦争は日本の敗戦に終わった。そこで登場するのが立憲革命の英雄プリーディー・パノムヨンである。1942年1月の時点でプリーディーは3人いる摂政の一人になっていた。宣戦布告には3人の摂政全てのサインが必要とされるが、プリーディーは姿をくらましてサインしなかった。その後、プリーディーは政権を離れて地下で自由タイ運動を組織する。

このプリーディーの行動は、いかにも外交上手なタイらしい。リスクヘッジである。日本が戦争に負けると、タイは摂政の一人がサインしなかった宣戦布告は無効だと言い始めた。

タイが戦場で重要な役割を果たさなかったこともあって、連合国側もタイが日本と一緒に米英に戦線を布告したという事実をそれほど重要視しなかった。

米英への宣戦布告に関連して、もう一つ不思議な事件が起こった。米英に宣戦を布告したのはラーマ8世（マヒドン国王）である。王はまだ若年であったためにスイスに留学しており、宣戦布告の責任を取らせるのは酷な状況にあった。それは首相や摂政の責任である。それでも宣戦布告はラーマ8世の名で行われた。

戦争が終わるとラーマ8世は学業を終えてスイスより帰国した。そんなラーマ8世を悲劇が襲った。1946年6月9日の朝、王は王宮の寝室で頭から血を流して死んでいた。額から後頭部に銃弾が貫通し、そばに拳銃が落ちていたとされる。事故、自殺などの可能性も考えられたが、最終的には他殺と断定されて侍従ら5人が逮捕された。後にその中の3人は死刑に処されている。

この事件には謎が多く、いまだに真相が解明されたとは言えない状況にある。ただ不敬罪のあるタイで、この事件について語ることは今でもタブーである。その真相は分からない。ただ一つ言えることは、米英に戦いを宣言した国王が亡くなったという事実である。

その後、弟がラーマ9世として王位についた。ラーマ9世はあの戦争には関係がない。ラーマ9世は2016年に88歳で亡くなった。プミポンと呼ばれて広く国民に敬愛された。彼はタイが今日の隆盛を築く上で大きな役割を果たした。国内を回って民衆を一つにまとめるとともに、積極的に海外を訪問してタイと国際社会を結ぶ役割を果たした。

だが、もしラーマ8世だったら、国際社会は彼をすんなり受け入れただろうか。昭和天皇がそうであったように、外国を訪問する度にいろいろな議論が持ち上がることになったのかもしれない。

微笑みの国はなかなか怖い。マキャベリではないが、政治・外交とはそのような冷徹さを含むものなのだろう。「タイは微笑みの国」で「親日国」、そんな思い込みだけでタイ人とお付き合いしていると、ひどい目に遭わされるかもしれない。日本人はタイから学ぶことが多いと思う。

第7節◉マレーシアとシンガポールの歴史――華僑虐殺の記憶

小さな国家が点在したマレー半島

大航海時代になって、西欧人が東南アジアに来るまで、マレー半島では海岸部に小さな国家（集落に毛の生えたようなもの）が点在していたに過ぎなかった。そんな伝統を反映して、実はマレーシアは現在も王国、正確に言えば連合王国である。

九つの州にそれぞれの王様がおり、マレーシア全体の王様は任期5年制で各州の王様が持ち回りで務めている。このことからも分かるように、王様は儀礼的、象徴的な存在であり、政治権力は持っていない。

多くの人口を擁する国家が出現しなかったために、マレー半島において独自の文化や文明が発達することはなかった。もちろん、全く文化がないとは言えないが、それでもベトナム、タイ、ミャンマーのような発達を見ることはなかった。

マレー系と華僑が衝突した5・13事件

マレーシアとシンガポールには華僑が多く住んでいる。シンガポールでは華僑の人口は全体の７割以上にもなり、シンガポールは華僑の国と言ってもよい。しかし、マレーシアでは華僑の人口は約２割であり、マレー人（ブミプトラ）が全体の約７割を占めている。マレーシアにもシンガポールにもインド系が住み着いているが、その人口は全人口の１割ほどに留まる。

このような人口構成になったのは、早くから交易のためにインドから渡ってきた人はいたが、19世紀末以降に生活に窮した中国人が渡ってくるまで、マレー半島の人口が希薄だったからである。シンガポールはマレー半島の先端に位置する島であり、交易の中心地として栄えたために多くの華僑が住み着いた。その結果として華僑の人口割合が高くなった。一方、マレー半島でも交易の拠点として栄えたマラッカには多くの華僑がやって来た。しかし、その他の地域には希薄とはいえ、それなりにマレー人が住んでいたので、半島全体を見た時にシンガポールほど華僑の割合が高まることはなかった。

そして、それは当然のこととして、民族間の軋轢（あつれき）を生む。その軋轢の最たるものが１９６９年５月13日にマレー系と華僑が衝突した５・13事件である。

それはマレーシアの選挙結果に端を発したものだったが、建国以来、華僑とマレー系の双方の心に溜まっていた不満が選挙を契機にして爆発したものと言える。死者は１９６人、多数の負傷者を出した。この事件は、１９６５年にマレーシアから独立していたシンガポールにも飛び火して、シンガポールでも死者4人を出した。

ただ、マレーシアやシンガポールの民族対立は、それ以降は沈静化した。もちろん底流に対立があることは事実だが、アラブ諸国などで民族や宗教による対立が続いていることに比べれば、嘘のように沈静化している。

対立が沈静化した真の理由を知ることは難しいが、マレーシアでは人口の2割しかいない華僑が譲歩しているためと考えられる。華僑は宗教や民族感情よりも商売を優先しているようだ。事実、その後、マハティール首相によって、露骨なマレー人優遇政策（ブミプトラ政策）が行われることになったが、不満はあるものの華僑はその政策を受け入れている。一方、シンガポールは華僑の人口が圧倒的に多いために、マレー系が抑え込まれている。

日本では商売を優先する中国人の生き方を嫌う傾向が強いが、民族的感情を抑えて商売を優先させようと思うことは、必ずしも悪いことではない。グローバル化する世界で、民族の誇りを高く掲げることは、他の民族との間で深刻な対立を招きやすいからだ。

華僑虐殺の記憶

日本人がシンガポールやマレーシアの人々と交際する際に注意しなければならないことは、あの戦争の最中に起こった華僑虐殺である。中国での「南京大虐殺」などとは異なり、シンガポールやマレーシアでは表立って語られることがないために、通常、日本人が特段の注意を払う必要はないが、それでも華僑の心の中には深く記憶されている。

１９４１年12月8日に英領マレー半島のコタバルに上陸した日本軍は、シンガポールを目指して快進撃した。この戦いでは自転車を使って進撃する銀輪部隊が活躍して日本を大いに沸かせた。緒戦の日本軍は向かうところ敵なしだった。ジョホール水道の守りが手薄だったシンガポールは、１９４２年2月15日に陥落した。

この降伏調印の際に、英軍のパーシバル将軍は降伏に関する条件をいくつも出してなかなか降伏すると言わなかった。それに業を煮やした山下奉文（ともゆき）大将が、「イエスかノーか」と大声で怒鳴ったというエピソードは有名である。シンガポールは敗戦まで日本軍が占領した。

その占領の初期に、日本軍はシンガポールに住む数千人の華僑を虐殺した。その数字は南京事件などと同様、調査によって大きく異なるが、数千人を殺害したことはほぼ確実とされる。日本軍は、華僑は蔣介石政府を支援しており、重慶への物資の支援に協力していると考えた。だから、華僑を逮捕して殺したのだが、そのほとんどは濡れ衣であった。

この虐殺に対して戦後に戦争裁判が開かれたが、虐殺に関連した責任者の多くが戦死していたこと、また虐殺の中心人物とされた大本営派遣参謀であった辻政信（つじまさのぶ）が逃亡しており裁くことができなかったことなどから、シンガポールに住む華僑の心はその裁判でも晴れなかった。そんなこともあり、この事件はシンガポールに住む華僑の心の中に今も燻（くすぶ）っている。
華僑は商売人であるから、過去の事件を蒸し返すことはない。ただ、何かの時に話題になったら、この事件について正確な知識を語る必要がある。そうすれば相手はあなたに好感を持つことになろう。「何も知らない」と答えても華僑が怒ることはないが、心中で馬鹿にされると思う。そうなれば、ビジネスに差し支えるだろう。

問題はマレーシアである。マレーシアでも華僑の虐殺はあったが、その経緯は少々複雑である。日本が戦争に負けるまで、マレーシアは日本の統治下にあった。イギリス軍は日本軍が占領しているビルマには攻め入ったが、マレー半島にまで来ないうちに日本が降伏してしまった。

先にも述べたが、マレーシアにはマレー系、華僑、インド系の人々が住んでいる。イギリスの植民地時代、その統治の頂点にイギリス人がいたが、ビジネスでは華僑が実権を握るケースが多く、華僑がマレー系住民を雇用していた。華僑はビジネスがうまい。どうしても経済において華僑は現地人の上に立つようになってしまう。

そんな社会に急に日本軍が現れて、マレーシアは日本の軍政下に置かれてしまう。日本軍は、マレーシアの華僑は重慶政府を支援しているのではないかと疑っていた。そんな状況の中でマレー系の住民は日本軍に協力して華僑を迫害した。

マレー系住民は日本軍に華僑が隠れている場所を教えた。マレー系住民からも迫害された華僑は、捕まることを恐れて熱帯雨林に逃げ込んだ。シンガポールとは異なり、マレー半島には逃げる場所が多かった。しかし熱帯雨林の中で生きることは辛い。マラリアに感染して亡くなった人も多かったという。

マレー系住民の目に日本軍は解放軍に映った。しかし、日本は石油が出るマレーシアを独立させることはなかった。そのために時間が経つにつれて、マレー系住民も日本に対して不信感を募らせたが、それでもその不信感は、熱帯林に逃げ込んで命の危険にさらされた華僑とは異なる。

マハティールの「ルック・イースト」政策

そんなわけで、一般にマレー系の住民は日本にそれほど悪い印象を持っていない。それは、マハティール（もちろんマレー系）が１９８１年に首相になると、「ルック・イースト」政策（日本をお手本にする政策）を遂行したことからも分かる。

イギリスの植民地だったこともあり、マレーシアは独立してからもイギリスの方を向いており、多くのエリートはイギリスに留学していた。しかし、マハティールは経済や社会発展のモデルをイギリスではなく日本に求めた。現在、マレーシアの社会保険などのシステムは日本に似ているとされる。

また、マレーシアは早くから工業に重点を置いた政策を行った。マレーシアは、プロトンという自国資本の自動車会社を作った。タイは、トヨタやホンダなどの外資を導入して、独自の自動車メーカーを育てることはなかったが、マレーシアの政策はそれとは一線を画する。

マハティールは１９９７年のアジア通貨危機の際に、投資家のジョージ・ソロスと論争したことでも有名である。儲けることの自由を主張するアメリカ型資本主義に対して、節度ある資本主義を主張したが、その頭にあったのは日本モデルだろう。日本人は欧米人を崇める傾向が強いから、当時、わざわざジョージ・ソロスを日本に招いて講演会を行っていたが、心の中ではマハティールの主張に共感を持った人も多かったろう。

マレーシア経済の実権を握る華僑

マレーシア経済の実権は今も華僑が握っている。数が少ないので選挙で多数を占めることはできないが、経済力があるからロビー活動を通じて政治の世界でも大きな力を持っている。

そんなマレーシアでビジネスをする場合、どうしても華僑を相手にすることになる。マレー系は親日だが、経済の上ではあまり力を持っていない。

現在、40歳以上の華僑は、あの戦争中に華僑がひどい目に遭ったことを祖父母から聞いている。若い世代になるとそのような話は知らないようだが、中年以上は知っていると思った方がいい。マレーシアは親日国だが、華僑と付き合う場合には、彼らは親日的ではない。だから特に歴史の話題には注意を払った方がよい。

だがその話は、華僑が日本人を恨んでいるという単純な話でもない。それは、マレー系が華僑を日本軍に売り渡したという記憶につながっているからだ。その後も5・13事件があり、ブミプトラ政策が行われて、それは今も続いている。そんなわけで、マレーシアの華僑は日本軍を一方的に恨んでいるわけではない。

こちらから話を持ち出す必要はないが、何かの拍子でそんな話になった時は、日本軍がマレーシアに上陸してマレーシアを4年間統治して、華僑にひどいことをしたことを話してもよい。あるマレーシアの中華系の人は、たまたま筆者がその話をすると急に態度を変えて、「今まで多くの日本人と会ってきたが、そんな話を聞いたことはない」と言って、以後、とても親切にしてくれた。どこか彼の琴線に触れた部分があったのだろう。

彼は日本人に謝ってほしいとは言わなかった。現在は60歳くらいになる人であったが、彼の祖父は熱帯林に逃げ込んで大変な思いをしたそうだ。その話は、小さい頃に何度も祖母から聞いたそうで、私が話す日本軍とマレーシア、そして華僑との関係に注意深く耳を傾けていた。あの戦争とマレーシアの関係を理解しておくことは仕事の上でも重要だと思った。

第8節◉インドネシアとフィリピンの歴史――親日と反日の明暗

オランダによるインドネシア植民地支配

あの戦争から75年以上の時間が経過したために、普通に接していれば、インドネシアやフィリピンの人々から戦争の記憶を聞くことはない。だが、その記憶の奥底にはあの戦争の記憶がある。そして、その記憶は同じ島嶼部といっても、インドネシアとフィリピンでは全くと言ってよいほど大きく異なっている。

まず、日本人にとって嬉しいインドネシアの話からしよう。インドネシアのボロブドゥール遺跡はアンコールワットと同様に、19世紀になって西洋人によって発見されるまで密林の中に眠っていた。このことからも分かるように、インドネシアには継続した歴史が存在しない。そんな国に香辛料欲しさでオランダ人がやって来て、イギリスと争った後に、イギリス人を追い出してオランダの植民地にしてしまった。

１６０２年にオランダ東インド会社が設立されて本格化したオランダのインドネシア支配は過酷だったようだ。オランダはイギリスやフランスのように多くの植民地を持たなかった。目ぼしい植民地はインドネシアだけである。だから、インドネシアから搾り取れるだけ搾ろうとしたのだろう。独立運動に対しても過酷に取り締まった。

そんな経緯があったためか、インドネシア人は今でもオランダを嫌っている。そのために、インドネシアからオランダに留学する人は少ない。それはミャンマーやインドからイギリスに留学する人が多いこととは対照的である。ちなみにミャンマーのアウンサンスーチーもケンブリッジ大学に学んでいる。

インドネシア独立に貢献した日本軍

そんなインドネシアの独立に日本は大きな役割を果たした。日本がインドネシアに侵攻した理由はインドネシアの石油が欲しかったからであり、必ずしも独立を助けたかったわけではない。ただ、それでも日本の侵攻はインドネシアをオランダの支配から解放することにつながった。

スマトラ島のパレンバンにオランダが造った油田と石油の精製施設があった。日本はそれを無傷で手に入れたかったために、1942年2月14日に奇襲攻撃をかけた。それは後に「空の神兵」と謳われた落下傘部隊によって行われた。奇襲は成功して、日本軍は石油を手にすることができた。

日本軍は緒戦でオランダ軍を圧倒した。そもそも、当時、オランダはドイツの占領下にあった。ロンドンに亡命政府があったが、そのような状況では日本軍に組織的な対抗はできなかった。日本軍はさほど抵抗を受けることなく、インドネシア全土を制圧した。

日本軍はオランダに捕まっていたスカルノやハッタなど独立運動の闘士を解放した。ちなみにジャカルタ国際空港は、独立の英雄の名を冠してスカルノ・ハッタ空港と呼ばれている。

インドネシア人は日本軍の進駐を歓迎した。日本兵がイスラム教に関してほとんど何も知らなかったために、無用の軋轢が生じたこともあったが、日本のインドネシア占領は概ね人々から歓迎された。日本軍は解放軍だった。

ただ、日本はインドネシアを独立させなかった。インドネシアに豊富な石油資源が存在したために、日本はそれを自分の手元に置いておきたかったのだ。だが戦局が悪化すると、人々の心を引き留めるために、日本はインドネシアを独立させると言わざるを得なくなった。日本がインドネシアに独立を許したのは１９４５年8月17日である。戦争に負けてから独立させたのである。この辺り、もっとうまいやり方があったのではないかと思う。

だが、それでもインドネシア人は日本に好意を持っている。それは戦後、オランダ軍が戻ってきてインドネシア軍と戦った際に、数千人とも言われる日本兵が日本に帰国せずにインドネシアの人々と共にオランダ軍と戦ったためである。彼らはまさに大東亜解放のために戦った。

その前段階でも、日本軍はインドネシアの独立に貢献した。日本軍が降伏した際、武器は連合国に引き渡すことになっていた。その引き渡しを巡ってスマラン事件（ジャワ島スマランで武器の引き渡しを巡り日本軍とインドネシアの間で起きた武力衝突）などが起きたが、現地の日本兵はインドネシアに同情しており、日本軍の武器の多くがインドネシア側に渡ったとされる。この武器はインドネシアがオランダ軍と戦った際に大いに役立った。

そんな記憶があるため、今でもインドネシアは親日国である。日本軍によって牢獄から解放された初代大統領スカルノは大の日本びいきであり、彼の第三夫人（イスラム教では妻は4人まで持てる）は日本人である。彼女は今でもデヴィ夫人という名前で、日本で活躍している。

「バターン死の行進」を恨むフィリピン

インドネシアが親日国であるのに対して、フィリピン人の心の中には今でも日本軍への恨みがある。ラテン的な気質もあり、表面的にはそれを引きずっているようには見えないが、あの戦争とフィリピンの関わりについて知っておくことは、東南アジアで活躍しようと思うビジネスパーソンには必須のことになろう。

何度も述べるが、インドネシアから日本へ石油を運んでくるために、シンガポールの英軍とフィリピンの米軍が邪魔だった。だから戦争が始まると、日本軍はすぐにフィリピンに攻め込んだ。しかし、シンガポールの英軍とは異なり、フィリピンの米軍は頑強に抵抗した。バターン半島の戦いが有名である。バターン半島はマニラ湾を挟んでマニラの西に位置し、その先端にコレヒドール島がある。米極東軍司令官マッカーサーはコレヒドール島に司令部を置いて、日本軍に抵抗した。

日本軍は米軍がそれほど強く抵抗するとは考えていなかった。マレー半島やシンガポール、またインドネシアでは日本軍は破竹の勢いで進軍することができたが、バターン半島の攻略には手間取った。

その理由は、大本営が近代兵器を多数持つ米軍の兵力を過小評価していたためである。だが、何かうまくいかないことがあると本社の責任は棚に上げて現場の指揮官を責めるのは、日本の悪い癖である。大本営はバターン攻略の指揮官である本間雅晴（ほんままさはる）中将を責めた。

本間中将は苦しい立場に追い込まれた。その結果、大本営からの督戦に応じて、優秀な武器を持つ米軍に対して肉弾戦を繰り返した。１９４２年４月にはバターン半島だけでなくコレヒドール島も占領することに成功したが、無理に攻めたために日本軍の戦死者は５０００人を超えた。これは緒戦においては極めて大きな犠牲であった。

本間雅晴中将は悲劇の将軍として知られる。バターン半島、コレヒドール戦の責任を問われて、フィリピンから帰国するとその直後に予備役に編入されてしまった。その後、再召集されることはなかったから、彼の戦争は1942年の夏で終了したことになる。

しかし後にもっと大きな悲劇が襲ってきた。戦争裁判である。バターン半島の米軍が降伏した時に約7万人の捕虜が出たのだが、日本軍はその捕虜を歩かせてマニラまで移動させた。炎天下を120㎞も歩くことになり、十分な食糧がなかったことから1万人以上が死んだとされる。「バターン死の行進」事件である。戦争が終わると本間中将は逮捕されてフィリピンに送られて、裁判で「バターン死の行進」の責任を追及された。彼は捕虜虐待の罪状で銃殺刑に処せられた。

「バターン死の行進」は本間中将の責任で起きたとは言いかねる。その最大の原因は、日本軍が米軍を過小に見積もっており、これほどの捕虜が出るとは思っていなかったことにある。大量に捕虜が出たために捕虜用の糧秣が不足した。

また、当時、米軍はトラックに乗って移動していたが、日本軍は歩いて移動することが普通だった。そのために捕虜を歩いて移動させることは、司令官としてはごく普通の判断だった。それは捕虜虐待を目的としたものではない。

予備役になって平和に暮らしていたのに、戦いに負けるとフィリピンに連れ戻されて、ほとんど身に覚えのない罪状で処刑された。連合軍の復讐感情が作り上げた裁判である。悲劇の将軍と言われる所以である。

　ここで忘れてはいけないことは、バターン死の行進で死亡した兵士の多くがフィリピン人であったことだ。米軍の中に多くのフィリピン兵がいた。バターン死の行進の犠牲者は1万人程度と見積もられているが、米兵の死者は2300名ほどである。残りはフィリピン兵だった。つまり、日本軍は米軍だけでなくフィリピン人の恨みも買っていた。それを忘れてはならない。

最後のZ旗――マリアナ沖海戦

　そしてもっと大きな悲劇があの戦争の末期に起きた。1944年秋に米軍はフィリピンに戻ってきた。それを語るには、少し時間を遡らなければならない。

　1944年6月15日、米軍は日本軍が守るサイパン島に上陸を開始した。サイパン島を攻略してそこに飛行場を造れば、日本列島の大部分が戦略爆撃機であるB29の爆撃範囲に入る。日本軍はサイパン島を死守しなければならない。連合艦隊はZ旗を掲げて、その総力を挙げて出撃した。

　イギリスのネルソン提督は1805年に起きたトラファルガー海戦の際に、Z旗を用いて“England expects everyman to do his duty.”（直訳：イギリスは各員がその本分を尽くすことを期待する）なる檄文を伝達して士気を鼓舞した。その前例に倣(なら)い、日本海海戦において東郷平八郎連合艦隊司令長官はZ旗に「皇国の興廃此一戦にあり、各員一層奮励努力せよ」の意味を込めた。

日本海軍は真珠湾攻撃においてもZ旗を掲げて戦った。現在の日本ではほとんど忘れられているが、連合艦隊が最後にZ旗を掲げて戦ったマリアナ沖海戦は乾坤一擲(けんこんいってき)の戦いであった。日本はその戦いに敗れた。米軍の空母を一隻も沈めることができなかった。それに対して、日本は最新鋭の空母大鳳、真珠湾以来戦い続けた海軍の中心的な戦力である空母翔鶴、それに中型空母飛鷹(ひよう)を失った。また、搭載していた４００機あまりの飛行機の大半を失った。その後、サイパン島は米軍の手に落ちた。

連合艦隊に巨大戦艦である大和と武蔵が残っていても、航空部隊がなくなれば西太平洋の制海権は維持できない。そうなれば、インドネシアから石油を運ぶことはできなくなる。つまり勝負はついたのである。それ以降の戦闘は無駄だったと回想する海軍士官もいるほどである[7]。米軍は潜水艦や航空母艦を用いて戦略物資運搬の妨害をしながら、本土空襲を繰り返していれば、日本は交戦能力を失う。実際にそのシナリオ通りに日本は降伏した。

米軍の「無駄な戦」――フィリピンの戦い

しかし、米軍は「無駄な戦」を始めた。それがフィリピンの戦いである。米軍は石油の出るインドネシアやマレーシアのボルネオ島には上陸しなかったが、一方でフィリピンには上陸した。それは戦略的な判断というよりは、ある司令官の感情に基づいたものであった。それがフィリピンに大きな厄災をもたらした。

その司令官とはダグラス・マッカーサーである。マッカーサーは戦争が始まった時に、米極東軍司令官としてフィリピンで戦闘の指揮に当たっていた。しかし、米軍が降伏する前に彼はコレヒドール島から魚雷艇でミンダナオ島に逃走し、そこから飛行機でオーストラリアに逃げ延びた。司令官が部下を置いて逃げるなど卑怯の極みである。そんなこともあり、彼は脱出する際に“I shall return.”（戻ってくる）と言い残した。その言葉がフィリピンの戦いを引き起こしたと言っても過言ではない。

日本軍が、アメリカがフィリピンに戻ってくることに備えて兵力を増強していたことも悲劇を大きなものにした。マリアナ沖海戦に敗れた日本では、指導層に一度戦場で大勝利を挙げた後に和平を考える「一撃講和論」が広がっていた。大元帥である昭和天皇もこの考え方に同調していたとされる[5]。

これまで日本陸軍はガダルカナル島など小さな島で、十分な補給がない状態で戦って敗れた。だがフィリピンのルソン島は大きく、また日本にも近いことから、十分な兵力をルソン島に置けば、米軍に一撃を与えることが可能と考えた。日本軍はフィリピンに50万人もの兵力を送り込んだ。その司令官にはシンガポールを陥落させた山下奉文大将が選ばれた。

マッカーサーは1944年10月にレイテ島に上陸した。それを阻止しようと連合艦隊は残存兵力の全てをつぎ込んで戦いを挑んだ。レイテ沖海戦である。しかし、飛行機の支援がない艦隊は無力であり、戦艦武蔵など多くの艦艇を失った。以後、艦隊を組んで組織的に作戦を行うことはできなくなってしまった。

連合艦隊が実質的に消滅してしまったことから、ルソン島での戦いは悲惨を極めた。日本軍は制海権、制空権をアメリカに握られてしまい、補給を行うことができなかった。そんな状況で米軍は圧倒的な火力をもって日本軍に襲いかかった。まともに戦っては勝てない。50万人もの日本兵が平地の戦闘を避けて、山岳地帯に立てこもることになった。

この判断が悲劇を生んだ。多くの日本兵が十分な食糧を持たずに山岳地帯に逃げ込んだ。その結果、住民から食糧を奪い取ることになってしまった。フィリピン人も十分な食糧を持っていたわけではない。簡単に食糧を渡すわけにはいかない。渡せば自分も家族も餓死する。日本兵は抵抗する住民を殺戮して食糧を奪った。

ルソン島の平野を占領した米軍は、無理に山岳地帯の掃討戦を行って犠牲が増えることを恐れた。その結果、日本軍は終戦まで戦い続けることができたが、それは無意味な戦いが続いたということに他ならない。

この戦いに巻き込まれて１００万人のフィリピン人が死亡したとされる。「私の祖父は食糧を出せと言われて、拒んだために日本兵に殺された」、そんな記憶が今でもフィリピン人の心の中に潜んでいる。

ただ、あれから75年以上の年月が経過し、その間、日本はフィリピンに対して罪滅ぼしもあって多額のＯＤＡを実行した。また、あまり過去にこだわらないラテン気質もあってか、現在、フィリピン人の対日感情はそれほど悪くはない。

こんなエピソードがある。女性で大統領になったコラソン・アキノが１９８６（昭和61）年に日本を国賓として訪問したことがある。宮中晩餐会が開かれたが、その席で昭和天皇はアキノ大統領に「あの戦争でお国に迷惑をかけて済まなかった」と謝ったとされる。それに対して、アキノ大統領は「そのことは忘れましょう」と答えたとされるから、天皇は謝罪の言葉を繰り返したようだ。よほど謝りたかったのだろう。

天皇の政治的な発言は禁じられており、日本、フィリピン両政府は共にこの発言を公表することはなかった。だが、アキノ大統領の報道官がうっかりこのエピソードを漏らしてしまい、一悶着があった。大元帥であった昭和天皇はフィリピンでの戦いの実情について多くの情報を得ており、最晩年まで心の傷として残っていたようだ。

現地で土木工事をするある日本人から聞いた話であるが、今でもあの戦争の記憶は山岳部に残っているという。だから、フィリピンの山岳部に日本人が一人で入らない方がよいと忠告された。

こんな話もある。先にも書いたが、タイでは日本人将校とタイの娘の悲恋を描いた映画『メナムの残照』が有名であり、タイ人でこの映画を知らない人はいない。タイでは日本人のイメージはとてもよい。

その一方、フィリピンで日本人のイメージは悪い。フィリピンは貧富の格差が大きく、庶民は政治家と商人が組んで行う汚職に腹を立てている。そんな彼らをヒーローが凝らしめる映画がヒットする。悪代官と越後屋が最後の場面で必殺仕置人に斬られるテレビ・ドラマのフィリピン版である。

そんな映画で、日本人は悪徳商人の仲間として描かれることが多いという。最後に、ヒーローに追われてフィリピンの政治家や悪徳商人と一緒に逃げ出す日本人商社マンを見て、庶民は喝采を叫ぶのだそうだ。

フィリピンの日本に対する庶民感情はタイやインドネシアとは１８０度異なっている。それは、あの戦争が作り上げたものに他ならない。

第2章
人口から読み解く東南アジア

急速に増加した東南アジアの人口

ある国について知りたい時に、その人口構成を見ることはとても重要な手がかりになる。例えば、若者が多い国は活気に溢れる。しかしその反面、政治は安定しない。反対に老人が多い国は、日本がそうであるように、政治は安定するが活気がなくなる。人口はある国のあり方を考える上で極めて雄弁なデータである。まず、そこから解説したい。

図4に1950年から2050年までの東南アジアの人口を示した。参考のために**図5**に東南アジア諸国の旧宗主国に当たるイギリス、フランス、オランダの人口を同じスケールで示す。両図を見比べてほしい。その違いに驚くだろう。東南アジア諸国は急速に増加しているが、旧宗主国はほぼ横ばいだ。

現在、東南アジアの人口は旧宗主国3国の合計の約4倍にもなっている。1950年の東南アジアの人口は合計で1億6500万人でしかなかった。同じ年のイギリス、フランス、オランダの人口の合計は1億2000万人であるから、そこまで大きな違いはなかった。戦前の東南アジアの人口は1950年の人口よりも少なかったから、ヨーロッパが東南アジアを支配した時代、宗主国の人口は植民地よりも多かったと思われる。

信頼できる人口統計がないために、独立以前の人口についてはよく分からないが、アンガス・マディソンによると、1820年のインドネシアの人口は1792万人、フィリピンは

図4　東南アジア各国の人口の推移

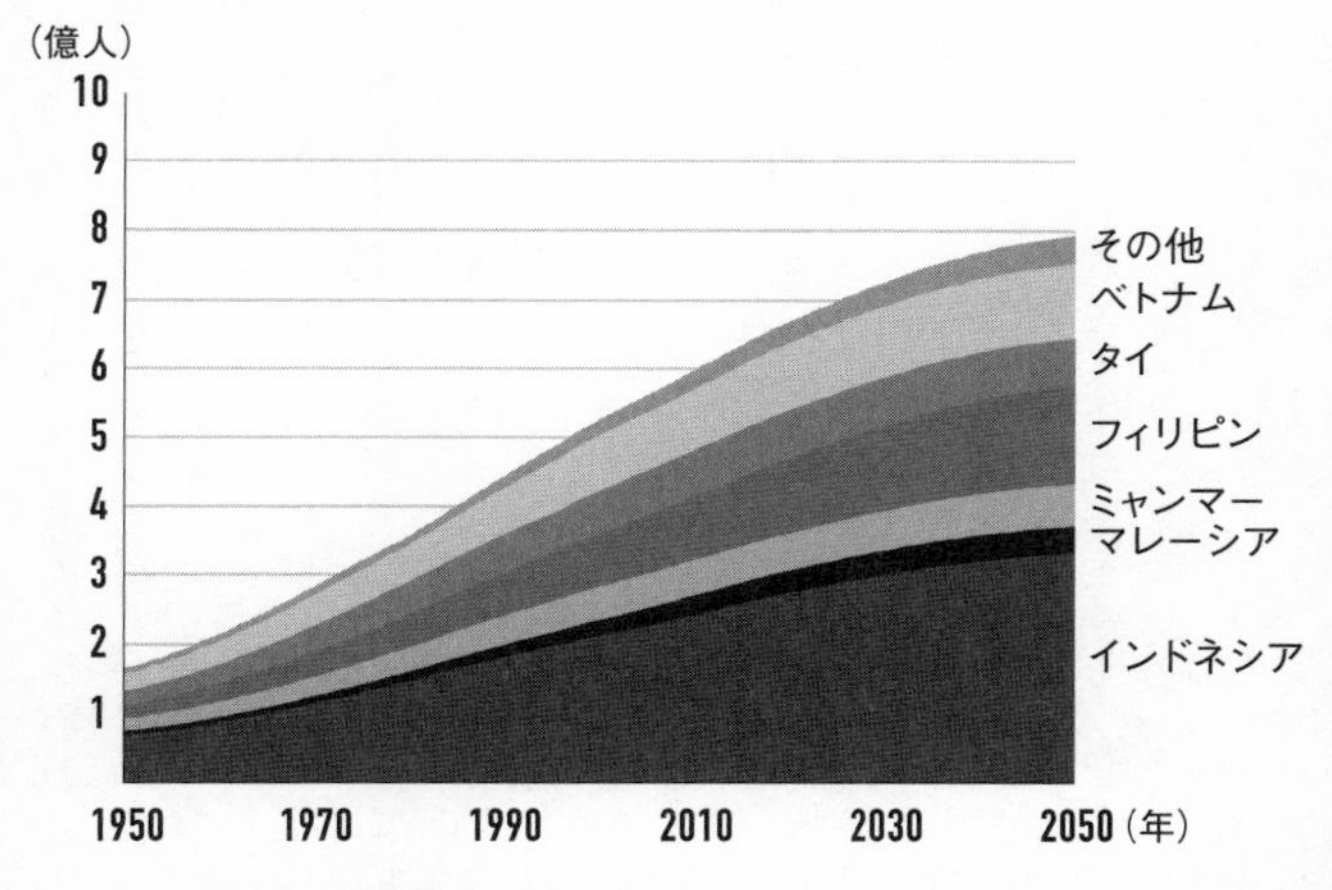

※ 2020年以降は予測値［出典：国連人口局　https://population.un.org/wpp/］

図5　東南アジア諸国の旧宗主国の人口の推移

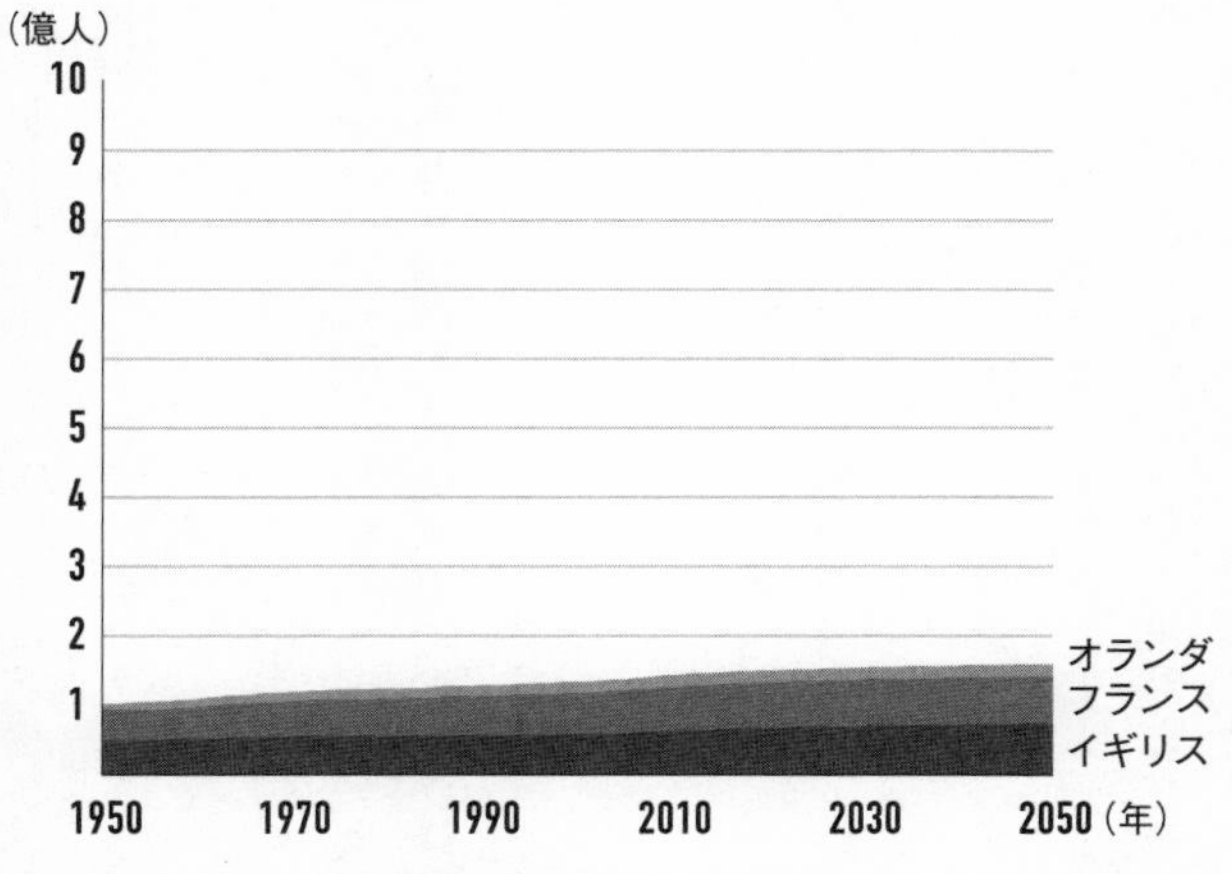

※ 2020年以降は予測値［出典：国連人口局　https://population.un.org/wpp/］

217万人、タイは466万人とされる[8]。同時期の日本の人口は3100万人である。第二次世界大戦の前まで、東南アジアが人口の希薄な地域であったことはよく頭に入れておく必要がある。

そんな東南アジアの人口は2021年に6億7300万人になった。一方、旧宗主国の人口の合計は1億5000万人に留まっている。現在、東南アジア諸国の経済は急速に発展しており、21世紀の後半になれば、東南アジア諸国の一人当たりGDPは旧宗主国とそれほど変わらない水準になるだろう。そうなれば、人口の多い東南アジアの国力は旧宗主国を圧倒するだろう。21世紀はアジアの時代である。

マラリアが開発を困難にした

東南アジアの人口が少なかった原因はマラリアにある。高温で雨量が多い東南アジアの森にはマラリア原虫を持った蚊が生息するが、人間はその蚊がはびこる森林に分け入って住むことはできない。そんな東南アジアで人々は海岸部に住んでいた。彼らは漁業を営むとともに、少ない農地でイモなどを作り、足りない分は交易によって補っていた。しかし、それでは多くの人口を養うことはできない。より多くの人口を養うためには、奥地を開墾して農業生産量を増やす必要がある。

しかし、ごく最近になるまで、マラリア原虫を持った蚊がはびこる奥地を開発することはできなかった。特に、島国であるインドネシア、フィリピン、マレーシアでは奥地の開拓が難しかった。

一方、大陸にあるタイ、ミャンマー、ベトナム、ラオス、カンボジアではその領土に大河が流れており、沖積平野を農地にすることができた。高温多湿な東南アジアはコメの栽培に適している。コメは少ない面積でも多くの収穫量が期待できるから、コメを作ることができれば多くの人が暮らすことができる。そんなわけでタイ、ミャンマー、ベトナムでは早い時期から人口が増えた。

ただ、大陸部でも森林の開発は同じくマラリアのために難しかった。そのために農業が行われたのは大河の沖積平野周辺に限られてしまい、広がりを欠くことになった。このことはアンコールワットがいつの間にか森林に埋もれてしまったことなどからも分かる。

国連の人口推計の注意点

ところで、先ほど示した**図4、5**は国連人口局の推計値を示している。２０２０年以降は中位推計と呼ばれる予測値である。ただ、この予測には少々問題がある。そのことを示すために、日本の人口について見てみよう。

厚生労働省は日本の2050年の人口を出生中位・死亡中位推計で1億468万人と推計している[9]。国連の中位推計も1億414万人としている。

話は脱線するが、ここでよくマスコミが引用する国連の人口推計について注意を喚起しておく。日本の場合はほぼ同じだが、最もよく引用される国連の中位推計は、一般的に将来の人口を多めに予測する傾向がある。これは国連の人口予測部門の成り立ちに関係している。

なぜ国連は多くの人員を配して世界の人口の推計を行っているのだろうか。それは20世紀に人口爆発が危惧されていたために他ならない。

今となっては昔話だが、筆者が学生の頃、ローマクラブの提言が世界的に話題になった。世界から有力な学者・知識人が集まって、人口問題や環境問題について提言を行った。日本からは著名な学者であり政治家であった大来佐武郎氏が参加している。

ローマクラブは、世界の人口は急激に増加しており、それに伴い食糧やエネルギーの需要が急増して、近い将来に世界はとんでもない危機的状況に陥ると警告した。1972年のことである。その直後に石油危機が起こったことから、その提言は現実味を持って迎えられた。国連における世界人口の予測もこの頃に始まった。世界で多くの学者が環境問題を研究し始めたのもこの頃である。

筆者はローマクラブに影響を受けて食糧生産と環境の関係を研究してきた。ローマクラブが２０００年頃に世界が食糧危機に陥ると警告していたからだ。

しかし、１９８９年に農水省の研究所に移って環境と食糧生産の関係を本格的に研究してみると、状況が急速に改善されていることに気がついた。世界の人口増加率は急速に低下し、その一方で食糧生産量は順調に増えていた。その結果として、一部の地域では飢餓はいまだにあるが、２０００年にローマクラブが予測したような世界食糧危機が訪れることはなかった。私も読者も生まれてからこれまでに世界食糧危機などを経験したことはない。食糧は街に溢れている。

日本では農水省も大学の農学部もその起源は明治時代にある。人口が急増して食糧が足りない時代に設立された。その任務は、食糧を増産して国民が飢えないようにすることにある。だが、そんな組織を作ってしまうと、組織は組織を守るために一人で運動し始める。農水省も農学部の教員も食糧危機が起きなければ困る。そんな農水省や農学部の先生たちが言い出したのが食料自給率である。

鉄鉱石、ボーキサイト、ダイヤモンドの自給率が話題になることはない。しかし、食料自給率は日本人の琴線に触れる部分があるらしく、農水省や農学部の先生による刷り込みによって、少し政治に興味を持つ人々は食料自給率の向上を主張し始める。

これと似たようなロジックが国連の人口予測関係者にも見られる。人口が爆発的に増えるから国連人口局には存在意義がある。人口がそれほど増えないのであれば、多額のお金をかけて研究する必要はなくなる。

そんなこともあり、世界人口の6割を占めるアジアの人口推計はやや大きめの値が示される傾向がある。このことは東南アジアのこれからを考える上で重要である。つまり、国連推計を信用しすぎると、東南アジアで急速に少子高齢化が進んでいる事実を見逃してしまう。

急速に低下したTFR（合計特殊出生率）

現在、東南アジアの人口は約7億人である。中国の約半分と覚えておけばよいだろう。今後、その人口はそれほど増えない。東南アジアの人口が増えないと考える理由は**図6**にある。これは1950年から2050年までのTFR（合計特殊出生率）の変遷を示す。2020年以降は推計値（中位推計）である。

1970年頃まで東南アジアでは一人の女性が5〜7人の子供を産んでいた。それから約30年を経た2000年になると子供の数は2〜3人に減少した。タイではTFRは1・6にまで低下している。最も高いフィリピンでも2020年〜2025年の値は2・45になると予測されている。

ローマクラブが人口爆発を警告していた1972年頃の東南アジアのTFRは6前後で

図6　東南アジア各国のTFR（合計特殊出生率）の推移

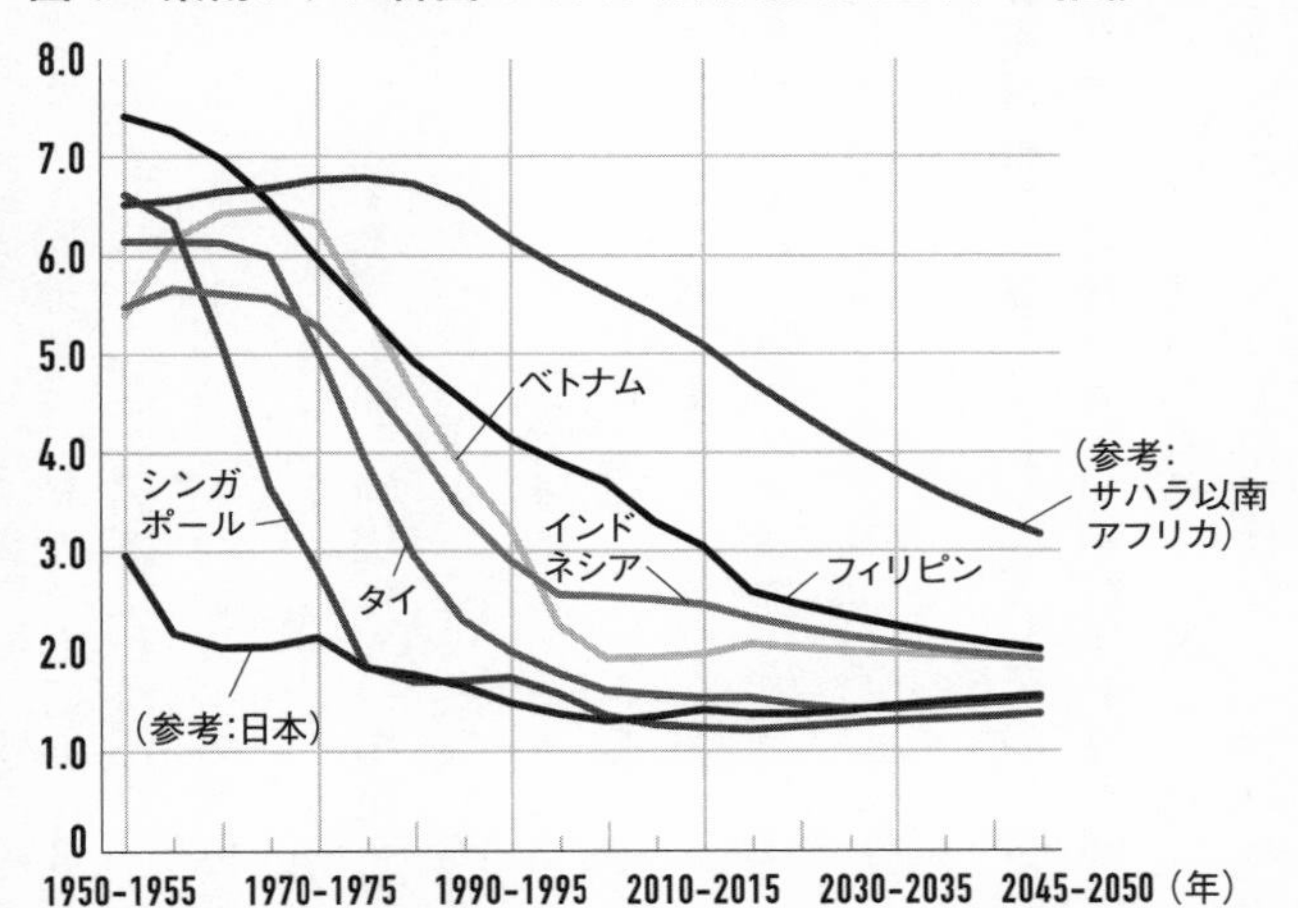

※ 2020年以降は予測値［出典：国連人口局　https://population.un.org/wpp/］

あったが、30年というごく短い期間で２前後になった。このことは21世紀になって食糧危機や環境の危機が生じなかった最大の原因である。もし21世紀になっても世界人口の６割を占めるアジアのＴＦＲが６前後で推移していたならば、多く国で食糧問題や環境問題が深刻な状況に陥ったであろう。

２０２０年以降は中位推計値である。国連は、日本のＴＦＲは今後徐々に回復して２０４５年～２０５０年には１・55になるとしている。だが、それは楽観的な予測であろう。

同様に東南アジアについても、少し高めの値を予測している。例えば、ベトナムの２０１５年～２０２０年のＴＦＲは２・06

であるが、国連はその値が２０５０年まで続くとしている。しかし、現在、ベトナムは好景気に沸いており急速に都市化が進んでいる。

ベトナムは中国の一人っ子政策の真似をして、二人っ子政策を推し進めてきた。中国の一人っ子政策ほど強い罰則はないが、公務員などは子供を３人作ると左遷されたり昇進が止まったりする。中国と同様に人口爆発を恐れての措置だったのだが、ＴＦＲがあまりに急速に低下したために、現在、その政策は見直されている。

だが、二人っ子政策を見直したからといって、ベトナムの人々が子供を３人作るようになるとは思えない。中国は一人っ子政策をやめたが、出生率が上昇することはなかった。このようなことを考えると、今後、ベトナムのＴＦＲが国連の予測のように2前後で推移するとは考えにくい。経済が順調に発展すれば、ＴＦＲが低下してなかなか上昇しないタイや日本と同じようになる可能性が高い。

多産多死から多産少死、そして少産少死へ

なぜ、これほどまで急速にＴＦＲが減少したのであろうか。人口学では生まれた子供の多くが成人するようになるとＴＦＲが低下するとしている。この理論は今となっては、必ずしも全てを説明するものではないとされるが、まずはこの理論を紹介しよう。

社会が存続するためには人口を維持する必要がある。その昔、衛生状態が悪かった時代には幼少期に多くの子供が死亡した。子供を数人産んでもごく少数しか成人しない。太古の昔からほんの100年ほど前まで、そのような時代が続いていた。だからたくさん子供を産む必要があった。これを多産多死（多くの子供が生まれて、その多くが死ぬ）という。

しかし、近代に入り医学が発達して衛生思想が普及すると、幼児期に死亡する子供の数は大きく減り、生まれた子供の多くが成人するようになった。日本ではそのような時代が大正時代に訪れた。

今の80歳くらい以上の人は兄弟が多い。彼らが生まれた時代は一人の女性が数人の子供を産むことが普通であったが、衛生状態の改善により、急速に幼少期に死ぬ人が減ったためである。筆者は1953年生まれだが、父方にも母方にも何人ものおじさんやおばさんがいた。この多産少死（多くの子供が生まれて、少ししか死なない）の時代に人口が爆発的に増える。

しかし、戦後になると急速に兄弟の数が減る。1947年から1950年まで続いたベビーブームは団塊の世代を作り出したが、ベビーブームの時にはすでに子供の数は2～3人に減っていた。それは、この頃になると人々は、生まれた子供の多くが成人することを実感して多くの子供を産まなくなったためだ。つまり、少産少死（生まれる子供が少なく、少ししか死なない）である。

これは、多産多死から多産少死を経て少産少死に移行するとする人口理論である。だが、人間は社会を維持するためだけに子供を作るわけではない。それだけで子供の数は決まらない。そのことは、このまま少子化が続けば社会が維持できなくなると危惧されている日本に住んでいればよく分かるだろう。

農業技術の向上が招いた農村貧困

現在、日本でそして世界の多くの国や地域で観察される急激なＴＦＲの低下は、衛生状態の改善によって多産多死から少産少死に変わるとする従来の理論では説明できない。

近年、特にアジアで急速にＴＦＲが低下している。それはコメを作る国々で特に顕著であり、これには農村の変化が関係している。

アジアの人々は伝統的な農村で生きてきた。そんなアジアの農村がここ30年ほどの間に、全くと言ってよいほど変わってしまった。それは農業技術の変革がもたらしたものだ。

人間は食糧がなければ生きてゆけない。太古の昔から、人間は食糧を手に入れるために働いてきた。気温が高く雨量の多いアジアではコメが栽培できた。コメは優れた農作物である。単位面積当たりの生産量が小麦や大麦などよりも多く、少ない面積で多くの人間を扶養できる。その一方で、田植えや田の草取りが必要になり、他の農作物を作るよりも多くの労働力が必要になる。そんなことが相まって、アジアの農村には多くの人が住んでいた。

　そんなアジアの農村に、第二次世界大戦が終わった頃から西欧の進んだ技術がもたらされた。ブルドーザーなどによって水田や水路の拡張が容易になり、多収量品種や農薬、化学肥料も普及した。それは日本では１９５０年頃に始まり、東南アジアでも１９８０年前後には始まった。

　アジアで農業生産量が急速に増加した。その結果、多産少死現象によって人口が増えていた時期にもかかわらず、人々が飢えることはなかった。それは人類にとっては喜ばしいことであったが、農業に従事する者にとっては必ずしも喜ばしいことではなかった。農業生産量が増えたといっても、人間が食べるご飯の量は変わらない。その結果、恒常的に食糧が余る社会が出現してしまった。これは人類が歴史の中で初めて経験したことである。

　科学的な農業が普及するまで、人類の食糧は常に不足気味であった。ちょっと天候不良が続くと、すぐに飢饉に見舞われた。そんな時代に農作物は高価だった。エンゲル係数とは全支出の中で食料の購入に要する費用の割合を示すが、これは所得の低い人ほど高くなる。食料の購入に要する費用は貧しい人でも金持ちでもそれほど変わらないからだ。人類の歴史において、よほど裕福な人でない限り、エンゲル係数は常に高い状態にあった。庶民は食糧を手に入れるために必死で働いた。

食糧が足りない時代に都市は発達することができない。しかし、農業技術が急速に発展して食糧が恒常的に余る時代になると都市が発達する。人々が集まって暮らす都市ではいろいろなものが作られる。テレビやスマホなどの工業製品、きれいな着物、映画などの娯楽も作られる。次々に新しいものが作り出される。それらは人々の欲望を刺激し続けるが、欲望を刺激するものは高価格でも売れる。一方、過剰生産気味になっている農作物の価格は低迷する。それは農業が有利な職業でなくなったことを示している。

皮肉にも、科学技術が発展して農業生産が増加したことが、農業を儲からない仕事にしてしまった。「農学栄えて農業滅びる」、これはまさに真実である。食糧のように需要が限られているものの生産効率を高めれば、やがてそれを生産する産業は衰退していくということである。

わが国では明治期から徐々に農業の生産効率が高まった。そのために、ここに述べた現象はすでに大正末期に始まっている。それが昭和初期の農村疲弊の真の原因である。

しかし、1937（昭和12）年に日中戦争が起こると、多くの農民が召集され、かつ農業資材が不足したことから食糧は不足がちになり、価格が高騰した。それによって都市の住民は困ったが、農村は蘇った。昭和初期にあれほど大きな社会問題であった農村の疲弊は、戦争が本格化するにつれて改善していった。

しかし、戦争が終わると今につながる農村の疲弊が始まる。「もはや戦後ではない」と経済白書に謳われた1955（昭和30）年頃になると、戦中戦後にあれほど不足したコメが余るようになった。それが減反政策を生んだ。

食糧価格が低迷して農業が有利な職業でなくなると、人々は農村を出て都市へ移動するようになる。ただ一家あげて移住するようなケースは稀で、多くは若者が都市に出て働く。その結果、農村は老人と子供だけが住む世界になってしまう。これは日本ではすでに起こったことであるが、現在、その現象が東南アジアに広がり始めている。

都市の膨張と女性の自立

どの国でも農村は保守的である。それは農業が大きな変革を必要としない産業だからだろう。毎年同じものを作り、同じ作業を繰り返す。そんな中でも、コメを作る農村は特に保守的、閉鎖的である。コメを作っていれば、村の外の世界との交流をそれほど必要とせずに生きていくことができたためと考えられる。

そんなアジアの農村で女性の地位は低かった。それは伝統的な農業を営むためには肉体的な力が必要であったからだ。しかし、農村から都市へ人口移動が起きると、女性の地位は急速に向上する。都市には全国から多くの人が流入し外国の文化も入ってくる。都市ではものごとが目まぐるしく変わる。そして大事なことは、都市で働くのには知力・知識が重要視され、必ずしも肉体的な力は必要とはされないことだ。

そんな都市で女性は男性に伍して働くようになる。女性の自立が始まる。それは晩婚化を促し、結婚しない女性も現れる。日本で起きたことと全く同じことが東南アジアで始まっている。アジアの出生率はどの国でも農村部で高く都市部で低い。そしてそれは農村の疲弊と表裏一体の関係にある。

全人口に占める都市人口の割合を**図7**に示す。この統計では、都市の範囲を人口密度で定義しているのだが、周辺のどこまでを都市とするのか、その境界を定めることは案外難しい。そんなわけで、ここに示した数値を全面的に信用することはできないが、ある程度の傾向を知ることはできよう。

日本やアメリカでは、全人口の約8割から9割は都市に住んでいる。それに対して、マレーシアでは人口の7割以上が都市に住むが、ミャンマーでは人口の3割しか都市に住んでいない。ベトナムも都市に住む人は少ない。一方、タイでは21世紀に入って都市人口の割合が急増している。この図を見ると、都市化とTFR低下の間に一定の関係があることが分かろう。

図7　東南アジア各国の全人口に占める都市人口の割合の推移

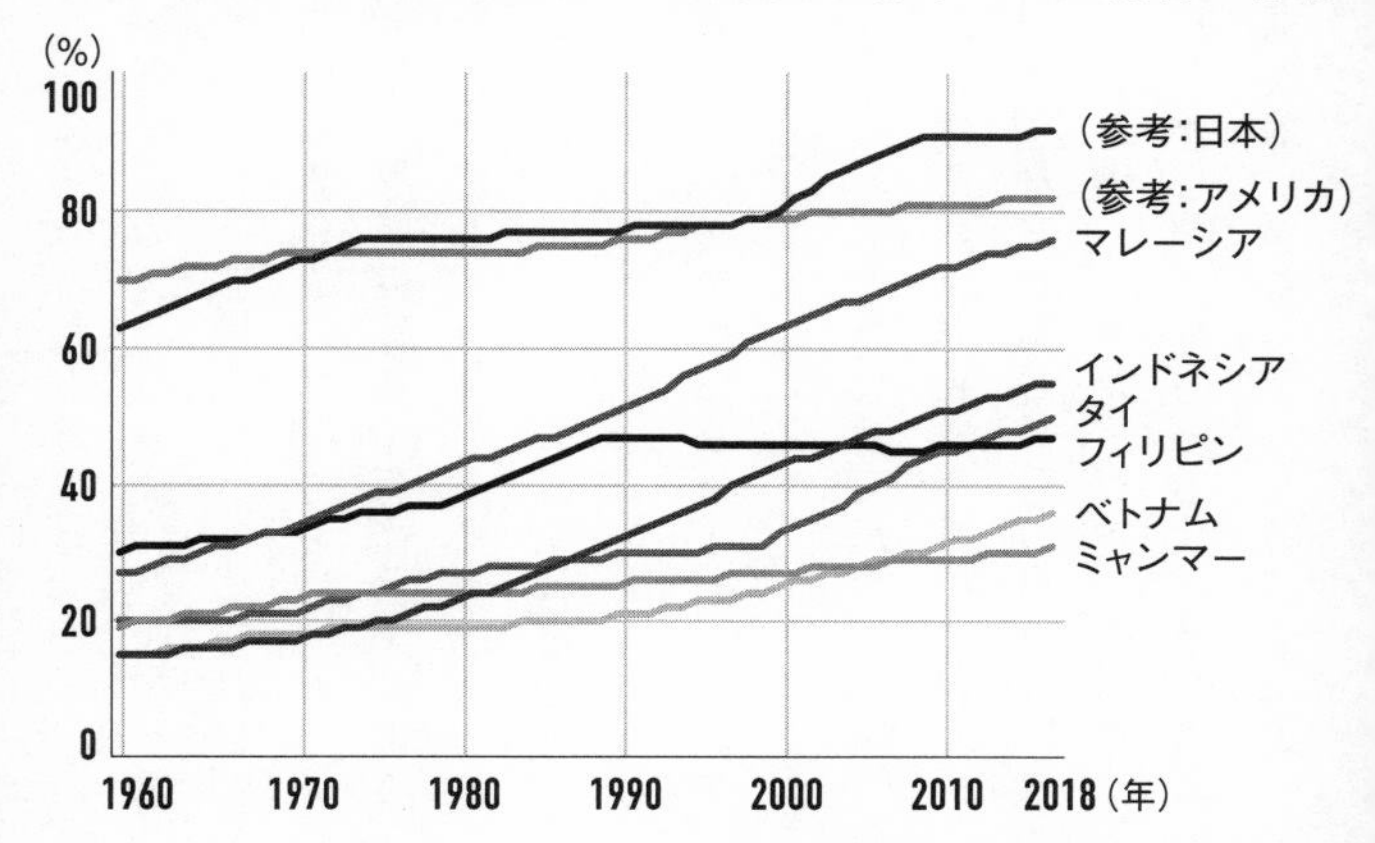

[出典：世界銀行　https://data.worldbank.org]

　経済発展に伴い東南アジアでは急速に都市化が進んでいる。日本で１９５０年代から１９８０年代に生じたことが、今ミャンマーやベトナムで起きている。そして、この現象は必然的に都市とその周辺の地価を押し上げることになる。

　１９８０年代まで日本には土地の価格は下がらないという土地神話があったが、ベトナムでは現在もその神話が生きている。

　土地神話はアジアが経済発展を始めた際に最も注目すべき現象である。それはコメを作るアジアでは農村に多くの人が住んでいるためだ。彼らが一気に都市に押し寄せれば、必然的に都市とその周辺の地価は上昇し、その現象が長い期間続けば土地神話が作られることになる。アジアの経済発展は土地価格の分析なしに考えることはできない。

筆者はこの20年ほど開発経済学を勉強してきたが、学会で土地神話が研究課題になることはなかったと記憶している。それは開発経済学も含めて経済学が欧米で発展してきたためだろう。日本はどの学問もそうだが、欧米の学問の後追いが主流派を占める。

欧米の農業は酪農や有畜農業であり、農村地帯の人口は希薄である。そのために経済発展が始まっても、コメを作っているアジアほど都市に急激に人口が流入することはなかった。欧米の都市はアジアの都市ほど急速に膨張しない。

理由の一つは、欧米人が田舎に住むことを好むからだろう。投資家で世界有数のお金持ちとされるアメリカのウォーレン・バフェット氏は、今も生まれ故郷のネブラスカ州オマハに住む。金融の中心であるニューヨークや政治の中心であるワシントンＤＣには移り住まない。

ロンドンは大きな都市だが、大陸のパリ、フランクフルト、ベルリン、ミュンヘン、ウィーンなどはそれほど大きな都市ではない。現在、世界で最も大きな都市は東京である。その人口は周辺を含めて約３０００万人。北京、上海、ソウル、ジャカルタも大都市になった。

コメを作ってきたアジアの農村では人々は濃密に関わって暮らしてきた。それに対して酪農が大きな割合を占める欧米は農村の人口密度が低い。そこでは人間関係が希薄だ。北欧では隣の家が数キロ先ということもあるそうだ。欧米が契約社会になったのは、人間関係が希薄な社会でどうやったら多くの人が約束を守るかを考えた結果だろう。

それに対して、人間関係が濃密なアジアでは、約束をいちいち紙に書く必要はない。約束を守らない人間は村にいられなくなるためである。そんな精神風土のアジアでは、人々が都市に密集して住むことを好む。

会社組織で考えてみても、日本では職場の飲み会が多い。一方、欧米では職場の仲間との飲み会はほとんどない。その対比はよく知られているが、ベトナムの会社の顧問になると、ベトナム社会のあり方が日本によく似ていることに気がつく。ベトナムでは一族や同郷の人々、そして昔からの友人とのつながりが大切である。だから何かあるごとに集まって飲み会を行う。他の東南アジア諸国も同様の気質と考えて大きな間違いにはならない。コメを作る地域の気質は日本人によく似ている。

そんな地域では経済発展が始まると、先ほども述べたように、都市の地価が高騰する。世界で最初のバブルと言われたのはオランダのチューリップバブルとされる。その時分、アムステルダムの土地が高騰してもよかったのだが、オランダでは土地ではなくチューリップの球根の価格が急騰した。18世紀初頭のイギリスで起こった南海泡沫事件（South Sea Bubble）は株式のバブルである。その後も米英では株式のバブルが繰り返し起こっている。だが、土地バブルはそれほど大きな問題にはなっていない。

大きな問題となった土地バブルは日本で起こり、そして現在、中国で発生している。どちらも経済が絶好調の時に土地バブルが発生している。日本や中国と同様にベトナムでも不動産バブルが発生している。経済が急速に発展する際に、コメを作るアジアでは不動産バブルが生じやすいことをよく理解しておく必要がある。

東南アジア各国の人口ピラミッドを読み解く

人口ピラミッドは多くの情報を与えてくれる。若者が多い国と老人が多い国では、その経済、政治、流行、その全てが異なる。ここでは少々スペースを取ることになるが、東南アジアの主要国の人口ピラミッドを紹介したい（**図8**）。これは東南アジアを考える上で、重要な資料になる。

❶日本

参考のために最初に日本の人口ピラミッドを見ておこう。ここでその詳細について述べることはないが、団塊の世代（**図中A**）と団塊ジュニア（**図中B**）が多く、若者が少ないことは一目瞭然である。日本を参考に東南アジアの人口ピラミッドを見てみよう。

❷カンボジア

英語で記述した際のアルファベット順で見ていきたい。まずはカンボジアである。カンボジアの人口は１６７０万人と比較的少ないが、その人口ピラミッドは極めて特異な形状をしている。その原因は１９７６年から１９７８年にかけて起こったポル・ポト派による虐殺にある。

正確な数字は今になっても分かっていないが、１００万人以上が虐殺されたとされる。当時のカンボジアの人口は７００万人程度であったから、数人に一人が殺されたことになる。その影響で、現在、40歳以上の人口が極端に少ない。特に40歳から44歳の世代が少ない。これはポル・ポト派が支配していた時代、子供を作ることが難しかったためだろう。その反動からか35歳から39歳の世代が多くなっている。

カンボジアにはベトナム系の住民が多く住んでいる。ベトナム系住民は中国文明の影響を受けているためか経済に明るく、カンボジア経済の実権を握っていた。そんなベトナム系の人々に対して、カンボジアの人々は複雑な感情を抱いていた。このような背景があるために、ポル・ポト派が支配していた時代にベトナム系住民は虐殺の格好のターゲットになった。

そのような状況の中で、ベトナムはベトナム系住民の救助を名目にカンボジアに侵攻した。１９７８年のことである。ベトナムの侵攻によってポル・ポト政権は崩壊し、これによって

図 8　日本と東南アジア各国の人口ピラミッド（2020 年）

［出典：国連人口局　https://population.un.org/wpp/］

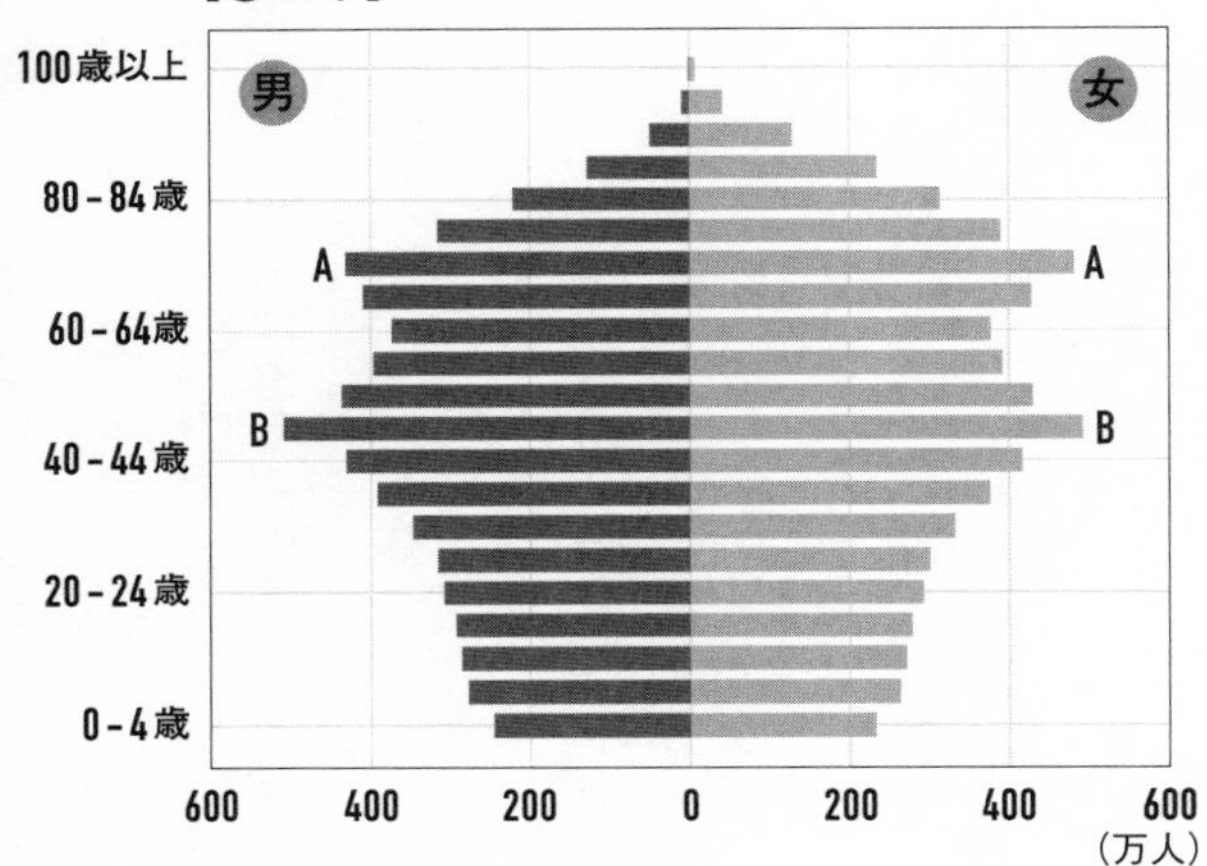

[❷カンボジア]

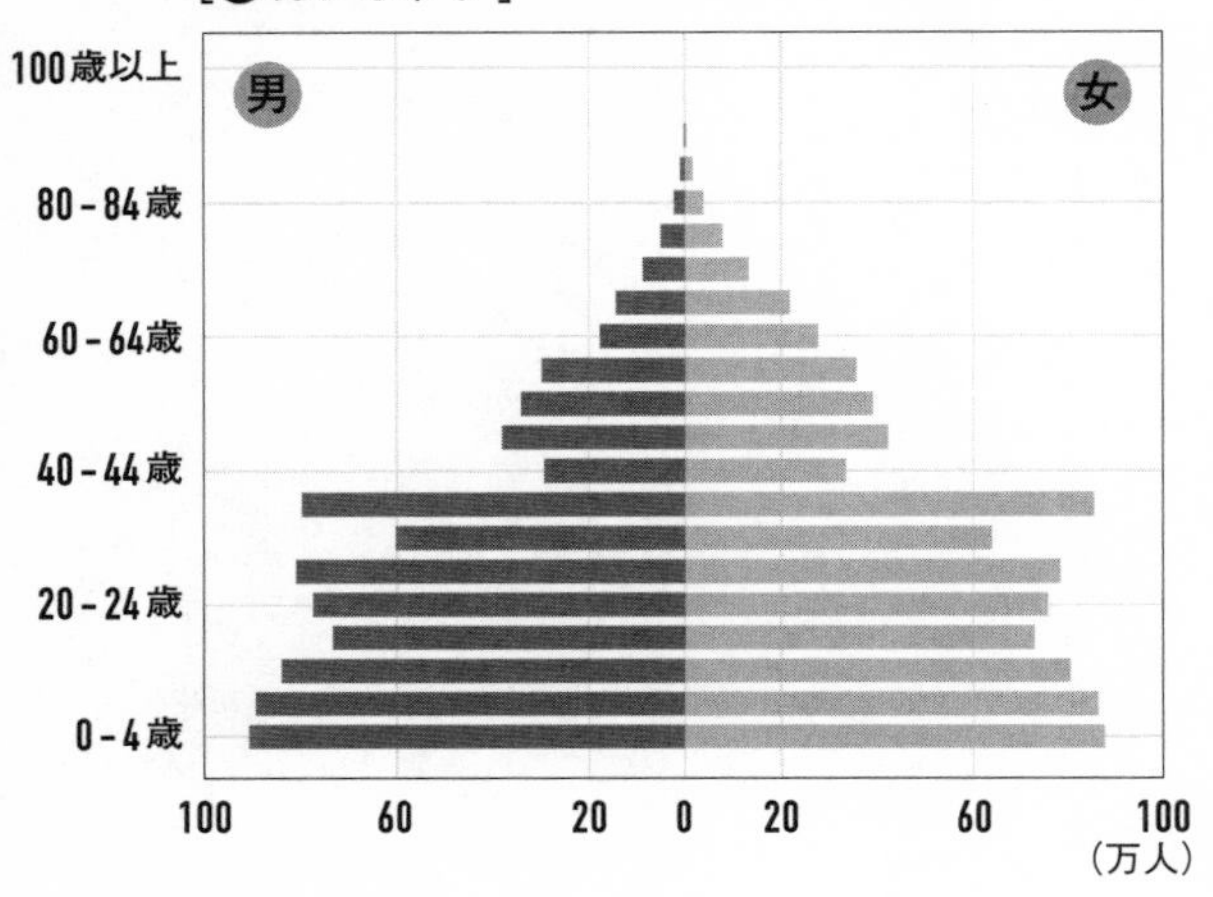

[❸インドネシア]

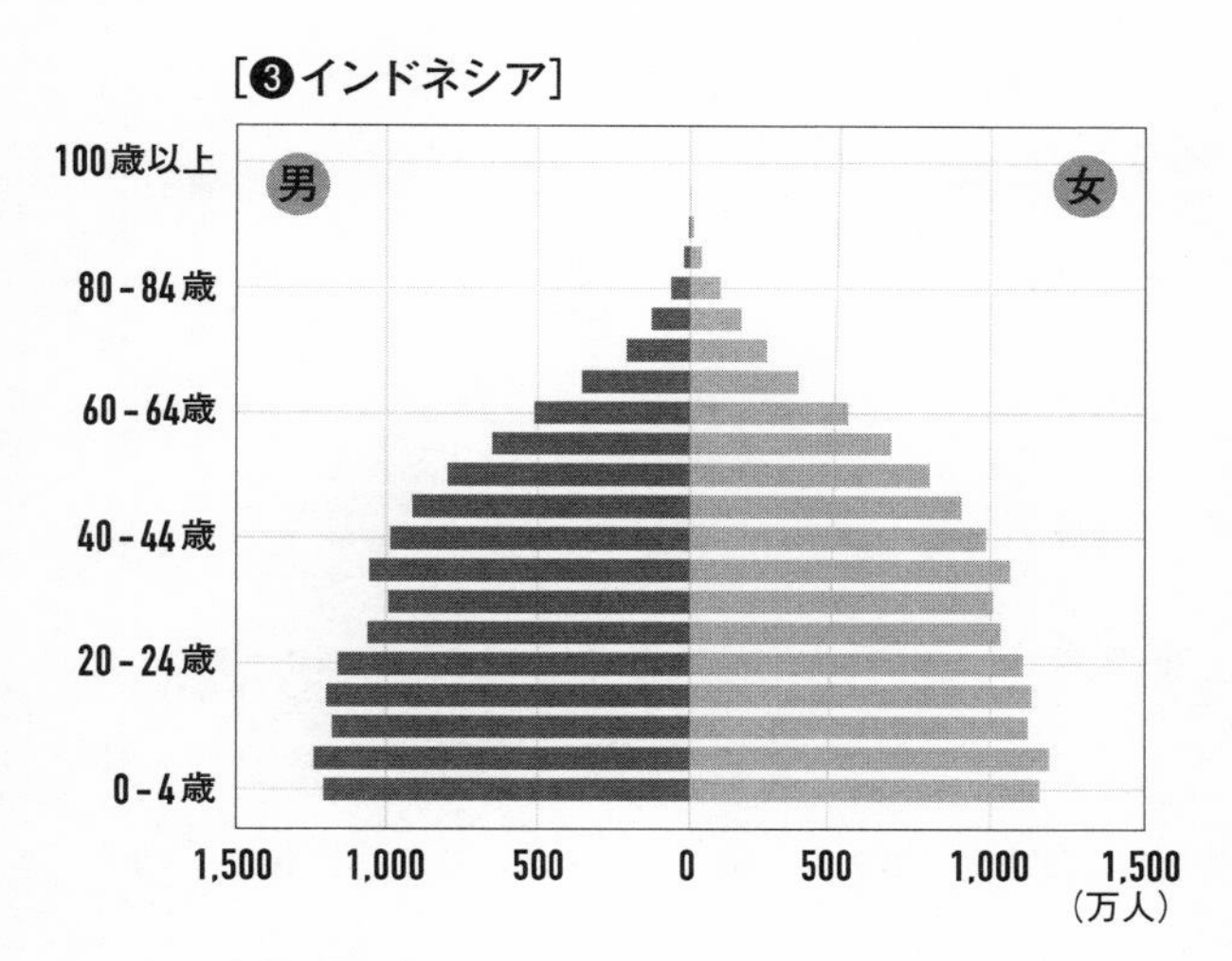

[❹マレーシア]

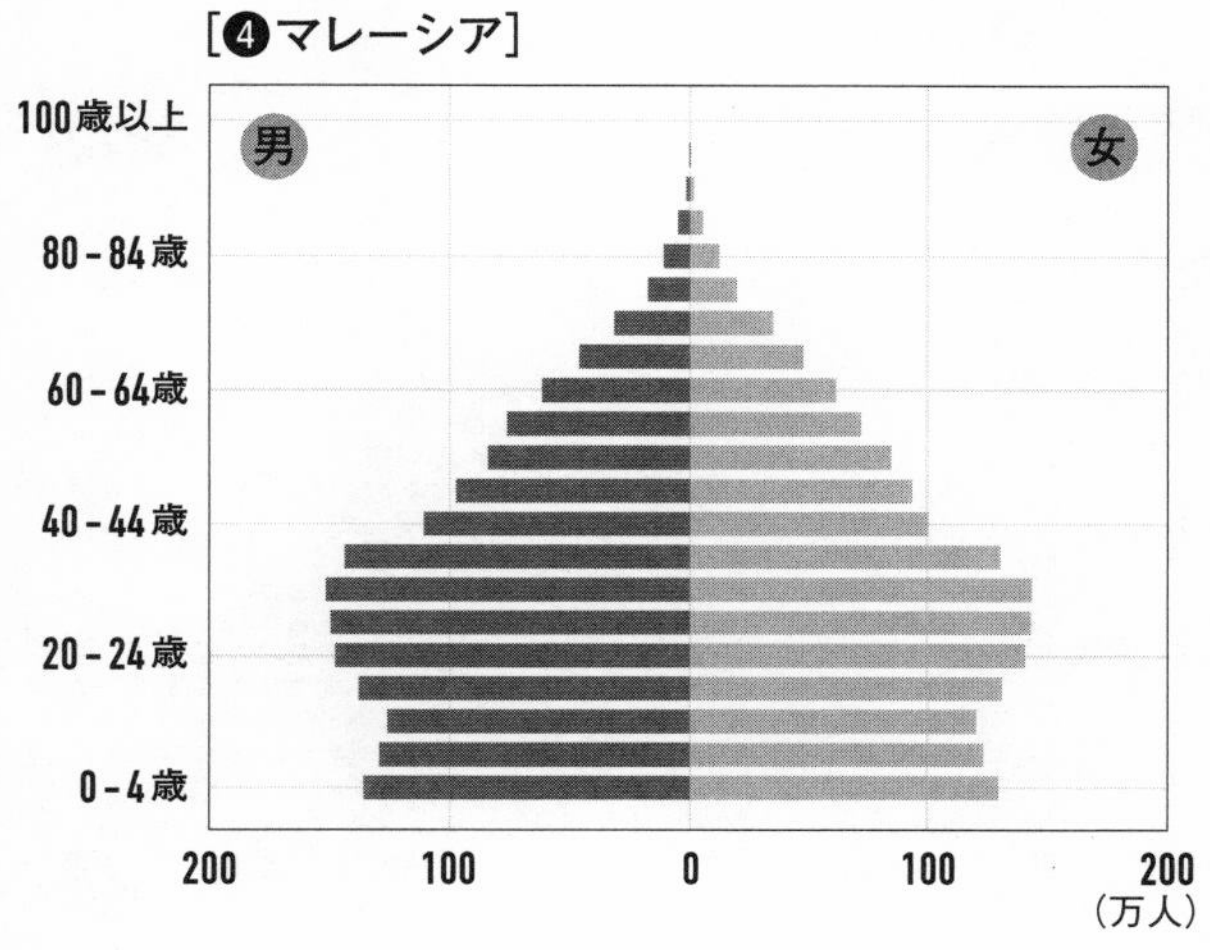

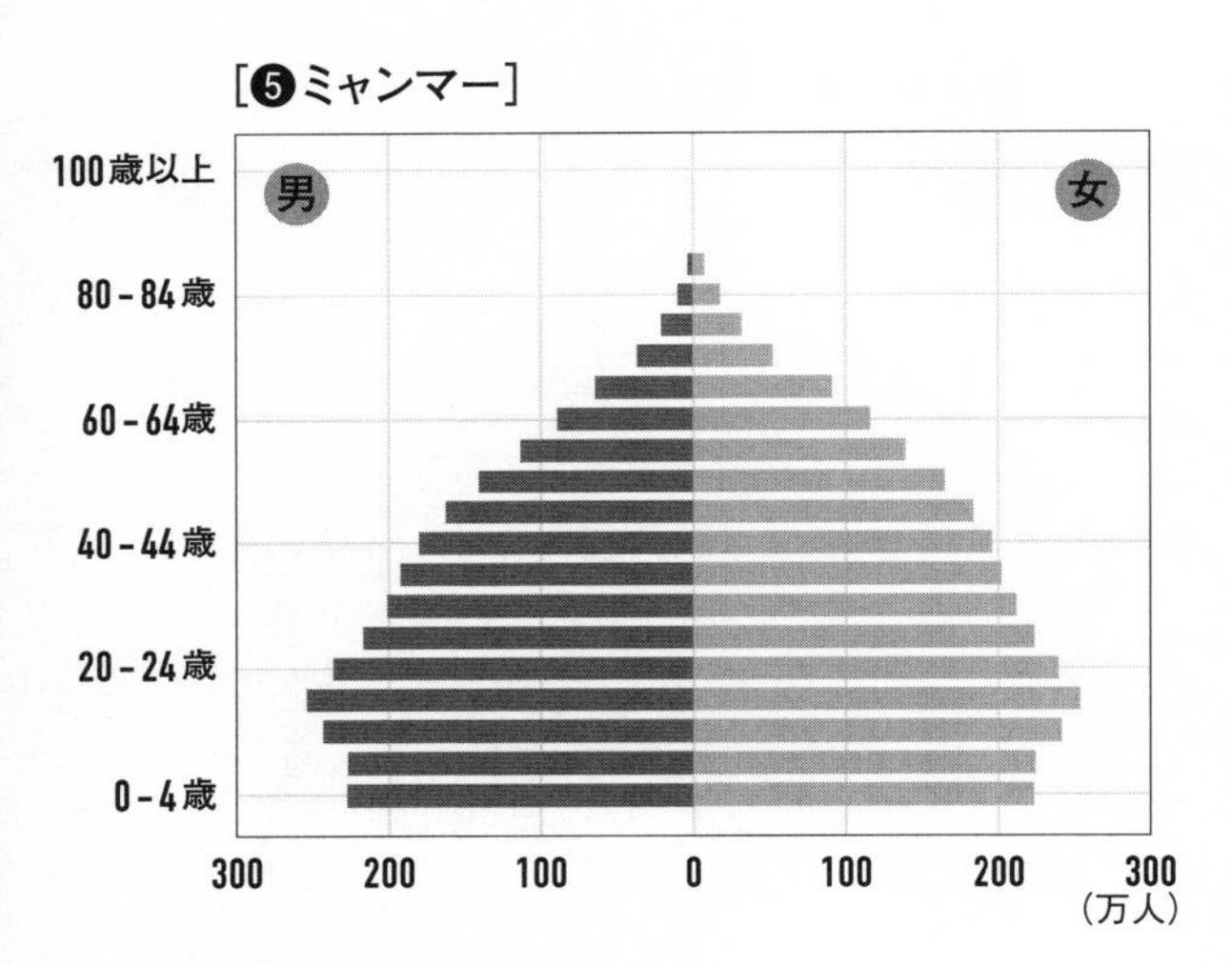
[❺ミャンマー]
100歳以上
80-84歳
60-64歳
40-44歳
20-24歳
0-4歳
男
女
300
200
100
0
100
200
300
(万人)

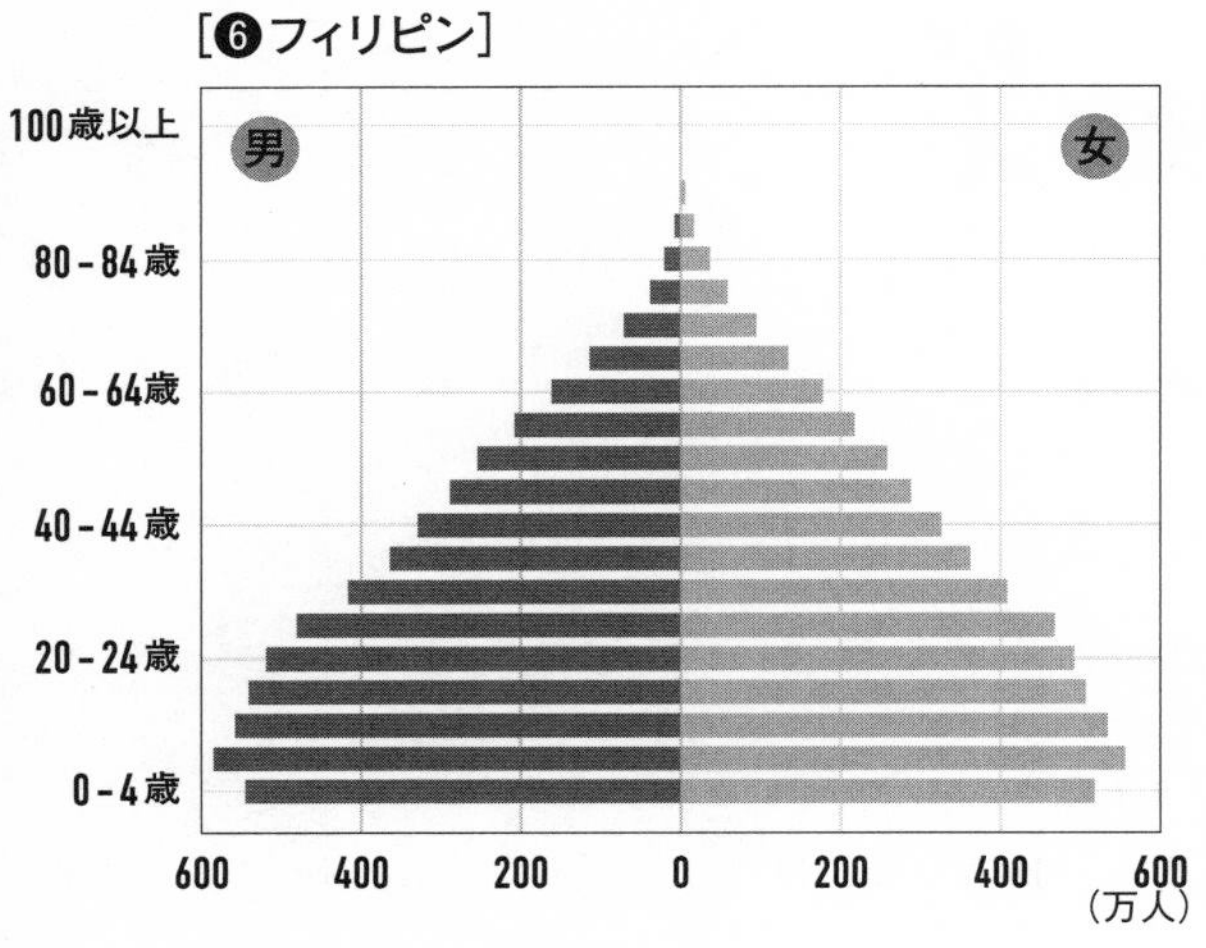
[❻フィリピン]
100歳以上
80-84歳
60-64歳
40-44歳
20-24歳
0-4歳
男
女
600
400
200
0
200
400
600
(万人)

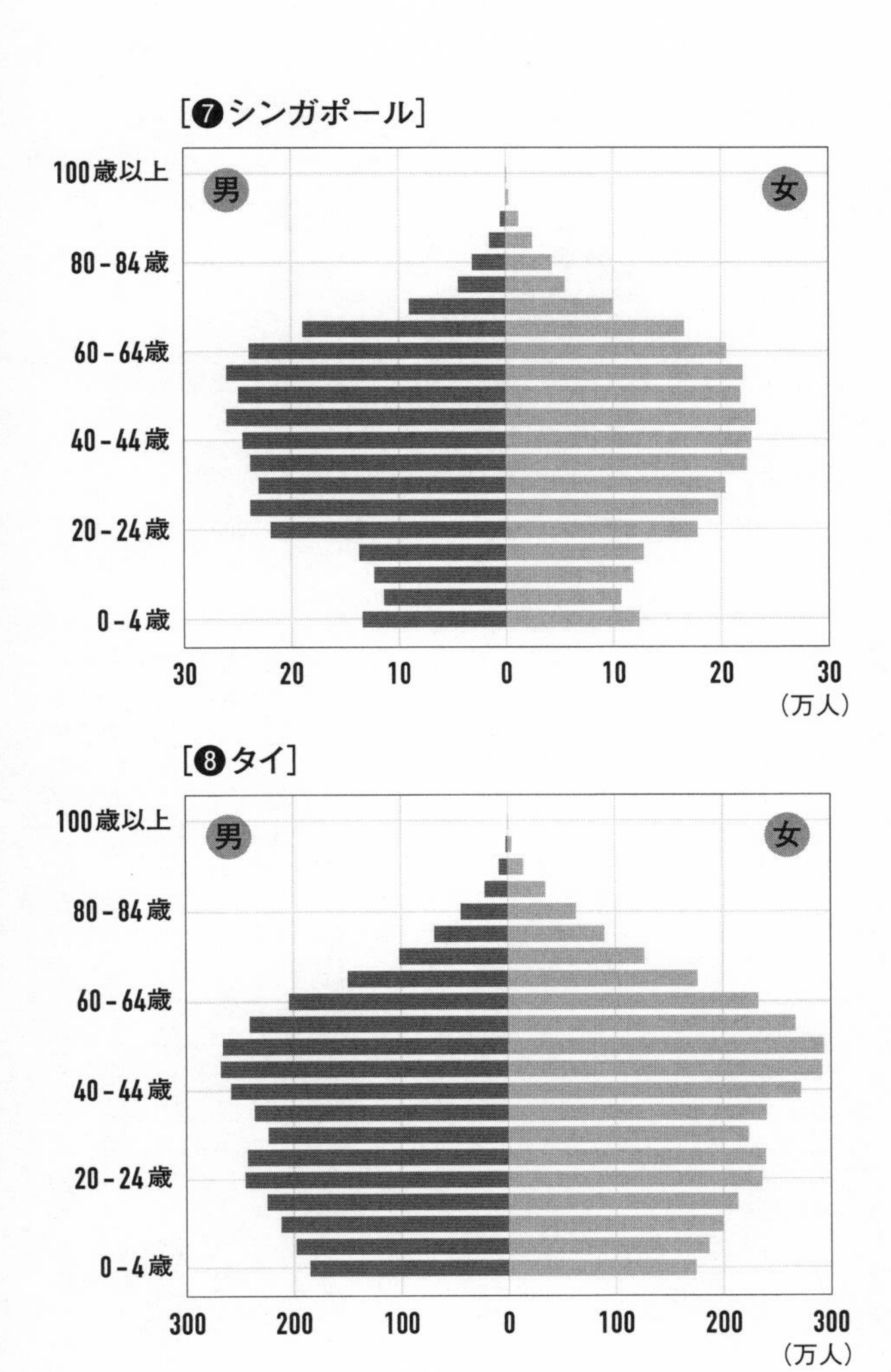
[❼シンガポール]
100歳以上
80－84歳
60－64歳
40－44歳
20－24歳
0－4歳
男
女
30
20
10
0
10
20
30
（万人）
[❽タイ]
100歳以上
80－84歳
60－64歳
40－44歳
20－24歳
0－4歳
男
女
300
200
100
0
100
200
300
（万人）

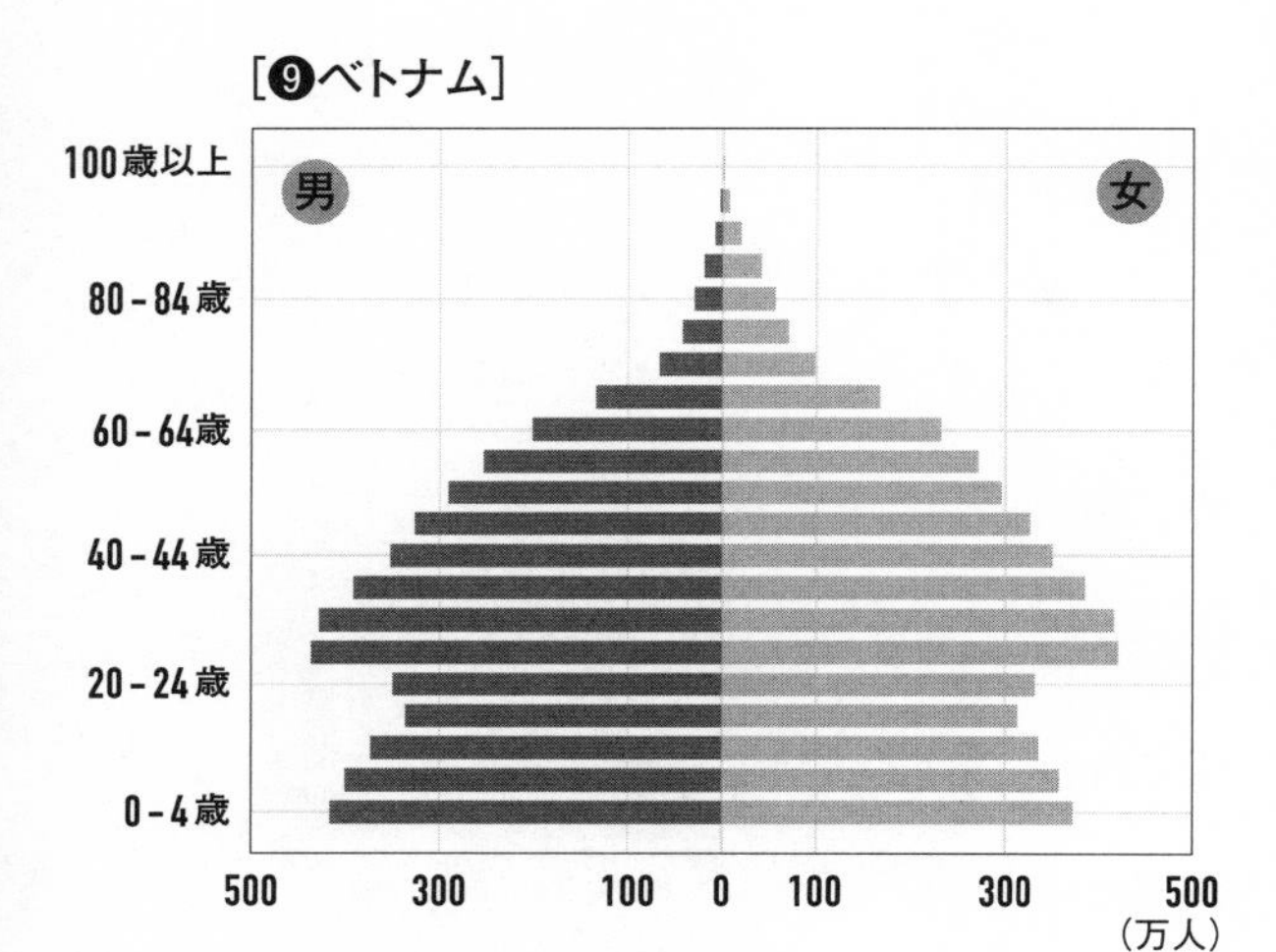

ベトナム系住民だけではなく多くのカンボジア人が救われた。ポル・ポト派は情報を遮断していたから、国際社会が虐殺を知ったのは政権が崩壊した後である。現在の北朝鮮のようなものだと思えばよいだろう。

ただ、ベトナムは住民を虐殺から救うという善意からだけでカンボジアに侵攻したわけではない。最大の動機は中国が支援するポル・ポト政権を崩壊させて、カンボジアにベトナムがコントロールできる政府を樹立することにあった。

仏印インドシナ時代(1887〜1945年)、フランスはベトナム人を教育し、官僚としてカンボジアやラオスに派遣していた。フランスはベトナム人をカンボジアやラオスの統治の手先として利用した。また、歴史的にもベトナム中部にあったチャンパ国がカンボジアを領土に組み入れていたことがあり、ベトナムはカンボジアを属国だと思っているフシがある。その属国が、ベトナムの天敵である中国の支援を受けていることが、ベトナムには許せなかったようだ。

ベトナムはポル・ポト政権を崩壊させると、ヘン・サムリン政権を樹立した。ポル・ポト派の圧政がなくなったことにより人心が安定した。人々は虐殺で失った命を取り戻すべく子作りに励んだ。その結果、1980年代に入って急速に子供の数が増えた。このような経緯があるために、現在カンボジア人の平均年齢は極めて若く27・7歳である。ちなみに日本は47・0歳だ。

❸インドネシア

インドネシアの人口は2億7200万人と東南アジアで最大の人口を擁するが、人口ピラミッドから子供の数が減り始めていることが分かろう。**図6**にあるように2015～2020年のTFRも2・32にまで低下し、子だくさんが経済成長を妨げる状況ではなくなった。

ただし、人口ピラミッドの重心が下にある形状から分かるように、しばらくの間は生産人口が減少しない。子供の数は減り続けているが、当分の間は老人の数が急増する心配もない。インドネシアはこれから経済成長の黄金期を迎えよう。

❹マレーシア

２０２０年のマレーシアの人口構成は１９７０年頃の日本の人口構成に似ている。20歳から40歳にかけての年齢層が多く、少子化が始まったがまだ老人は少なく、インドネシアと同様に経済成長に最も適した状態になっている。

昨今、マレーシアは「中進国の罠」に陥って経済成長が鈍化しているが、振り返ればわが国も１９７３年のオイルショック以降に経済成長率が鈍化した。マレーシアが「中進国の罠」を乗り切って先進国入りできるかどうかは、その政治にかかっている。政治さえ安定すれば、マレーシアはかつて日本がそうであったように、あと20年程度は年率数％の経済成長を続けることができよう。

❺ミャンマー

ミャンマーもマレーシアと同様に子供の数が減り始めて、経済を成長させるのに適した人口構成になっている。２０１５年から２０２０年のＴＦＲは２・17にまで低下した。アジアのＴＦＲを高めに見積もる傾向がある国連の中位推計でも２０２５年から２０３０年のＴＦＲを１・99と推定しており、２・０を割り込むことになる。人口構成だけ見ればミャンマーは経済成長の準備が整ったと言える。

❻フィリピン

東南アジアの中でフィリピンはやや異質な存在である。そのことは人口構成からも分かる。一番下の段を抜かせば、きれいな三角形になっている。これは人口が爆発的に増えている国に見られる形である。

フィリピンは長らくスペインの植民地であったが、スペインの植民地であったことは、現在になってフィリピンに大きな影響を及ぼしている。その最大の影響はキリスト教（カトリック）である。

16世紀にスペインやオランダの宣教師が布教のためにアジアにやって来た。それは日本では戦国時代に当たる。日本に来た宣教師の中ではフランシスコ・ザビエルやルイス・フロイスが有名である。しかし、キリスト教が日本に広まることはなかった。豊臣政権や徳川政権がキリスト教を禁止したこともあるが、明治になって布教が自由になっても、キリスト教に改宗する日本人は少なかった。

その傾向は他のアジア諸国も同様である。大航海時代である16世紀以降、宣教師が熱心に布教したにもかかわらず、アジアではキリスト教が主要な宗教になることはなかった。

ただ、フィリピンだけは違っていた。フィリピン人の多くがキリスト教徒になった。それは中南米諸国に似ている。理由はいろいろ考えられようが、16世紀に宣教師がやって来た時点で、ミャンマーとタイには上座部仏教、マレーシアとインドネシアにはイスラム教、日本やベトナムには中国を経由してもたらされた大乗仏教が根付いていた。

既存の文化や宗教が根を張っていた地域では、いくら宣教師が頑張ってもキリスト教が爆発的に広まることはなかったようだ。そう考えれば宣教師がやって来た16世紀の時点で、フィリピンにはこれといった宗教がなかったのであろう。だから、宣教師の活躍によってカトリック化が進んだのだと思う。ちなみに、フィリピンでも南部のミンダナオ島はすでにイスラム化していたために、カトリックが広まることはなかった。

また、スペインの影響が強いために、フィリピンの人々の気質は東南アジア的というよりも、ラテン的である。フィリピンの多くの地域がラテン系であることは、TFRにも表れている。他の国に比べて低下の速度が遅い。2015年から2020年のTFRは2・58と、東南アジア諸国の中では最も高くなっている(**図6**)。ただ、それでも2020年の人口ピラミッドを見ると、0歳〜4歳の人口が5歳〜9歳より少なくなっている。やっと少子化が始まった。子だくさんが経済成長の足を引っ張っていたフィリピンも、やっと経済発展に向かう準備ができたようだ。

❼シンガポール

シンガポールは日本と同様に奇跡の成長を体現した国である。その成長は日本以上とも言える。一人当たりGDPは日本より高い。2022年国際通貨基金（IMF）統計によれば、シンガポールは8万2808ドル（6位）と、日本の3万3822ドル（31位）を大きく上回っている。アメリカの著名な投資家であるジム・ロジャース氏はシンガポールに住み、中国を中心としたアジア経済を礼賛している。

シンガポールが奇跡の成長を遂げた理由の一つは人口構成にあった。シンガポールの人口は約560万人である。だが、奇跡の成長が始まった1980年の人口は240万人でしかなかった。人口は40年間で約2・3倍にもなった。増加率を計算すると年率で2・2%にもなり、アフリカの途上国並みである。まさに人口爆発と言ってよい。

通常、このような状況では、アフリカの多くの国がそうであるように、経済は成長しない。しかし、シンガポールは奇跡の成長を遂げた。

その理由はTFRから分かる。1980年以降シンガポールのTFRは日本と同様にずっと2を割り込んでいる（**図6**）。1980年～1985年のTFRは1・69であり、2015年～2020年は1・21にまで低下した。同時期の日本は1・37だから、シンガポールの少子化は日本より深刻である。

ＴＦＲが低いシンガポールでなぜ人口が増えたのであろうか。その理由は移民である。**図8**をよく見ると、中年では男性が女性より多いことが分かる。これは男性の移民をより多く受け入れた結果である。

シンガポールの移民の受け入れ方はかなりいやらしい。移民といえばヨーロッパで問題になっているように、生まれた国で食い詰めた者が着の身着のままで豊かな国に渡ってくるとのイメージがある。しかし、シンガポールはアジア地域から富裕な人々、お金を持っている人、有能な人を集めた。

単純労働者も受け入れているが、使い捨てである。例えば、フィリピンから多くの若い女性をメイドとして雇い入れたが、彼女たちが妊娠すると強制送還している。そんな非人道的なことを行っている。自国には優秀な人しか定住させない。

シンガポールはマレーシアから分離独立して都市国家（港市国家とも言う）として歩んできた。少人数の都市国家は経済発展にとても有利である。例えば、都市国家は自国内に農業セクターを持たない。そんな国は貿易問題で悩むことが少ない。日本がアメリカとの貿易交渉で苦しんだように、貿易交渉では農業部門が最も難航するが、都市国家にはその農業がない。だから、農業部門に何ら配慮することなく貿易交渉に臨むことができる。

シンガポールはこの利点を生かして、自由貿易国家として国づくりを行った。１９８０年代に入って新自由主義が世界の潮流になると、シンガポールはその流れに乗って成長することができた。世界から資本を受け入れるとともに、資本に関連した人材も受け入れた。その多くは高い教育を受けた人材だった。日本からももの言う投資家として有名な村上世彰（よしあき）氏がシンガポールに住んでいる。彼は日本では揚げ足を取られて生きづらそうだったが、シンガポールでは生き生きと暮らしているように見える。

そんなシンガポールの一人当たりＧＤＰは日本の約２・４倍にもなっている。シンガポールが短期間で豊かな国を作り上げた理由はその人口政策にある。世界から経済成長に適した人材を集めたが、それは図を見ても分かろう。生産人口が多く老人と子供が極端に少ない。

ただ、そのツケが回ってきたようだ。狭い島の人口は５００万人を突破して、これ以上の移民を受け入れることができない。国連人口局もそのような状況は把握しており、今後、シンガポールの人口は横ばいで推移すると予測している。そうなると、高齢化が進む。シンガポールは間もなく少子化に悩む日本と同じような状況になる。

ジム・ロジャース氏は子供に中国語を学ばせて、アジアに住むことを勧めているが、彼の子供がシンガポールに住むならば、活力あるアジアを感じることができるであろう。しかし、シンガポールが高齢化に悩む時代がすぐそこに迫っている。

ちなみに、香港の人口構成もシンガポールによく似ている。自身のＴＦＲは低いが、移民によって人口が増加した。それは子育てをすることなく共働きを続ける夫婦に似ている。稼いでいるうちは効率よく働くことができるが、老年になると養ってくれる人がいない。香港もシンガポールもそう時間を置くことなく、活力の失われた社会になるだろう。

❽タイ

タイでは日本と同様に少子高齢化が進行している。その人口構成は1990年頃の日本に似ている。だから現在は少子高齢化を実感するような状況にはないが、20年ほど経過すると日本のように高齢化を実感する時代になろう。

タイにはトヨタやホンダなど多くの日本企業が進出している。ASEANが自由貿易圏になったために、タイで造った車などをASEAN諸国に輸出するつもりでいる。ASEAN諸国は今後ますます魅力ある市場になろうが、急速に少子高齢化が進行するタイは魅力的な市場ではなくなる。

タイは現在、先進国の入り口に立っている。しかし政情が安定しないために、ここ10年ほど「中進国の罠」にはまったような状況にある。2022年の一人当たりGDPは7651ドル（88位）に留まる。タイが再び順調に経済成長を続けることは難しいと思う。そうであれば、タイは中進国のまま高齢化時代を迎えることになる。**図8**はタイの前途が必ずしも明るくないことを示している。

❾ベトナム

現在のベトナムは経済成長に最も適した年齢構成になっている。その人口構成は１９７０年頃の日本に似ている。70歳以上の男性が少ないのは、ベトナム戦争の影響である。このことも、１９７０年の時点では戦争の影響で高齢者が少なかった日本に似ている。

その一方で25歳から34歳の年齢層が多い。ベトナムは１９８６年にドイモイと呼ばれる改革開放路線に舵を切った。その経済路線は１９９０年代になると定着し、それまで計画経済体制の中で萎縮していた人々が活発に経済活動を始めた。子供もたくさん生まれた。その結果誕生したのがベトナム版の団塊の世代である。その後、反動で出生数は減少したが、それから20年ほどが経過して団塊ジュニア世代が誕生している（当時、ベトナムの人々は早婚であった。女性は20歳前後で第一子を出産していた）。

そんなベトナムもTFRは2程度にまで低下している（**図6**）。ベトナムは今後、順調な経済成長が続くと思われるため、TFRは国連の推計以上に低下する可能性が高い。ただし、その影響が表れるのは２０４０年以降であろう。また今後20年ほどは、ベトナム戦争の影響で老人が少ない社会が続く。それも成長には有利に働く（それは日本の１９７０年頃から

２０００年頃にも当てはまる)。

扶養率と経済成長

生産人口（15歳から64歳）一人で、何人の子供（14歳以下）や老人（65歳以上）を扶養しているか考えてみたい。その割合を「扶養率」と呼ぼう。分子には子供と老人の人数、分母は生産人口になる。多くの人を扶養しなければならない社会は大変である。経済はなかなか成長しない。日本では高齢化が問題になっているが、子だくさんな社会も成長は難しい。

このことを家族単位で考えてみよう。ここでは妻が働いていない場合でも家事という生産活動に参加していると考える。また、子供は15歳になると生産活動に参加するとみなす。

年齢15歳以上のカップルが結婚する。

最初は扶養すべき人はいないので、生産人口当たりの扶養する人数は「０／２＝０」となり、扶養率は0である。

子供が一人できると扶養率は「１／２＝０・５」になる。

子供が二人になると「２／２＝１・０」である。

子供が成長して、二人とも15歳以上になると「０／４＝０」になる。

親の一人が65歳を上回ると、「１／３＝０・33」、親が二人とも65歳になると「２／２＝１・

0」になる。

扶養率を計算すると、ある国がどのような状況にあるかよく分かる。**図9**に各国の扶養率の変遷を示す。図では65歳以上と14歳以下に分けて扶養率を示している。

まず、①日本から見ていこう。日本の1950年の扶養率は0・67であった。その構成は14歳以下が0・59、65歳以上0・09、当時は子供が多い社会であった。その後、子供の数が少なくなることにより扶養率は低下した。扶養率は1990年に最も低くなり0・44を記録した。経済成長はこのように子供が減ることによって扶養率が減少する過程で生じる。

日本ではバブルは1990年に崩壊しているが、それはまさに扶養率が上昇に転じる時であった。その後65歳人口が増加することにより扶養率は急速に増加した。2020年は0・69となり、これは最も低かった1990年の1・6倍である。扶養率が上昇し始めると、日本は失われた20年とも30年とも言われる経済が成長しない時代に突入してしまった。

日本の扶養率は今後も上昇して2050年には0・97になる。これは一人が一人を扶養しなければならないことを示す。まさに「おんぶ」の時代がやって来る。今後、日本はかつて経験したことのない困難な時代を迎えることになる。

東南アジアについて見る前に、いくつかの国について見てみよう。②アメリカの扶養率は、日本に比べてフラットであり、あまり変動がない。今後、老人が増えるが、その増え方は日

図９　各国の扶養率の変遷

※ 2020 年以降は予測値［国連人口局のデータより筆者計算］

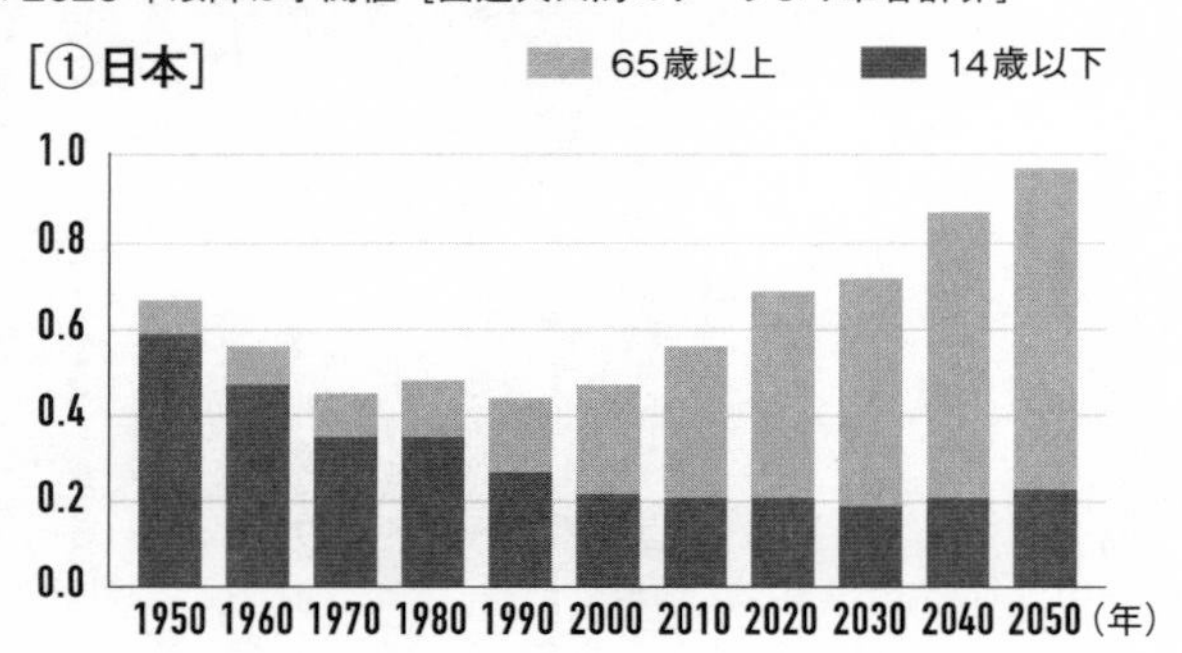

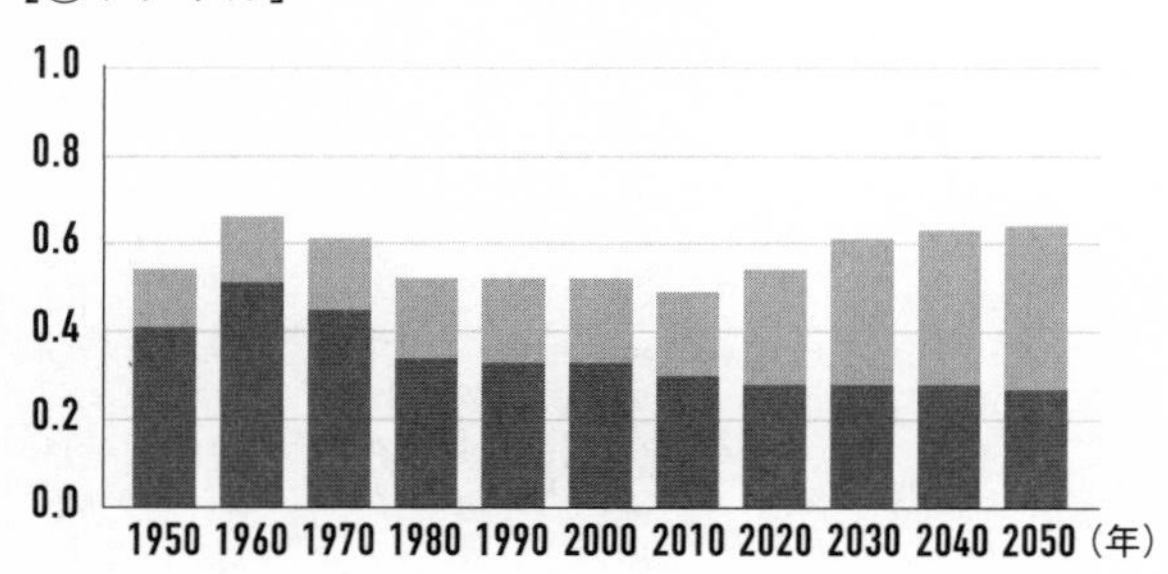

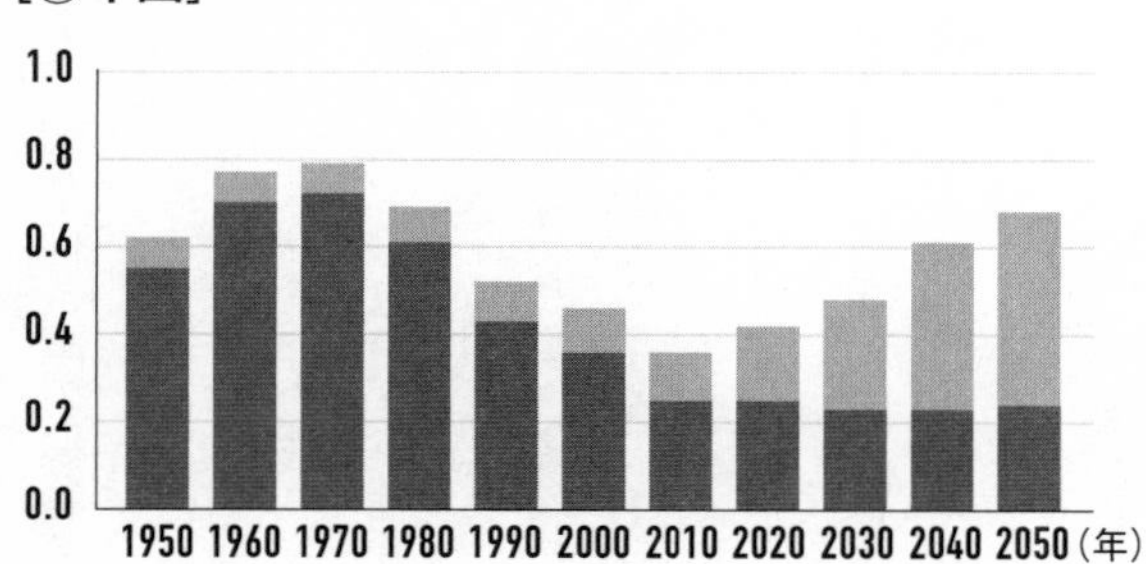

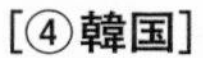
[④韓国]

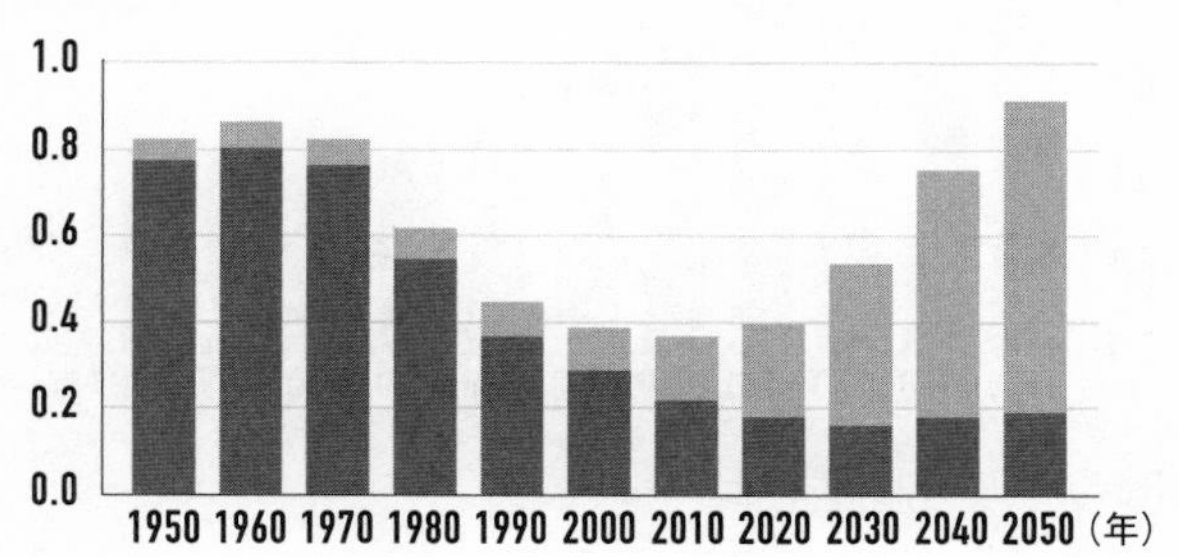
1.0
0.8
0.6
0.4
0.2
0.0
1950 1960 1970 1980 1990 2000 2010 2020 2030 2040 2050（年）

[⑤タイ]

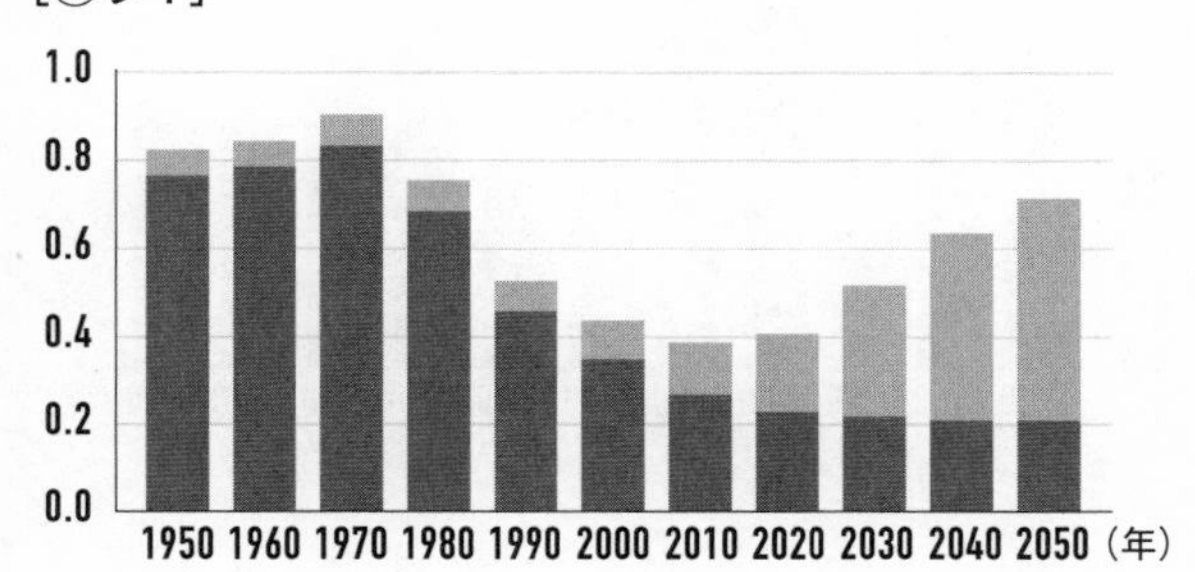
1.0
0.8
0.6
0.4
0.2
0.0
1950 1960 1970 1980 1990 2000 2010 2020 2030 2040 2050（年）

[⑥ベトナム]

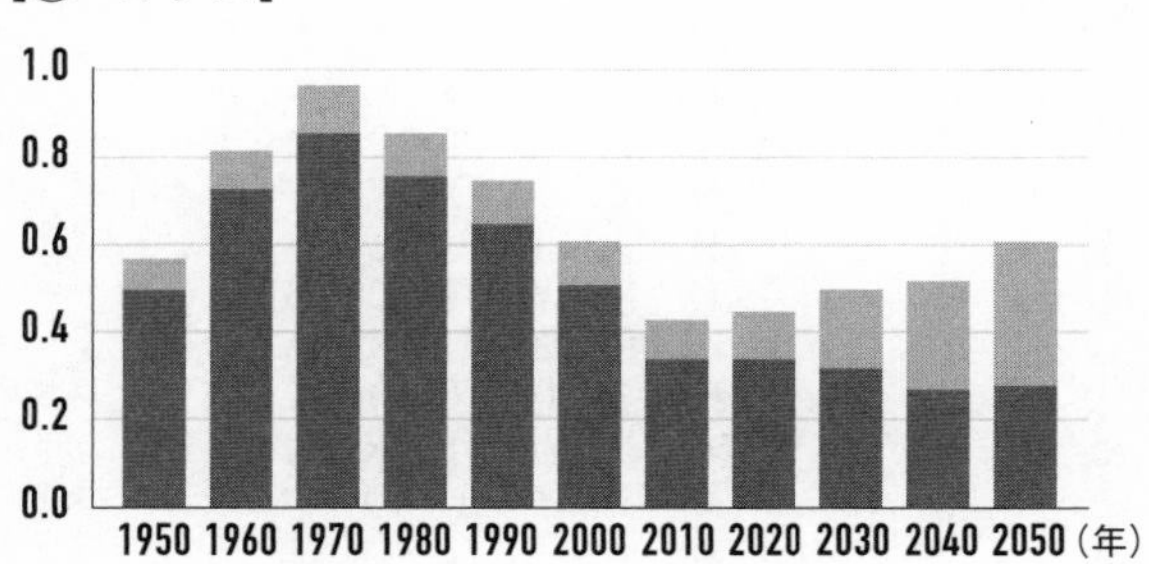
1.0
0.8
0.6
0.4
0.2
0.0
1950 1960 1970 1980 1990 2000 2010 2020 2030 2040 2050（年）

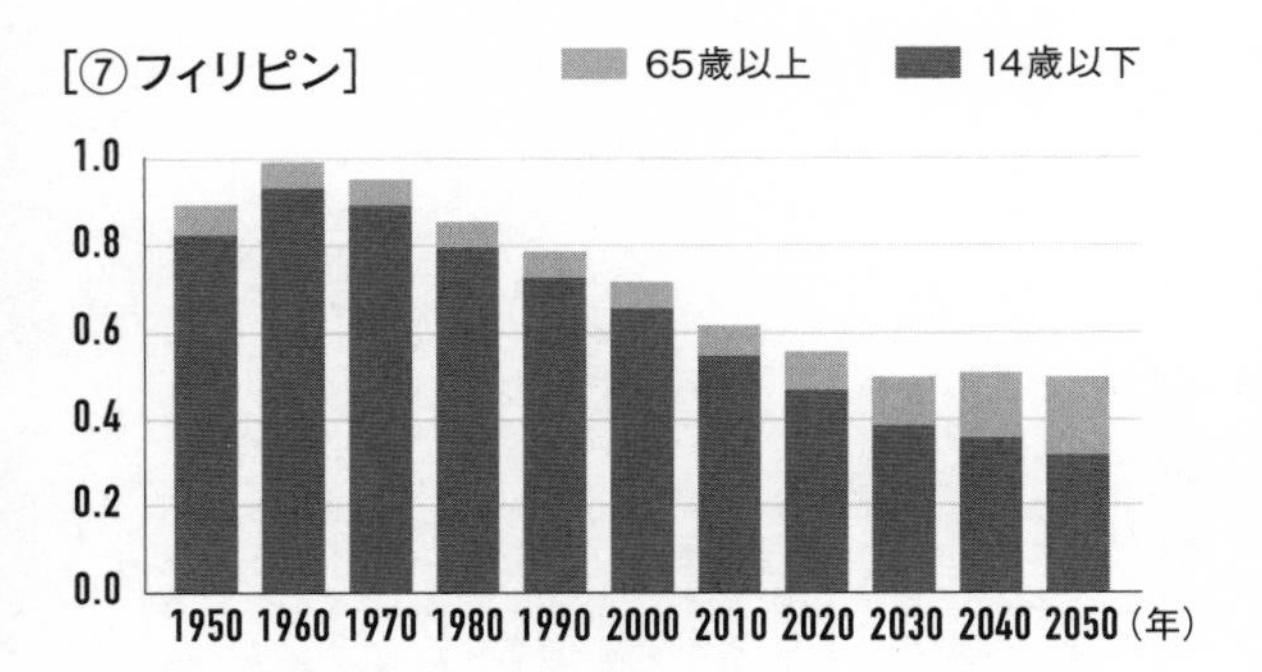

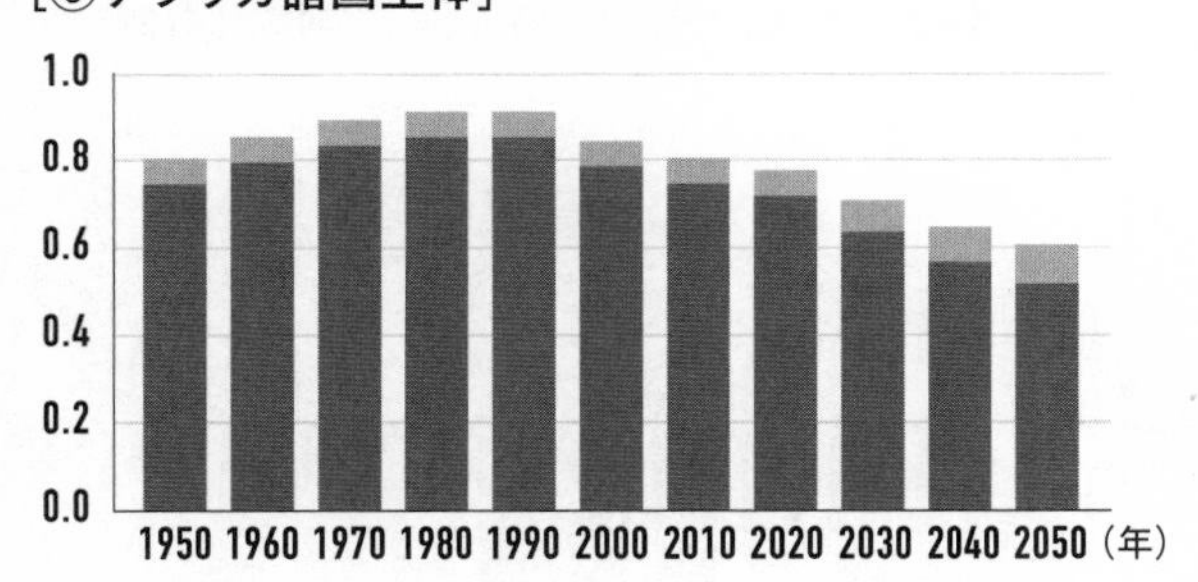

本ほど急激ではない。

③中国では文化大革命中の１９７０年に０・79を記録して以来、２０１０年まで値が低下した。まさに、その時代に中国は急成長した。２０２０年の中国の扶養率は０・42と２０１０年に比べて０・06増加した。日本は扶養率が最低を記録して上昇に転じた１９９０年にバブルが崩壊したが、中国はまさに同様の時期を迎えている。これから中国も日本の平成のような時代を迎えるのだろう。

④韓国の扶養率の変化は劇的である。１９７０年頃から始

まった急速な低下が「漢江の奇跡」と呼ばれた急成長を可能にした。その一方で、韓国は日本以上のスピードで高齢者の割合が増えている。今後、韓国が極めて困難な状況に陥ることは明白である。それにもかかわらず、韓国は高齢化社会に対してほとんど準備をしていないように見える。韓国は慰安婦や徴用工問題を巡って日本に言いがかりをつけているが、筆者は急速にやって来る高齢化社会を前に何も準備をしていない不安が、そのような行動をとらせるのではないかと考えている。

そんな視点から東南アジア諸国を見てみよう。ここではタイ、ベトナム、フィリピンを取り上げる。

⑤タイは中国とよく似たパターンになっている。1970年に扶養率が0・90をつけて後、急速に低下して2010年には0・39になった。この急速な低下がタイに経済発展をもたらした。しかし、2010年から扶養率が上昇し始めると政情が不安定化し成長も鈍化した。タイでは高齢化が進行している。2050年の扶養率は0・72になる。このことを考えれば、今後、タイの経済が大きく成長することはないだろう。

⑥ベトナムも中国やタイと同じようなパターンになっている。1970年に0・97をつけた後、低下に転じて、2010年には0・43まで低下した。その後、上昇に転じているが、その上昇はタイほど急激ではない。2050年になっても0・6に留まる。ベトナム経済は

タイより20年ほど遅れて成長軌道に乗ったが、その成長は２０４０年頃まで順調に続くと考えられる。

⑦フィリピンはこれまで示したアジア諸国のパターンとは異なっている。１９６０年に扶養率が1・0と極めて大きな値を記録した後は、ほぼ一貫して減少しているが、その低下速度は鈍い。その結果、絶対値が高い状態が続いている。２０２０年になっても扶養率は０・55までしか低下しない。

高度経済成長は扶養率が0・5を下回り始める付近で起きる。日本の１９５０年の扶養率は０・67だったが、１９６０年に０・56になり、１９７０年には０・45にまで低下した。タイの２０００年の値は０・44、ベトナムの２０１０年は０・43である。その付近で高度経済成長が始まった。そう考えると、現在でもフィリピンの扶養率は高すぎる。そのためにフィリピンはなかなか高度経済成長路線に乗ることができない。フィリピンの今後の成長に過大な期待は禁物だと思う。

参考までにアフリカも見てみよう。アフリカはフィリピンと同様のことが言える。アフリカ諸国全体の扶養率は１９９０年に０・92を記録した後に低下している。だが２０２０年になっても０・78もあり、２０５０年も０・61と予想されている。これでは経済が勢いよく発展することはない。２０５０年までにアフリカで高度経済成長が始まることはないと思う。

第3章

世界が注目する東南アジアの経済発展

第１節◉東南アジアの農業と食文化

もはや開発途上国ではない

東南アジア経済は１９９７年にアジア通貨危機、２００８年にリーマンショックの影響を受けたものの、全体で見れば順調に成長している。**図10**にシンガポールを除いた主な国の一人当たりＧＤＰを示した。シンガポールを除いたのは、その値が突出しており、入れると他の国の変化が見えにくくなるためである。２０２１年のシンガポールの一人当たりＧＤＰは７万２７００ドルである。シンガポール以外でも、マレーシアは１万１１０９ドル、タイが７０６６ドルになっている。両国は中進国を卒業して先進国入りする段階にある。

そのほかの国もインドネシアが４３３３ドル、ベトナムが３７５６ドル、フィリピンが３４６１ドルとなり、定義にもよるが、これらの国々は開発途上国から中進国になる段階にある。

ただカンボジアとミャンマーはいまだに２０００ドルを下回っており、また図から分かるように、その上昇に勢いがない。そんな両国も10年前に比べればＧＤＰは着実に増加しており、この調子が続けばそう遠くない将来に中進国入りすることになろう。

図10　東南アジア各国の一人当たりGDPの推移

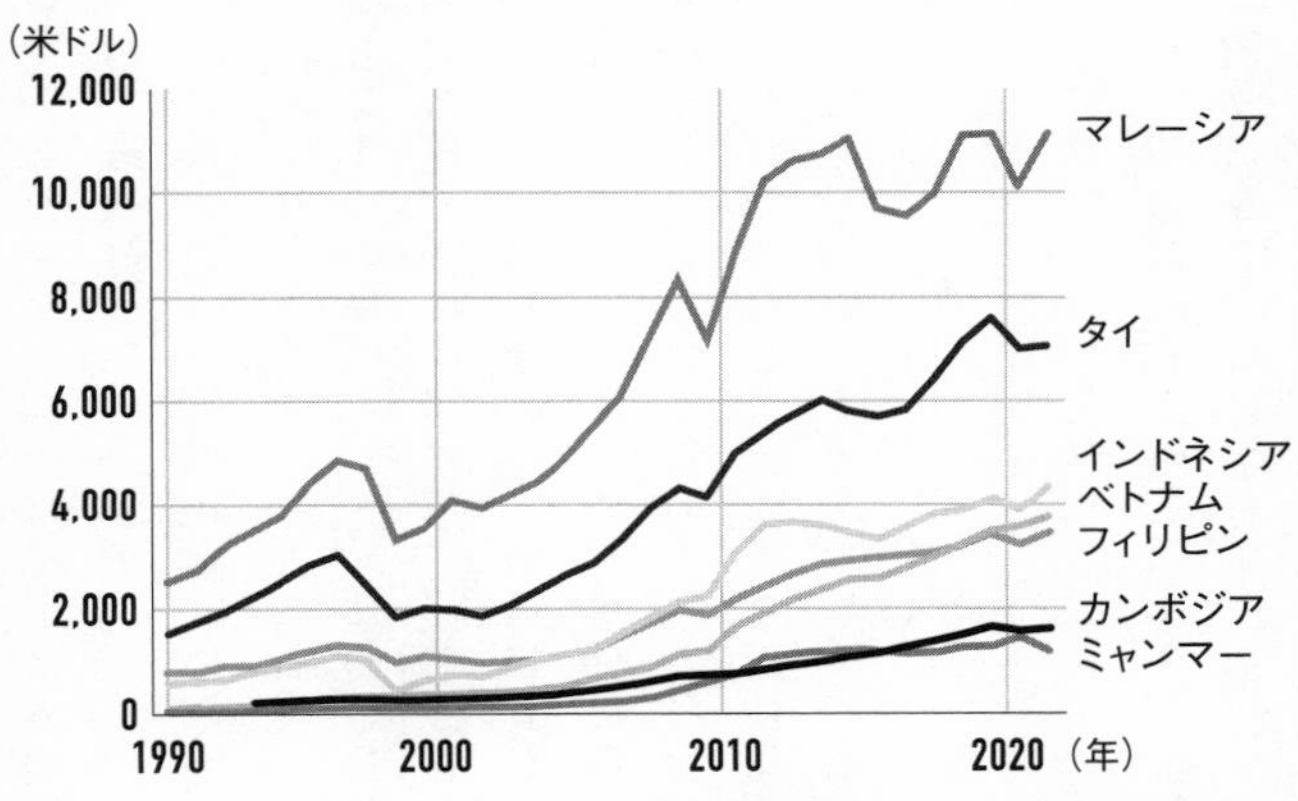

[出典：世界銀行　https://data.worldbank.org]

数年後には日本のGDPを上回る

もはや、東南アジアを遅れた開発途上地域と見ることはできない。現在、東南アジアは2008年の北京オリンピックを前にした中国のような状況にある。空港、港湾、道路、橋、発電所などのインフラの整備は着実に進んでいる。

ベトナムではベトナム戦争が行われていた頃、ハノイを流れる紅河（ホン川）に架かっていたのはロンビエン橋だけだった。ロンビエン橋はベトナム戦争中に何度も爆撃によって破壊されたが、すぐに修復されたことで有名である。ベトナムはこの橋の周辺に強力な対空砲火網を構築して、橋を爆撃しようと低空で近づいてきた米軍機を撃墜した。今も使われているロンビエン橋はベトナムの抵抗精神の象徴である。

今はそんな紅河にハノイ周辺だけでも6本の橋が架けられている。対岸との行き来は格段に容易になった。対岸は距離的にはハノイ中心部から近いにもかかわらず開発が遅れていたが、現在、開発が急ピッチで進んでいる。まさに、ビジネスチャンスが到来している。

２０２１年の東南アジア全体のＧＤＰは３兆３３００億ドルである。これは同年の日本のＧＤＰの約67％に相当する。経済圏としてまだそれほど大きくないが、北京オリンピックの２年前の２００６年の中国のＧＤＰが日本の60％程度であったことを考えると、あと10年も経たないうちに、東南アジア全体のＧＤＰは日本を上回ることになろう。２００６年から15年が経過した２０２１年の中国のＧＤＰは日本の３・６倍である。

２００６年から２０２１年まで12年間でベトナムのＧＤＰは５・52倍になった。それにミャンマーの５・49倍、ラオスの５・45倍が続く。東南アジア全体では３・０倍になっている。

もし各国が過去12年と同じスピードで成長すると仮定すると、２０３０年の東南アジアのＧＤＰは約８兆１４００億ドルになる（**図11**）。あまりにも単純な予測だが、その予測は大きくは外れていないと思う。

一方、少子高齢化が進む日本の経済はそれほど成長しないだろうから、もし現在と同じ水準に留まるなら、２０３０年に東南アジア全体のＧＤＰは日本の１・５倍になる。東南アジ

図11　東南アジア全体のGDPの変遷

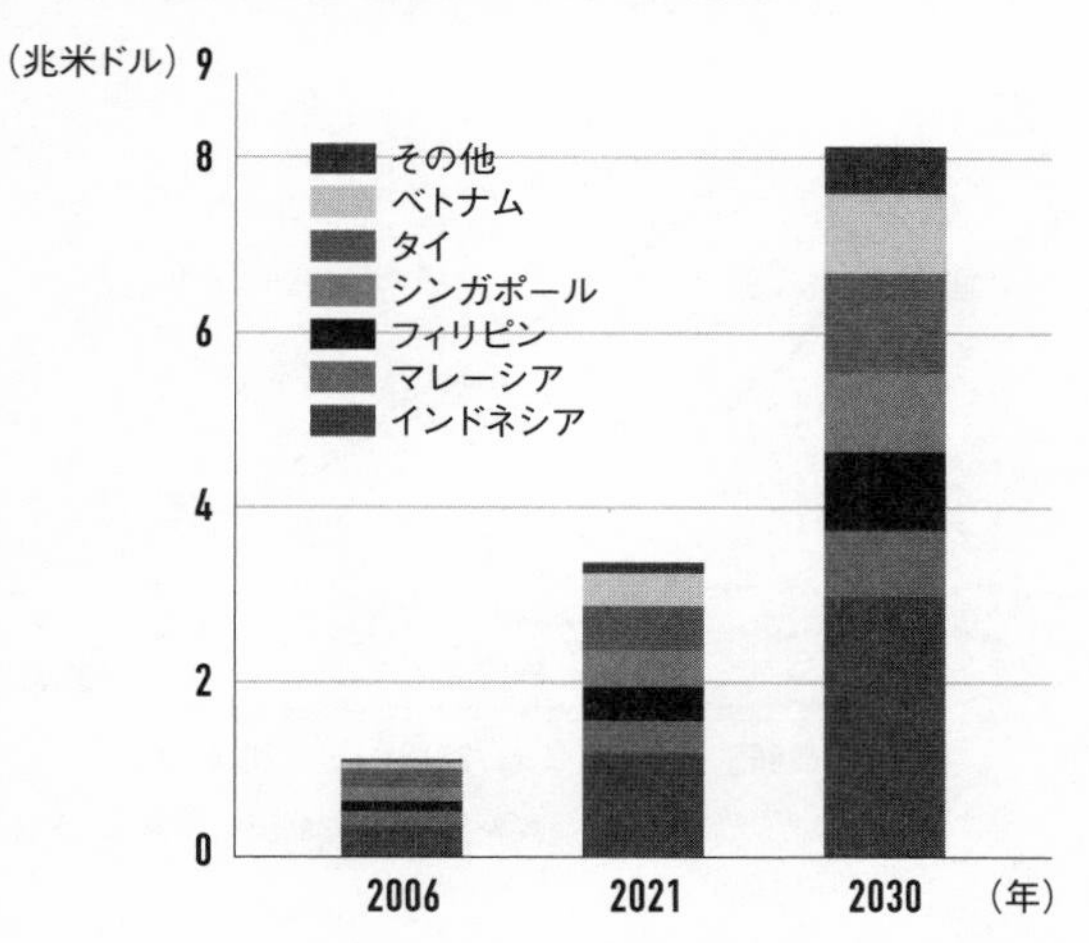

※2030年は予測値［世界銀行のデータより筆者計算］

アはマーケットが小さいから、進出しても大した儲けにならないなどと言っている時代ではなくなっている。

東南アジアの理解に必須な農業

東南アジア経済を語る上で、農業を外すことはできない。ただ勘違いしないでほしい。私は東南アジアにおいて農業が重要だと言っているわけではない。農業の衰退は必然である。だが、農業が衰退していくことを理解することは、アジアの政治や社会を理解する上でのキーポイントになる。

図12に農業生産額がＧＤＰに占める割合を示した。参考のために日本の割合も示したが、日本の値は図の下側を這っている。２０２０年の値は１・０％である。

図12　東南アジア各国の農業生産額のGDPに占める割合の推移

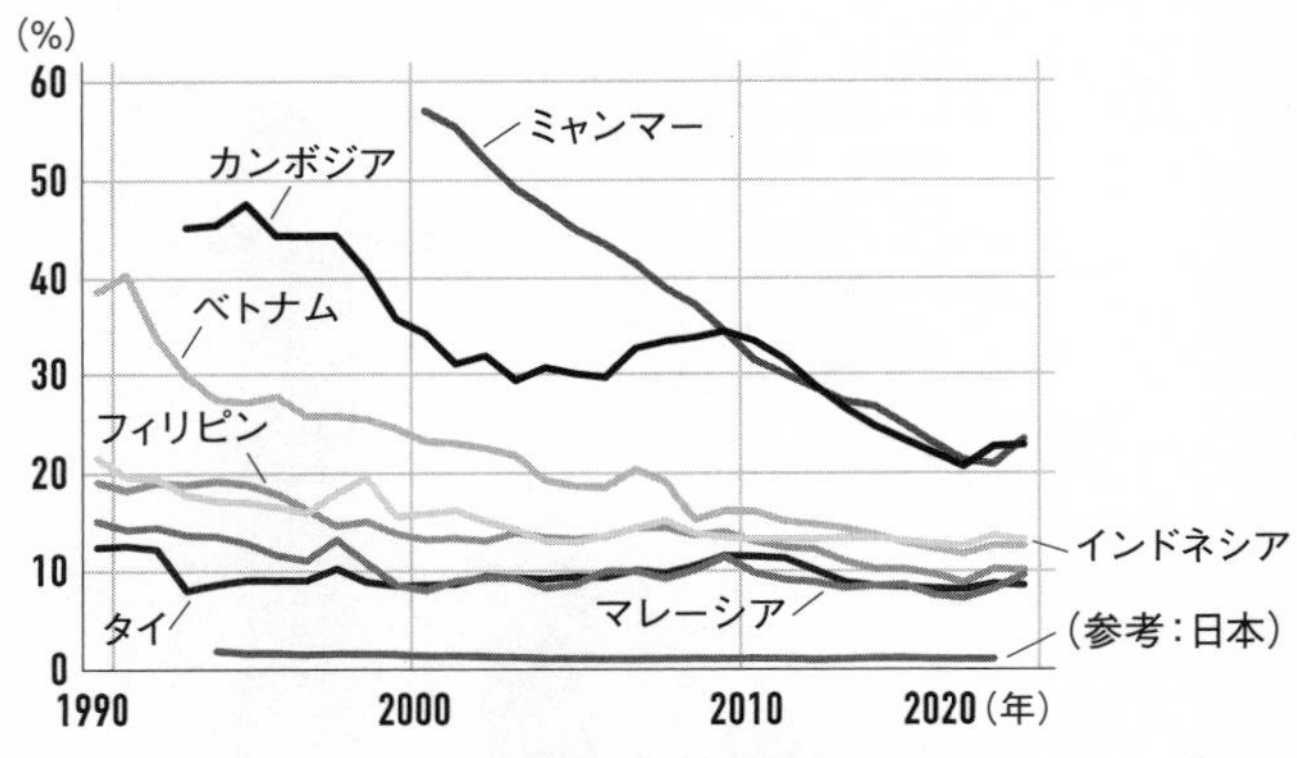

[出典：世界銀行　https://data.worldbank.org]

２０１７年のわが国の就労人口は６７５０万人、完全失業者は１９０万人である。一方、農業就労者は１７５万人（２０１８年）、その数は失業者数を下回っている。農業労働者が就労者に占める割合は２・６％である。農業に従事する人の中で65歳以上の人は１２０万人と半数以上になっている。

そのために、このままでは日本農業はなくなってしまうとの意見を聞くことがある。しかし冷静に考えれば、老人が引退して農業に従事する人口が現在の半分以下になれば、他の産業とのバランスがよくなることが分かる。

農業生産額がＧＤＰに占める割合は１・２％しかない。その割合で考えると農業就労人口は80万人前後でよいことになる。だから、これから高齢者が１００万人ほど引退すれば、農業の就労人口は適正な規模になる。

このようなことを書くと、日本は食糧を大量に輸入しているから農業生産額が少ないなどと反論する向きもあろう。しかし、食糧を大量に輸出している国でも、農業生産額がGDPに占める割合は低い。世界最大の食糧輸出国はアメリカであるが、その農業生産額がGDPに占める割合は0・9％でしかない。アメリカの割合は日本よりも低い。ちなみに、イギリスは0・6％、ドイツは0・7％である。ヨーロッパの農業大国として知られるフランスでも1・6％に留まる。

食糧を大量に輸入しているにもかかわらず、日本の割合は他の先進国に比べて高い。これは日本が農業を保護して、人為的に農産物の価格を高く設定しているためである。世界平均の数倍もするコメの価格を思い浮かべればよく分かろう。ドイツ並み（0・7％）でよいなら、農業従事者は46万人でよいことになる。

広く世界を見渡せば、このような結論にたどり着く。しかし、それでは農水省の役人や農学部の先生は困ってしまう。ちなみに、筆者が勤めていた東大農学部には農業経済を専攻する教員が15人ほどいる。それに対して経済学部の教員は100人に満たない。もしGDPに対する生産額の割合で各分野の教員の数を決めるとすれば、農業経済関係の教員は1人でよいことになる。

現在の農業経済を専攻する教員の数は、戦後間もない昭和30年頃を想定したものである。あれから60年ほどが経過したが、大学は改革を行わない組織なのでこのような構成になってしまった。それは農水省や各県の農業部の定員についても似たようなことが言えよう。昭和の組織が令和になっても存続している。

農業生産額対GDP比の低下

ここに書いたことは東南アジアを考える上で基本になる。重要なことは「経済が発展するとGDPに占める農業生産額の割合が低下する」ことである。先進国は概ね1%前後になっている。それに対して東南アジア諸国は、2018年の時点で最も低いマレーシアでも7・2%であり、ミャンマーなどは24・6%にもなっている。しかし、その割合はこれからも低下して、最終的には現在の先進国と同じような水準になろう。

このことは、東南アジアではこれからも農村から都市へ大規模な人口の移動が起こることを示している。それは先に書いたように、必然的に少子化につながる。また政治は保守的な農村を基盤にしたものから、移り気な都市に住む人々を対象にしたものに変わらざるを得ない。そして、農業部門のリストラが大きな政治課題になる。

もう一つアジアを考える際に重要な視点がある。農業が比較劣位な産業になるために、農村の若者は争って都市に出ていくが、残った老人たちが農地にしがみついて、容易に土地を手放さないことである。

アジアは農村部の人口密度が高いために、農家一戸の所有する面積が少ない。農業に適する平地が広いタイでも一戸が所有する面積は1haから2ha程度である。山が多く、平地が少ないベトナムでは、ハノイ周辺の農家は0・3ha程度しか農地を持っていない。比較的規模が大きいメコンデルタ地帯でも2ha程度である。

コメを作ってきたアジア人の気質はどこも似ている。長い間、水田にへばりついて生きてきた。その気質は放牧を行う遊牧民とは異なる。農民にとって農地は祖先から引き継いだ大切な財産である。だから、簡単には農地を手放すことはない。そうであるなら日本と同様に東南アジアでも農業の規模拡大は難しい。

ベトナムは社会主義国であり土地は国家が所有している。これは中国と同じである。農民は土地の所有権を持っていない。しかし使用権は持っている。中国では都市周辺の開発が行われる際に、地方政府と組んだ業者が農地の使用権を強制的に安い値段で買い取った。それが中国の奇跡の発展の原動力となった仕組みは、拙著『農民国家 中国の限界』10)、『データで読み解く中国経済』11)に書いている。興味があれば読んでいただきたい。

中国政府は農民から強制的に農地を取り上げた。その構図は基本的には今も続いているが、同じ社会主義国でもベトナムでは紆余曲折はあり、現在、農地の使用権は厚く保護されている。その結果、多額のお金を農民に渡さなければ、農地を手に入れることはできなくなっている。

これはベトナムだけに見られる現象ではない。東南アジアでは都市周辺の土地の価格は高騰しており、農民は容易に農地を売らない。もっと高くなるのを待っている。そんなわけで農地を手に入れることは容易ではない。日本企業が東南アジアに進出する際にはこの点に十分に留意する必要がある。

ハイテク農業に不向き

農業の本質は土地にある。農地がなければ農作物を収穫することはできない。農地の生産性は肥料や農薬の投入、また品種改良を行うことによって増やすことはできる。しかしそれにも限度がある。現在、東南アジアのコメの単収（単位面積当たりの収穫量）は、3t／haから5t／ha程度になっており、日本とそれほど変わらない水準になっているからだ。そんなわけで、単位面積当たりの生産性を上げるにしても限度がある。

そしてもう一つ重要なことがある。農作物の品質にはそれほどの違いがないことである。もちろん美味しい農作物を作れば高く売れる。しかし、贈答用などとして売れる農作物の量は限られる。また食料品は品質を向上させても、無闇に高く売ることができない。もし、全ての農作物の価格を大きく上げれば、貧しい人は食料を手に入れられなくなる。そうなれば暴動が起きてしまう。そんな政策は政治的に許されない。

よく日本経済新聞などがハイテク農業を喧伝するが、ハイテクを農業に応用しても、それは省力化につながるだけである。ハイテク農業は広い土地が確保できて初めて威力を発揮する。つまり、アメリカ、カナダ、オーストラリアには適しているが、土地の集約が難しい日本でハイテク農業が力を発揮することはない。

同じことが東南アジアについても言える。日本の高い技術を東南アジアに持っていって農業を行うなどといったことが語られるが、まず成功しないと思っておいた方がよい。それは東南アジアにたくさんの農民がいるからである。農地の集約が難しい。そんな東南アジアでは、いくらハイテクを利用しても農業で成功することはない。

バイオマスエネルギー・プロジェクトの顚末

同じことはバイオマスエネルギーについても言える。エネルギー価格が高騰した２００６年から２０１０年にかけて、日本ではバイオマスエネルギーがブームになった。その頃、各省庁やＮＥＤＯ（新エネルギー・産業技術総合開発機構）の予算でバイオマスエネルギーに関連したプロジェクトがいくつも立ち上がった。バイオマスエネルギーを生産する場として東南アジアに注目が集まった。そのようなプロジェクトに、国や企業の研究者だけでなく大学の先生たちも群がった。

あれから10年ほどの歳月が流れたが、実用化されたものはあるのだろうか。寡聞にして知らない。筆者は最初からそれらはものにならないと思って冷笑・傍観していたが、ものにならないと公言したら、せっかくのブームに水をさすなと叱られたことがある。筆者を叱ったのは大手商社の人だったと記憶しているが、省庁やNEDOからの予算獲得の邪魔をされたくなかったのであろう。

筆者が東南アジアでのバイオマス生産がものにならないと考えた理由は、これまで述べたように東南アジアでは農地の集約が難しいからである。そして農民が都市住民に比べて貧しくなっているためである。先述したように、タイでは農村はタクシンを支持する「赤シャツ」の地盤になっている。東南アジアの農村部は政治的に難しい地域である。

そんなところに日本人が行って、バイオマスエネルギーの原料になる作物を大量に作ることは不可能である。しかし、当時、多くの人は遺伝子改変技術などハイテク技術を応用して東南アジアでバイオマスエネルギーを作ることを夢見ていた。

筆者が思っていた通り、そのようなプロジェクトは全滅した。愚かな判断をした会社が損失を被るのは勝手だが、そんなプロジェクトに多額の税金が使われたことは残念である。
〝あの戦争〟でも日本は東南アジアで失敗を繰り返した。どうも日本人は東南アジアに関わることが苦手なようだ。その第一の原因は東南アジアを未開の先住民が住むところとして、心の底でバカにしているからだろう。日本人はヨーロッパやアメリカ、または中国については、それなりに研究して情報を集めるが、東南アジアとなると情報の収集を怠る。それが失敗の本質だと思う。この本を書こうと思った理由でもある。

穀物自給率の低下

東南アジアでバイオマスエネルギーを作るプロジェクトを企画するくらいだから、日本人は東南アジアを食糧の宝庫と考えている。それはタイが第二次世界大戦前から大量にコメを輸出していたことからの連想だろう。タイは今でもコメの輸出国である。しかし東南アジア全体を見た時、その食糧事情は大きく変化している。

図13に東南アジアの穀物輸出量と輸入量を示すが、図より分かるように東南アジアは穀物の純輸入地域になっている。東南アジアでは１９９０年頃から穀物の輸入量が増加して、輸出量を上回るようになった。ただ、東南アジアは穀物を2億５５００万トン（２０１６年）ほど生産しているために、自給率は90％前後を維持している。

図 13　東南アジア全体の穀物貿易領の推移

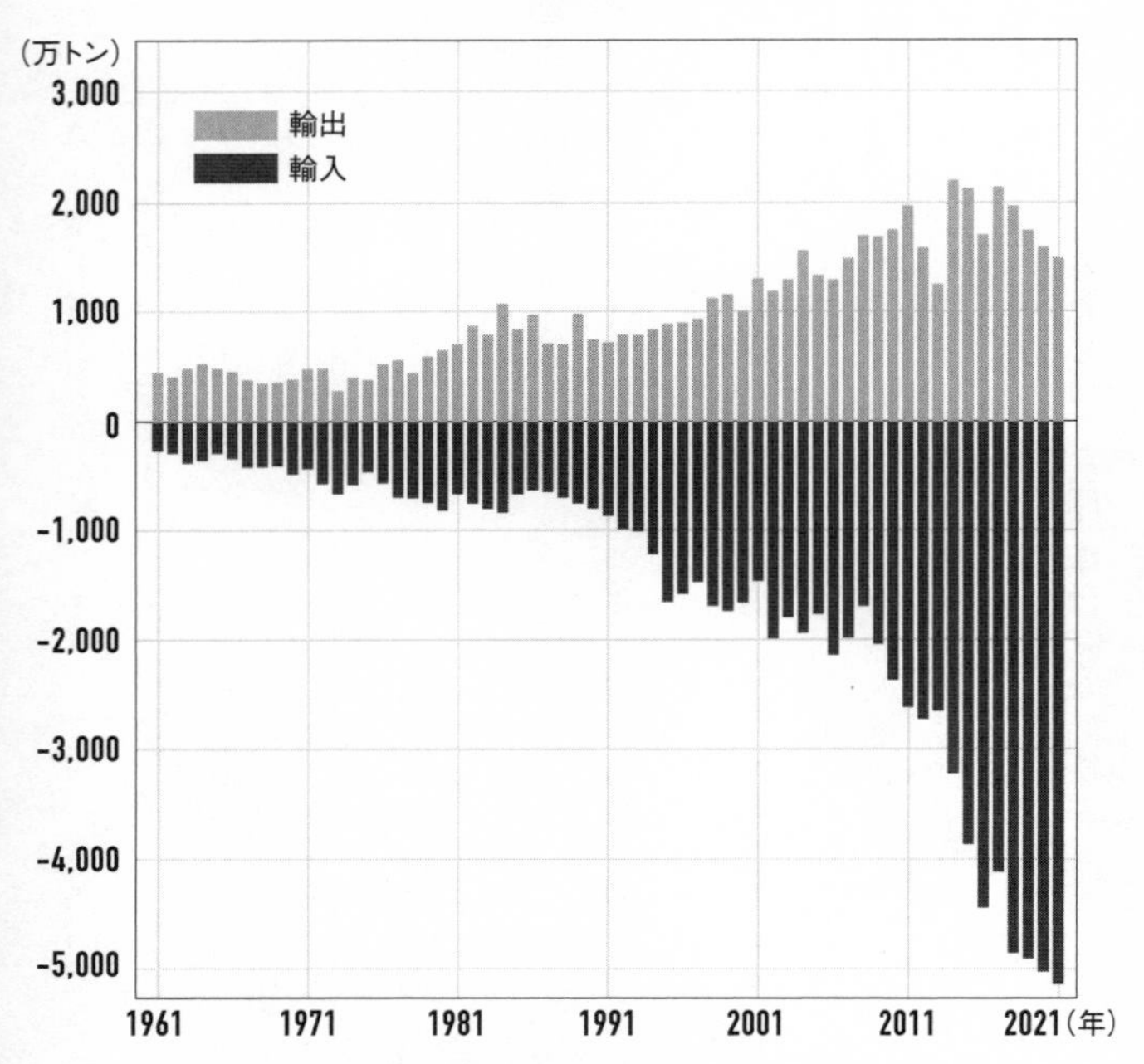

［出典：FAO（国連食糧農業機関） http://www.fao.org/faostat/en/#data］

穀物自給率の低下は食の「洋風化」、そしてちょっと変な言葉だが食の「中国化」がもたらしたものである。華僑がもたらした「食文化の中国化」である。東南アジアの麺類はベトナムのフォーに代表されるコメで作った麺が主流であったが、そこに華僑が中華麺をもたらした。今ではミーゴレン（インドネシア風焼きそば、麺は小麦粉で作る）はインドネシアのソウルフードである。中華麺は東南アジアで広く食されるようになった。

東南アジアの人々はコメを主食にしていた。高温多湿の東南アジアでは小麦は栽培できない。小麦は東南アジアの伝統的な食材ではない。しかし経済が発展すると、パンやスパゲッティが人気の食べ物になった。ベトナムでは宗主国のフランスがパン文化をもたらした。フランスパンにベトナムの食材を挟んだバインミーはベトナムの名物になっている。

小麦の輸入量を**図14**に示した。２０１６年の東南アジア全体の小麦の輸入量は約２６００万トンで、小麦の輸入量は全穀物輸入の約６割を占めている。それは**図14**中に示した日本の小麦輸入量の約5倍になっている。

もはや食糧貿易の世界で日本の存在感は小さなものになってしまった。私が農水省の研究所に入った１９９０年頃、「日本だけが世界から大量の食糧を輸入しているが、そのうちに輸入できなくなる。食糧自給率を高めるべきだ」と多くの学者が真顔で主張していた。だが、それから30年が経過すると、世界は**図14**が示すように、多くの国々が食糧を輸入する時代となった。学者の言うことなど当てにならない事例と言えよう。

東南アジアは多くの穀物、特に小麦を輸入するようになった。その姿は日本に重なる。食糧貿易からも東南アジアを遅れた地域と見ることはできなくなっている。

図14　東南アジア各国の小麦輸入量の推移

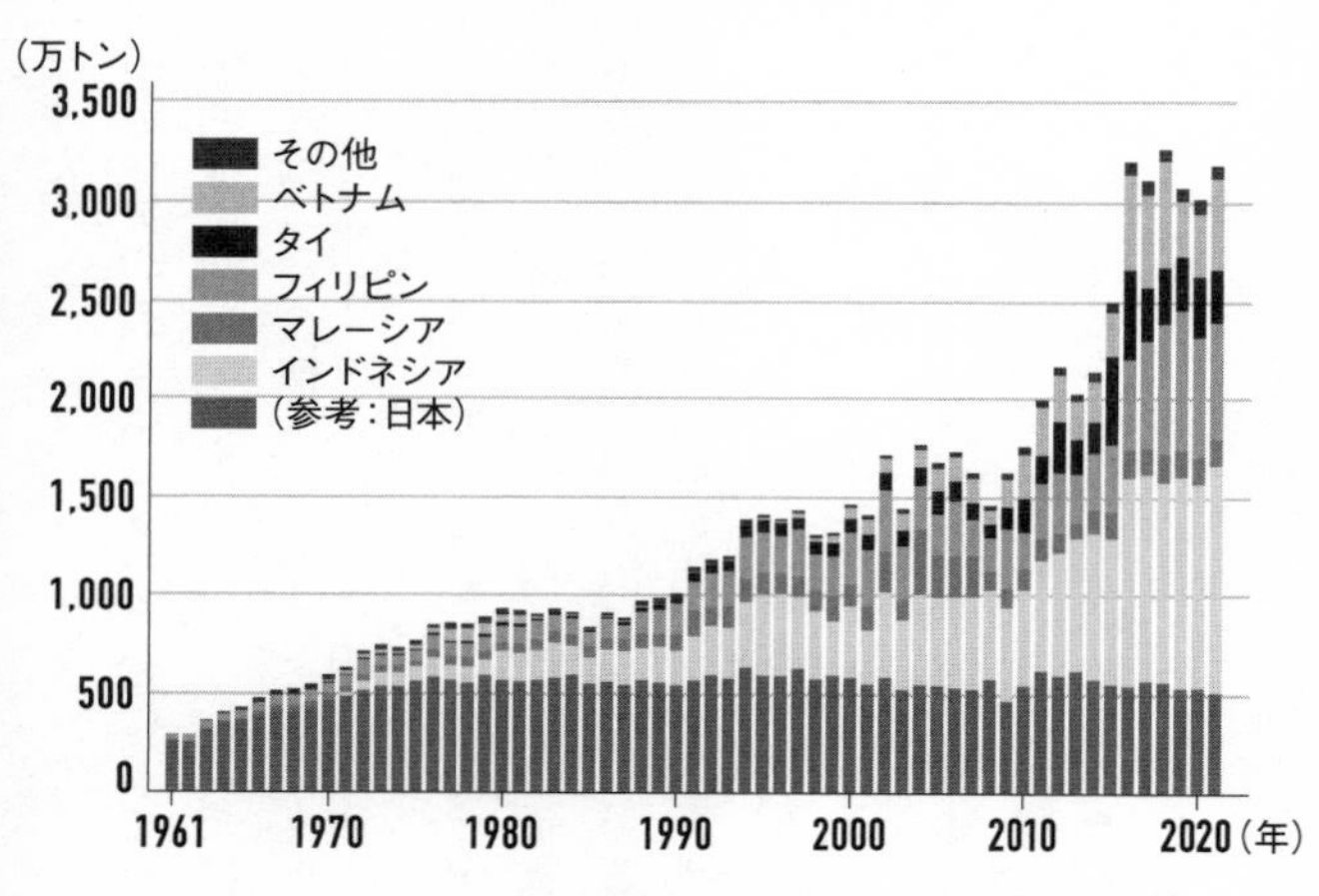

[出典：FAO(国連食糧農業機関)　http://www.fao.org/faostat/en/#data]

動物性タンパク質摂取量に顕れる文明の影響

人々と交流する上で、その文化的背景を知ることは重要である。ビジネスを行う上でも、その国の文化を理解できれば、人々の行動のパターンを知ることができよう。

東南アジアは中国文明とインド文明が混ざり合わさった地域である。そうと知っていても、どの程度中国的であるか、どの程度インド的であるかを知ることは難しい。

筆者はそんな東南アジアを、「どんな種類の肉を食べているか」で見分けることが可能だと思っている。ここではその手法をお目にかけよう。

水産物を含めた一人当たりの動物性タンパク質の生産量（ここでは生産量を消費量

とみなす）から、ある国の文化的背景を考えてみたい。**図15**は各国の一人当たりの肉と魚の消費量を示したものである。

まず①日本について見る。日本人は魚を多く食べている。1961年において日本人は動物性タンパク質の約9割を魚から摂取していた。しかし、2013年になると魚の割合は50％にまで低下した。わが国では、よく魚離れが叫ばれるが、それはこの図を見れば分かるように、肉の消費が増えたためである。

日本人の魚と肉を合わせた摂取量は1960年代に急増しており、食生活はこの時期に向上した。その後、肉の摂取量は増加し続けるが魚は減少する。我々は、このような食生活が当たり前だと思っているが、これほど魚をたくさん食べる国はない。日本の食習慣は世界の中でもかなり特殊である。そのことを念頭に置いてアジアの食生活を見ていこう。

次に②中国である。日本は1960年代に動物性タンパク質の摂取量が増えて1980年頃にはほぼ飽和状態になったが、中国の増加は1980年代に始まり現在も続いている。ただ、さすがに飽和したようにも見える。

中国の人口は増加しなくなっている。そのことを考えれば、今後、中国の動物性タンパク質の需要が大きく増えることはないだろう。

一時期、中国で動物性タンパク質の需要が増えると、飼料穀物が不足して世界中が食糧危

図 15　各国の一人当たり年間動物性タンパク質摂取量の推移

［出典：FAO（国連食糧農業機関） http://www.fao.org/faostat/en/#data］

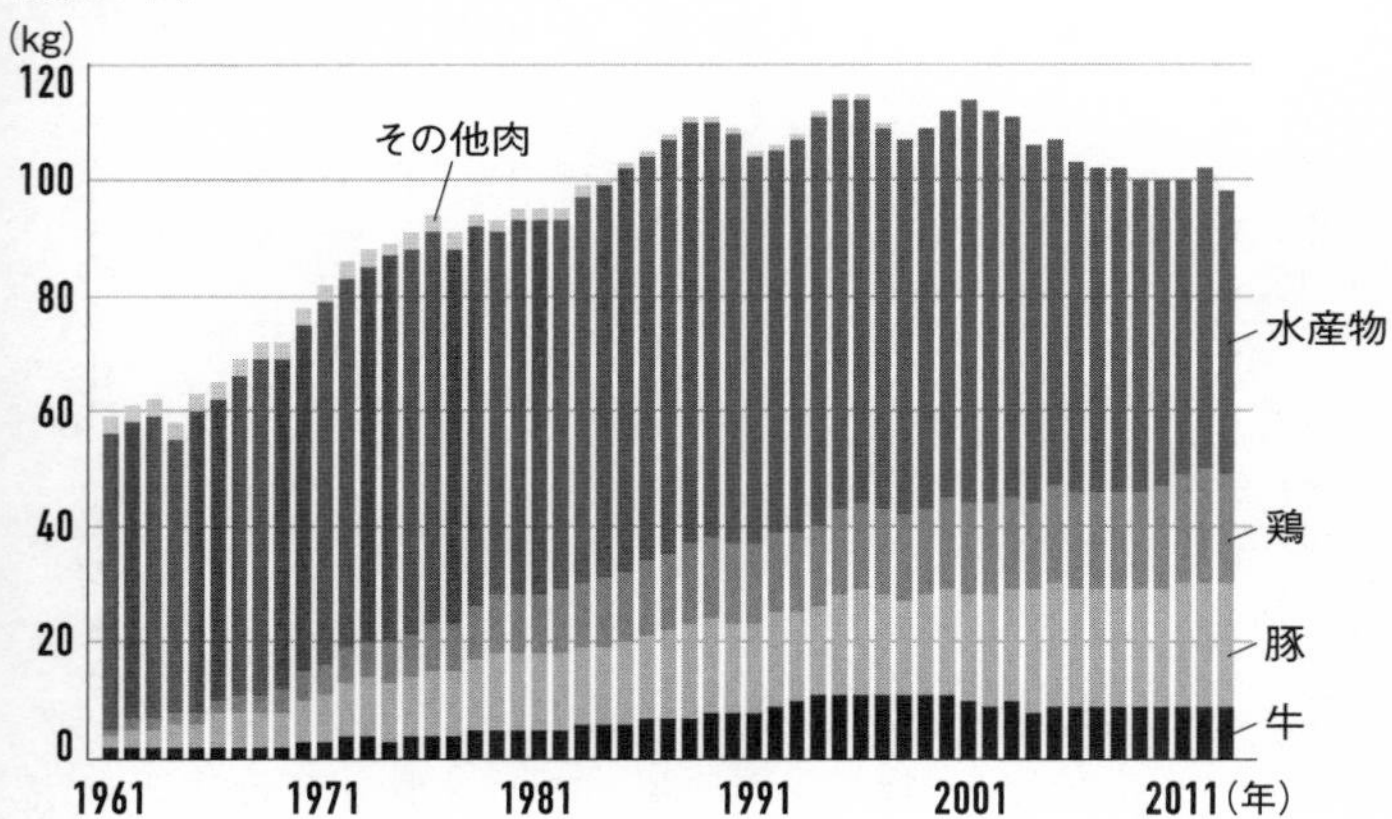

[②中国]

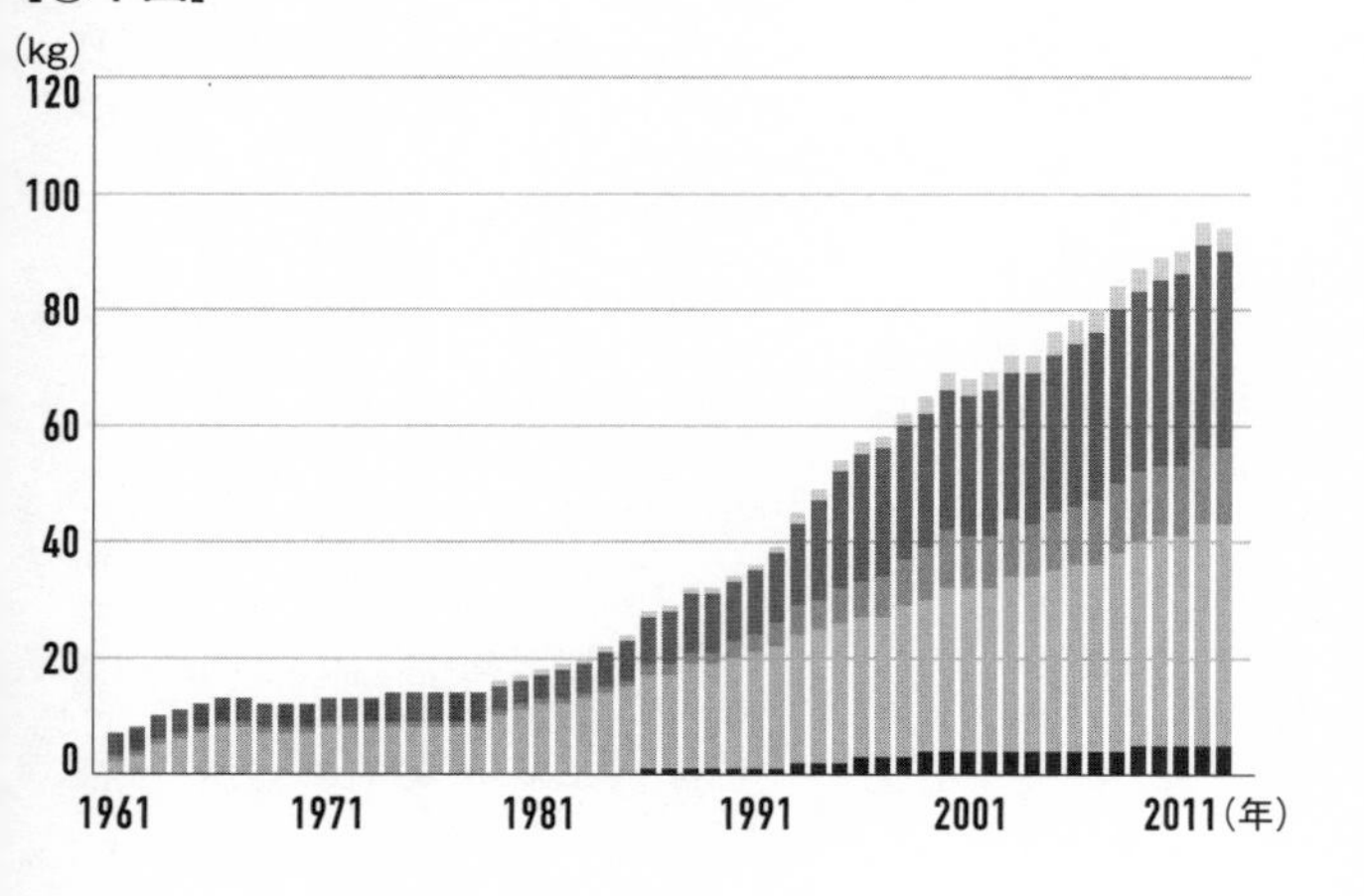

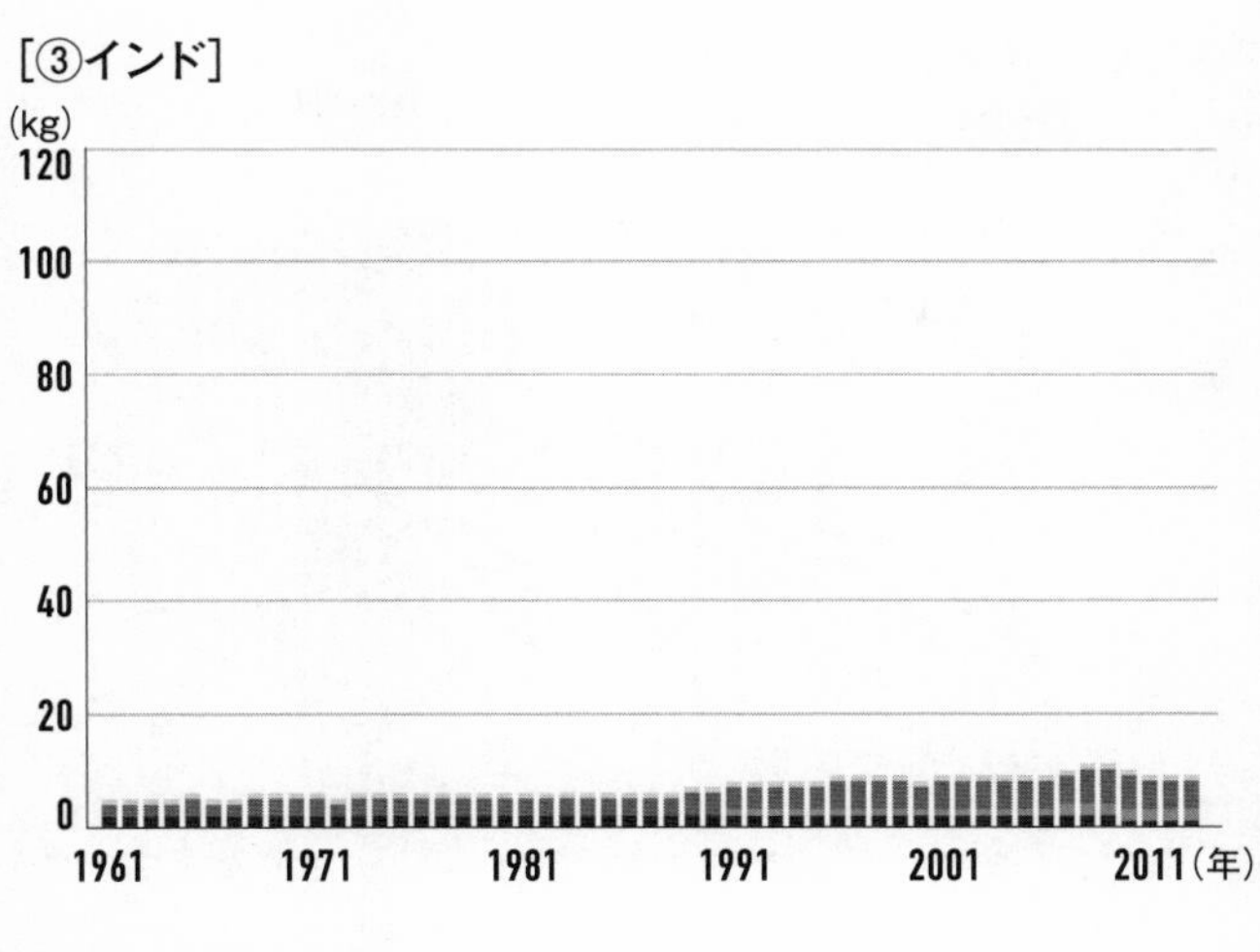
[③インド]
(kg)
120
100
80
60
40
20
0
1961
1971
1981
1991
2001
2011 (年)

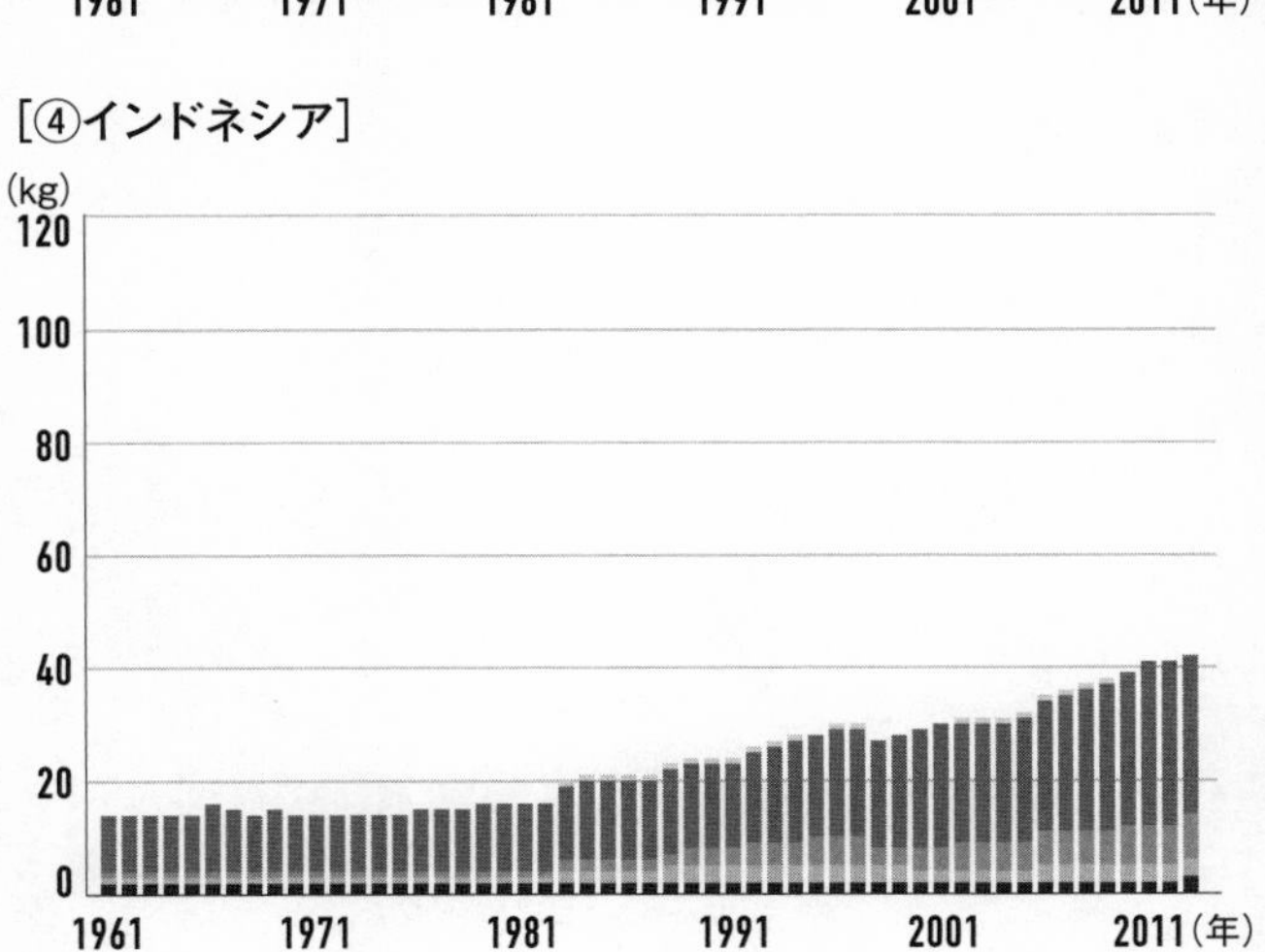
[④インドネシア]
(kg)
120
100
80
60
40
20
0
1961
1971
1981
1991
2001
2011 (年)

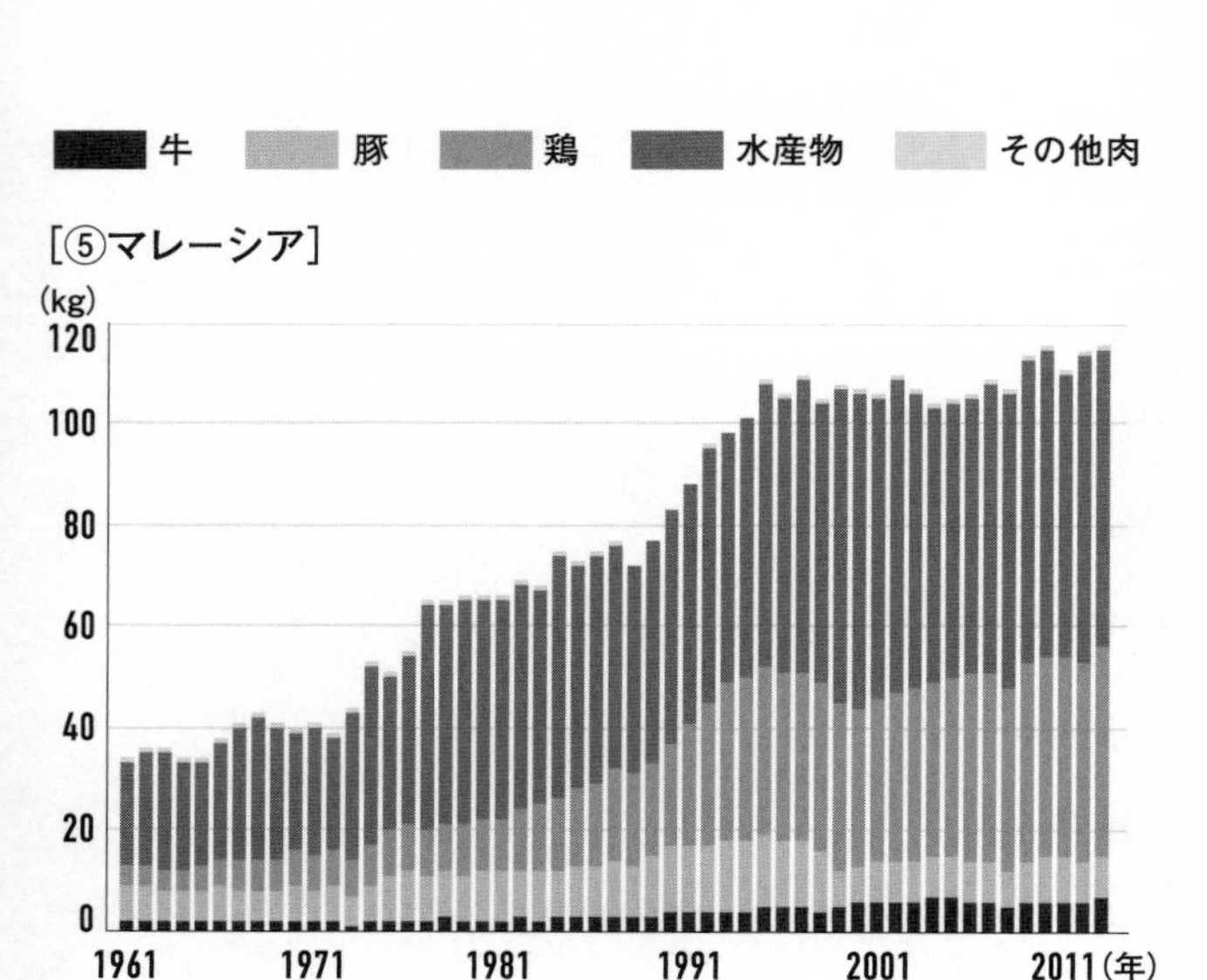
牛
豚
鶏
水産物
その他肉
[⑤マレーシア]
(kg)
120
100
80
60
40
20
0
1961
1971
1981
1991
2001
2011
(年)

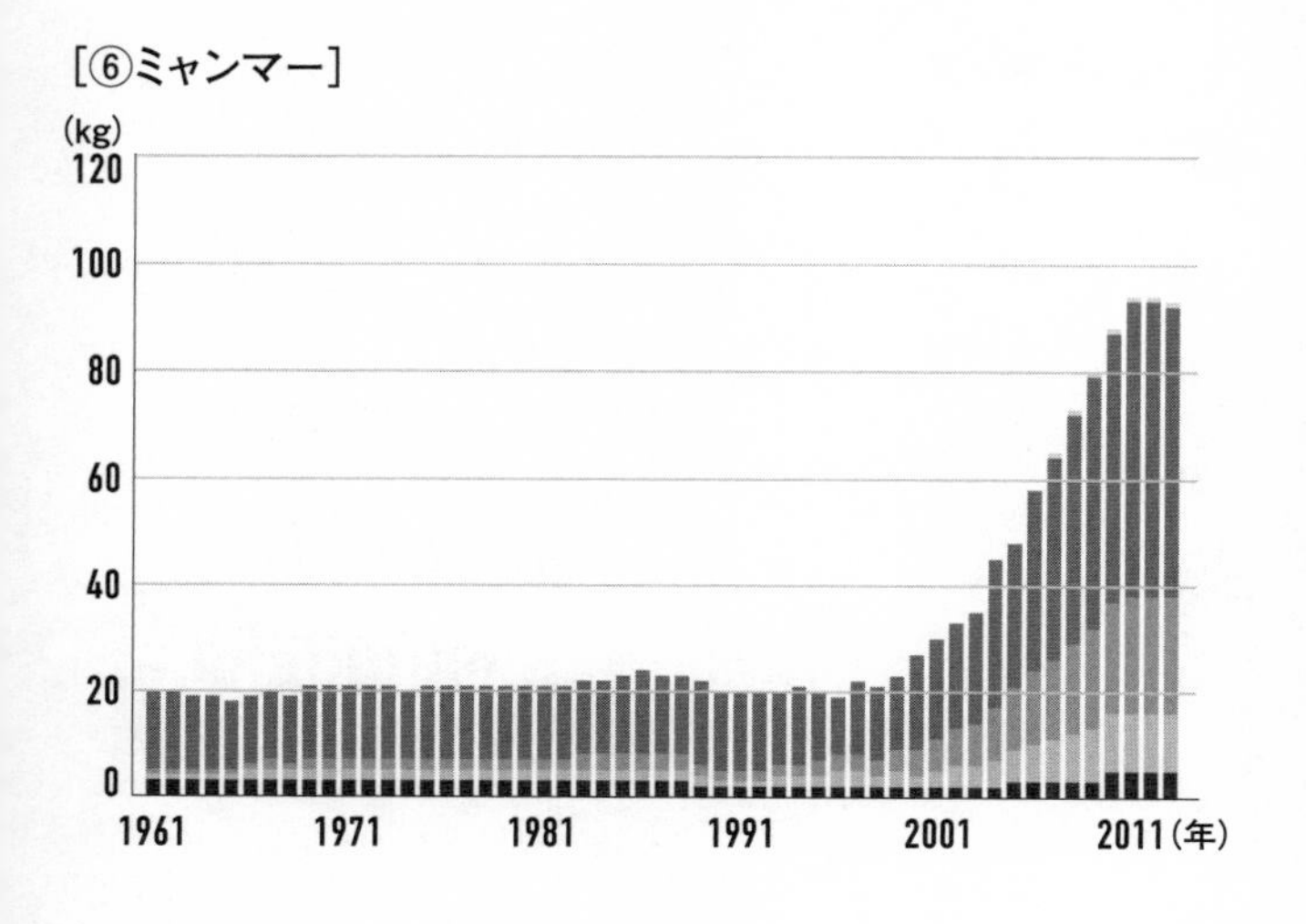
[⑥ミャンマー]
(kg)
120
100
80
60
40
20
0
1961
1971
1981
1991
2001
2011
(年)

[⑦タイ]

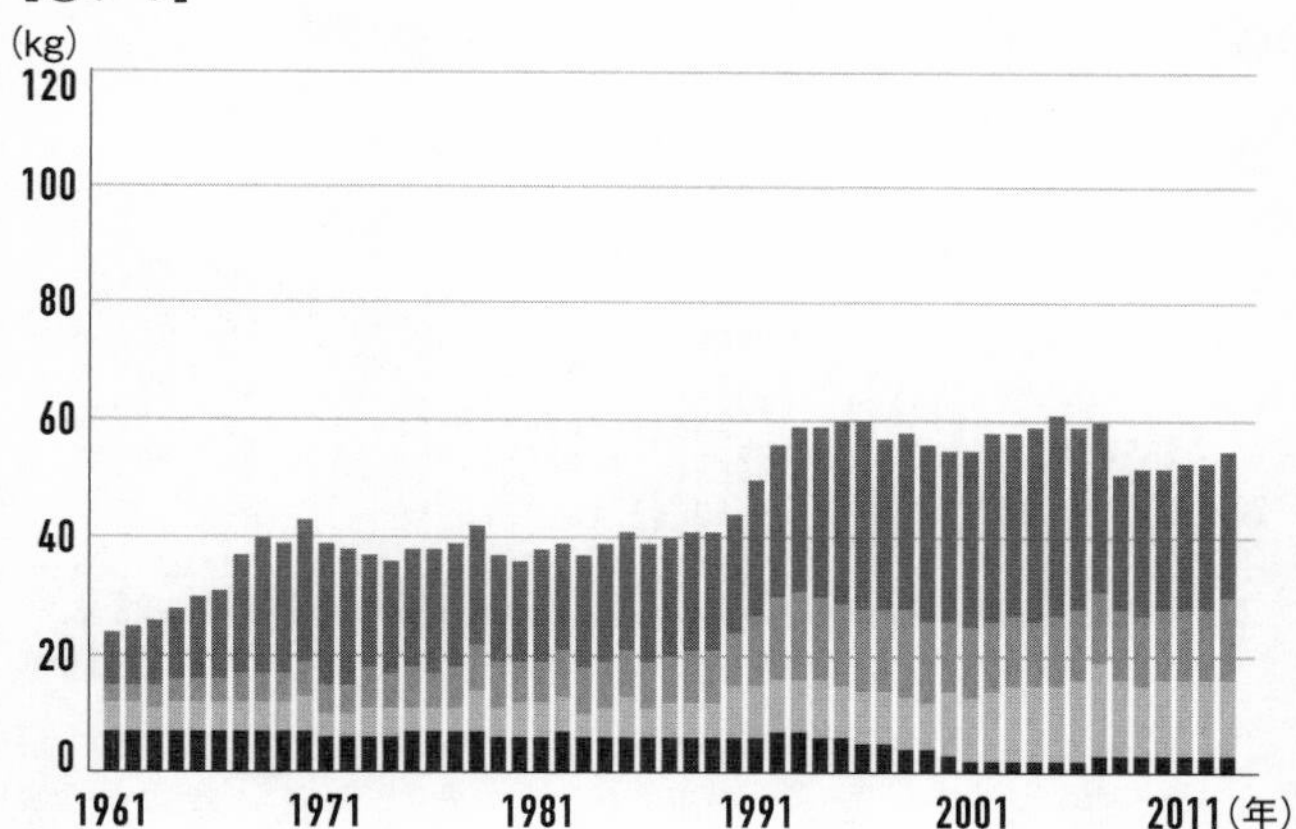
(kg)
120
100
80
60
40
20
0
1961
1971
1981
1991
2001
2011
(年)

[⑧ベトナム]

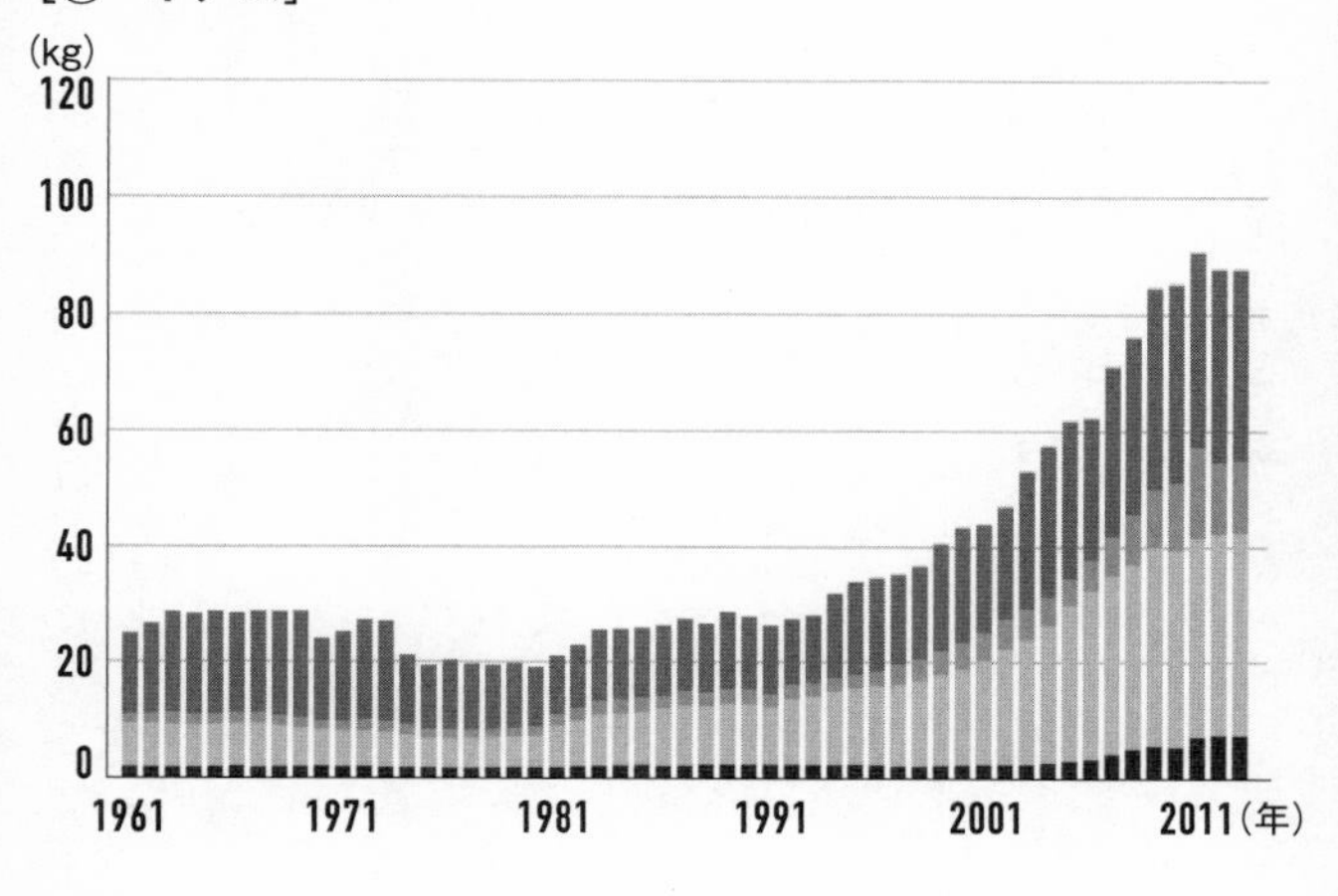
(kg)
120
100
80
60
40
20
0
1961
1971
1981
1991
2001
2011
(年)

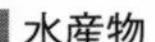

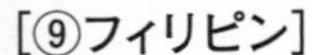

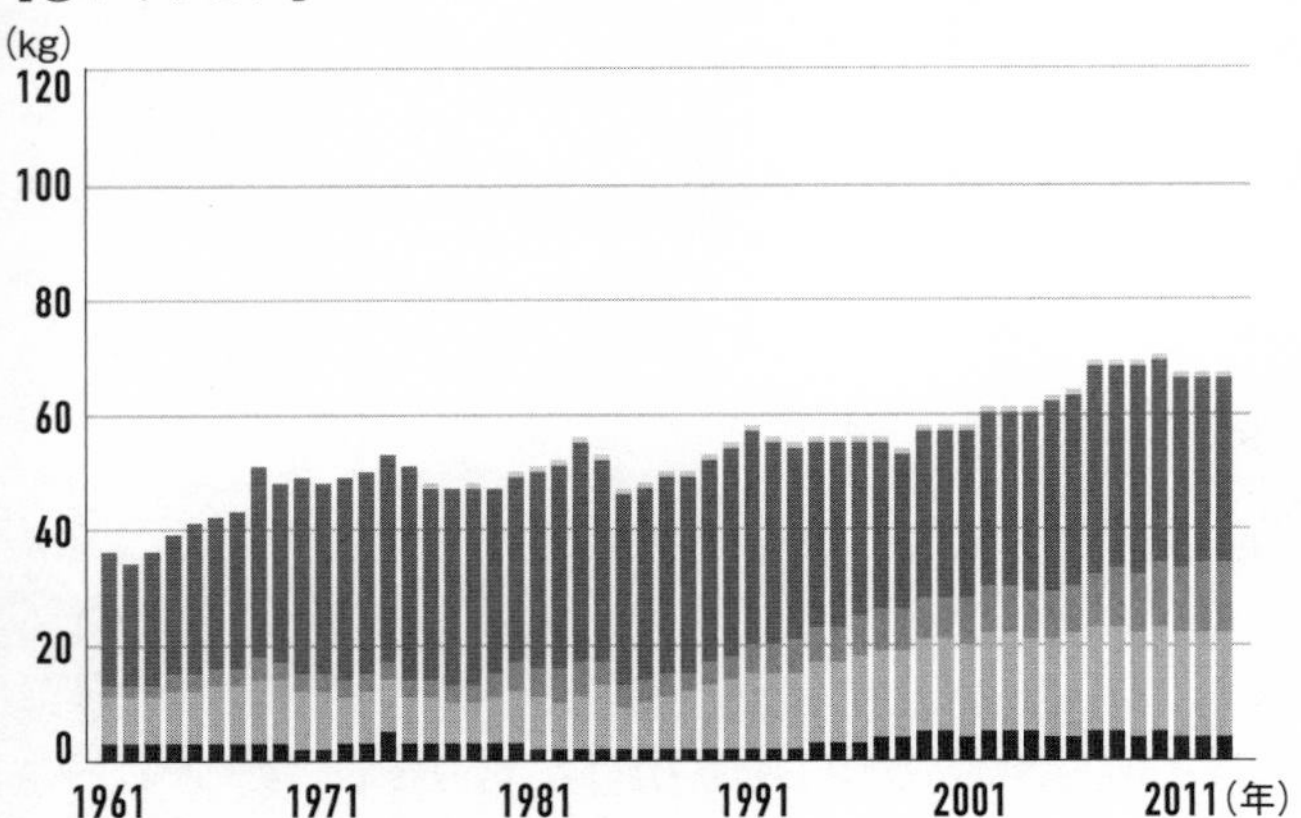

機に陥るとする説が喧伝されたが[12]、そんなことは起こらなかった。詳しくは拙著『世界の食料生産とバイオマスエネルギー』[13]を読んでほしい。

中国では豚肉の増加が目に付く。なぜ中国人が豚肉を好むかよく分からないが、とにかくよく食べる。牛肉の割合は中国人も日本人も低いが、これは食習慣というよりも牛肉の価格が高いためだろう。

牛肉1kgを生産するためにはトウモロコシなどの飼料が10kgほど必要になる。それに対して、豚肉は4kg程度、ブロイラーと呼ばれる鶏肉は2kg程度である。その結果、値段は鶏肉が最も安く次が豚肉になり、牛肉は最も高い。

東南アジアを理解する上で、もう一つ知ら

なければならないのはインド人の食生活である。③インドの動物性タンパク質消費量の図を見てほしい。スケールを揃えてあるので、日本と中国を見た後にこの図を見ると驚くだろう。インドの動物性タンパク質摂取量は極端に少ない。肉だけでなく魚もほとんど食べていない。

貧しいから肉や魚が食べられないということはないようだ。21世紀に入って順調な経済成長が続いており、2022年の一人当たりGDPは2379ドル（147位）である。極貧というわけではない。インドは経済が順調に成長しているにもかかわらず、動物性タンパク質の消費量が増加しない。これは宗教の影響と考えられる。

現在、インドの主要な宗教はヒンドゥー教であるが、インド人に言わせれば仏教はその一支流である。そんな仏教を受け入れた日本は明治になって西欧の影響を受けるまで、肉食を嫌っていた。なお、インド人は西欧人並みに牛乳を飲む。これは直接飲むというより、紅茶に入れたりヨーグルトにしたりする。また豆をよく食べる。このような方法でタンパク質を補っている。

アジアの二大文明の食生活は大きく異なっている。日本の食生活は中国に近いが、中国人よりも魚を多く食べる。そして中国人ほど豚肉を食べない。中国でもインドでもない独自の食文化と言える。

東南アジア各国の動物性タンパク質摂取量

東南アジア主要国の動物性タンパク質摂取量を見てみよう。④インドネシアの食生活はインドに似ている。経済発展に伴い魚や肉の消費量が増えているが、その量は少ない。インドネシアは島国だからインド人より魚を多く食べるが、それでも日本人ほどは食べない。また鶏肉の消費量が増加している。これはインドネシア人にイスラム教徒が多いためである。イスラム教徒は豚肉を食べない。そして禁じられてはいないが、牛肉も滅多に食べない。食生活から見る時、インドネシアはインド的な東南アジアと言えよう。それはインドネシアを考える時、宗教を切り離して考えることができないことを示している。

インドネシアの隣国である⑤マレーシアの図を見ていただきたい。インドネシアとマレーシアは言語がよく似ており、自国語を話すことによって意思の疎通が可能であるが、その両国の食生活には大きな違いがある。マレーシア人は多くの動物性タンパク質を摂取している。魚も日本人並みに食べる。また近年鶏肉の消費が増えている。イスラム教の影響が強い国であるが豚肉も食べている。これはマレーシアの人口の約2割が華僑であることが関係していると思われる。マレーシアの食生活は中国的と言ってよい。魚の摂取量が多いから日本的と言ってもよいだろう。マハティールがルック・イースト政策を掲げて日本をお手本にしようと思ったことも、食生活が似ているからなのかもしれない。

マレーシアとインドネシアは隣り合う島嶼部に住んでいるので、元々似たような食文化を持っていたはずだが、現在は全く異なる食習慣になってしまった。

インドに隣接する⑥ミャンマーはどうだろうか。図を見ると、21世紀に入ってミャンマーの動物性タンパク質の消費量は急増している。だが、ミャンマーは軍事独裁政権が続いていたために、データの信頼性に問題がある。最近になってミャンマーの肉生産量が増えたことは事実であろうが、図に示された増加は過大だと考えている。そのまま信じるわけにはいかない。

ＦＡＯは国連の下部機関であるが、国連が発表するデータについて一般的に言えることだが、そのデータは国連が取りまとめをしているものの、基本的には各国が発表するデータを踏襲している。ミャンマーは民主化されたといっても、軍事政権時代の行政機関が温存されている。そんな官僚が近年の経済発展を誇大に見せようと考えて、データを改ざんしている可能性が高い。日本人は国連など国際機関が発表するデータを過度に信頼する傾向があるが、その中にかなり胡散臭いものが混じっていることを知っておいてほしい。

ただ、その絶対値に問題があるとしても、図からミャンマーの食生活の動向はうかがえよう。ミャンマーの食生活は日本に似ている。インドのように動物性タンパク質の摂取を嫌うことはない。魚の消費量が多く、豚肉の消費量が中国のように極端に多いこともない。この辺りはミャンマー人が親日的であり、また日本にミャンマーのファンが多い理由の一つになっているのかもしれない。

⑦タイはマレーシアと共に順調に経済発展している国であるが、動物性タンパク質の摂取量は意外に増えない。その量は日本の半分程度である。タイは何度も訪ねているが、図に示されたタイのデータは実感に近いと思う。肉や魚を食べるものの、その量は抑制的である。上座部仏教を信仰していると、肉を貪り食う気にはなれないのだろう。

⑧ベトナムの食生活はタイやミャンマーとは異なる。図を見る限りミャンマーと同様に21世紀に入った頃から動物性タンパク質の消費量が増えているが、このデータはベトナムでの実感と一致している。信頼してよいと思う。

ベトナムの動物性タンパク質の消費パターンは中国に似ている。長い海岸線を抱えるために魚の消費量は多いが、日本ほど多いわけではない。また、近年、経済発展に伴い動物性タンパク質の摂取量が増えているが、その中心は豚肉である。これは中国文明の影響を強く受けていることを示している。

最後に⑨フィリピンを見ておこう。フィリピンは島国ではあるが、インドネシアとは異なりカトリックが大きな影響力を持つ。カトリックの影響が強いために、欧米や南米諸国のように多く肉を食べているのではないかと思ってしまうのだが、フィリピンの食生活は意外にアジア的である。

近年、経済発展に伴い肉の消費量が増えているが、その中心は豚肉である。これは中国の影響を受けているためと考えられる。ただ、その増加はベトナムほど顕著ではない。中国の影響はあっても薄いと思われる。魚も肉もバランスよく食べているが、その消費量は日本の半分程度に留まる。フィリピンでは動物性タンパク質の摂取量が少ない。これは暑い地域であることが関係しているのかもしれない。日本人も夏には「そうめん」などを食べたくなる。ステーキは食べたくない。

食生活から東南アジアをまとめると、インドネシアはインド的であり宗教の影響が強い。その行動を考える時に宗教の影響を考える必要がある。言語が似ているといっても隣国のマレーシアは中国的である。そんな両国は仲が悪い。

ミャンマーとタイの食習慣は日本に似ているが、上座部仏教の影響が強いためか、または暑いためか、肉の摂取量は日本の半分程度である。

それに対して、ベトナムの食習慣は中国的である。後述するように、現在ベトナムに華僑は少ないが、中国文明の影響を強く受けた国である。また、フィリピンはカトリックの影響でラテン的な気質を持つとされるが、その食生活はアジア的であり、肉を大量に食べるアルゼンチンなどとは異なる。やはりフィリピンは東南アジアの国である。

第2節◉東南アジアのエネルギー

工業生産額の推移

現在、東南アジアでは工業が急速に発展している。ただ、その進展の度合いは国によって異なる。東南アジア主要国の工業生産額がGDPに占める割合を**図16**に示す。図には比較のために日本、アメリカ、中国、インドも加えた。

意外にもアメリカの割合が低く、かつ低下傾向にある。それは日本も同じである。アメリカほど低くなっていないが、それでも中国や東南アジア諸国に比べれば低い。そして1990年代に比べれば明らかに低下している。

ここには示さなかったが同様の傾向はドイツも含めて、ほぼ全てのヨーロッパ諸国に見られる。もはや先進国の主要産業は工業とは言えない時代になっている。

余計なことを言うようだが、日本は「ものづくり」にこだわり過ぎる。「ものづくり」は昭和の時代には先進国の仕事だったが、もはや先進国の仕事ではない。

世界の「ものづくり」の中心は中国である。**図16**において、中国の割合はほぼ一貫して高い。2021年の工業生産額は6・99兆ドルにもなり、世界の生産額の26%を占めている。

図16　各国の工業生産額がGDPに占める割合の推移

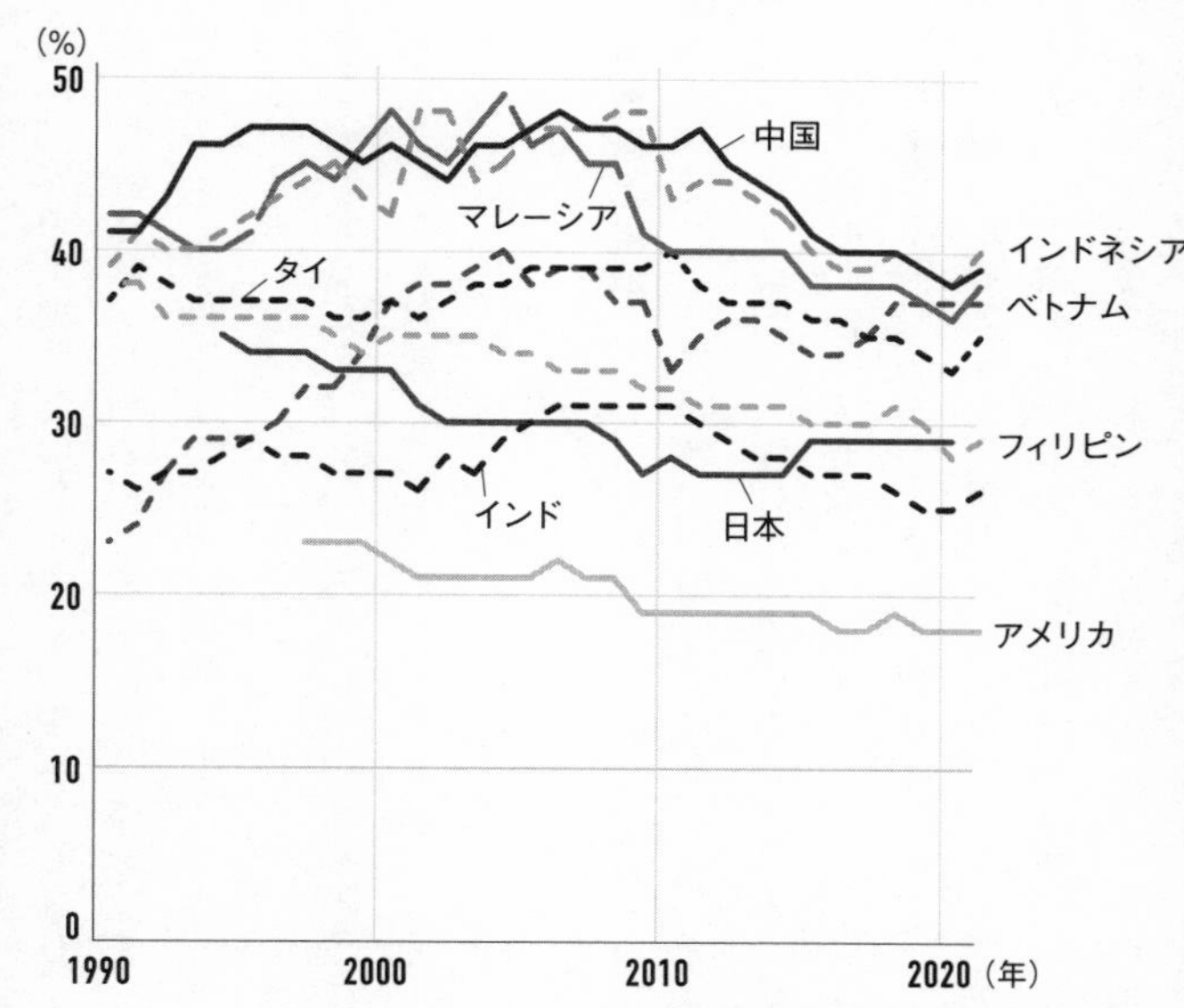

［出典：世界銀行　https://data.worldbank.org］

一方、アメリカは4・17兆ドルで16％、日本は1・43兆ドル（2020年）で5％に過ぎない。中国の生産額が圧倒的に大きい。

東南アジアは意外に頑張っている。**図16**にあげた5か国だけでも合計は1・04兆ドルになり、これはインドの0・82兆ドルを上回り、日本の7割に相当する。

インドは、経済発展が続いているにもかかわらず工業生産額がGDPに占める割合が低く、かつ上昇する様子も見えない。どうもインドは「ものづくり」に向いていないようだ。

中国は世界の工場になったが、その中国でも２０１０年代に入って、工業生産額がＧＤＰに占める割合は低下し始めている。世界全体を見てもその割合は低下している。先に見たように農業の割合も低下しており、結果として、サービス業の割合が増えている。

このような傾向を考えれば、今後、東南アジアにおいて工業生産額がＧＤＰに占める割合が大きく上昇することはないだろう。米中貿易戦争に関連して、中国にある工場がベトナムなど東南アジアに移動しているが、それもここに示した動きを覆すほどのものにはならないと考える。

電力消費量の推移

電力消費量は経済発展のよい指標になる。ここでは東南アジア諸国の一人当たりの電力消費を見てみよう(**図17**)。図には参考のために日本の値も示した。発電量は信頼性の高いデータである。統計が信頼できない中国でも、電力消費量は銀行融資残高、鉄道貨物輸送量とともに信頼できる統計の一つとされている。

図17から分かるように、現在、シンガポールの電力消費量は日本並みである。ただ、その他の東南アジア諸国は日本よりかなり低い水準にある。それでも、マレーシアは日本の半分程度になっており、それにタイが続いている。その他の国の水準はおしなべて低いが、そん

図17　各国の一人当たりの電力消費量の推移

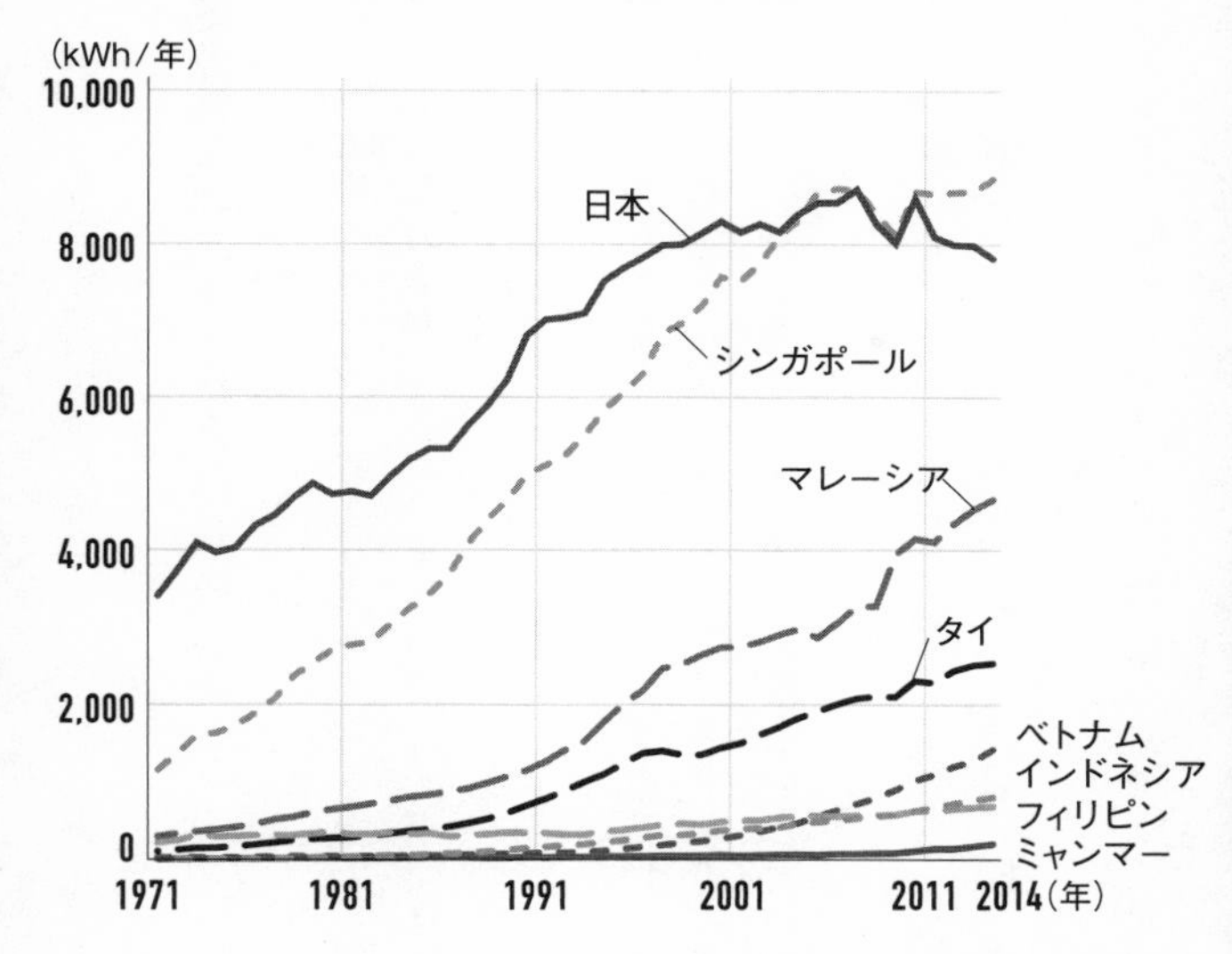

［出典：世界銀行　https://data.worldbank.org］

な中でもベトナムの消費量は急速に上昇し始めている。

　東南アジア諸国の電力消費量はそれほど多くはない。ただ、東南アジアは熱帯から亜熱帯に位置しているから、暖房に使うエネルギーが少ない。そのために電力使用量が少ない面もある。寒冷地ではエネルギーの多くを暖房に使用している。

　熱帯でもシンガポールの消費量が多い。それはその全域が都市であるためと考えられる。一般に農村部の電力使用量は都市部より少ない。その傾向は熱帯でも見られる。熱帯で都市のビルに住めば冷房は必ず必要になるが、農村では木陰で涼む方が気持ちがよいと思うためである。

発電源とエネルギー輸入割合

ここで、東南アジアが何から発電しているか見てみよう。日本との比較を**図18**に示す。この表は日本における発電のあり方を考える上でも役に立つ。

2016年の東南アジアの全ての国の発電量はほぼ日本の発電量に相当する。現在、東南アジアの人口は日本の約6倍だから、東南アジアの人々は平均では日本人の1/6しか電気を使っていないことになる。

何から発電しているかは国によって異なるが、その東南アジア全体を見るとその構成は日本によく似ている。天然ガスと石炭が大半を占めており、水力発電が約1割である。太陽光発電、風力、バイオマスなど環境に優しいと言われるものは、日本でも東南アジアでもわずかしかない。

エネルギー輸入割合についても見てみよう（**図19**）。例えばインドネシアは輸入割合がマイナス100%を少し超えている。これは自国で消費する量とほぼ同じ量を輸出していることを示す。

東南アジアは石油と天然ガス資源に恵まれた地域と言えよう。シンガポールは輸入割合が高いが、これは東京の23区と同程度の広さの島に作られた都市国家とも言えるものだから仕方がないと言える。

原子力発電は低コストか

原子力発電について考えてみたい。日本では東日本大震災による福島第一原発の事故以来、原子力による発電量は激減し、**図18**では全発電量の2%を占めるに過ぎない（2020年は3・1%）。一方、東南アジアでは原子力発電は行われていない。

原子力発電のメカニズムは蒸気機関車に例えられるように、それほど難しいものではない。1960年頃に完成した技術である。スマホに代表される技術に比べれば、オールド・テクノロジーと言ってよい。そんな原発であるが、対応が難しいのは事故が起こった時である。地震、津波、テロ、そして人為的な誤動作も事故の原因になる。

そして重要なことは、科学の用語に「絶対」がないことである。「絶対、事故が起きない」と言うことはできない。あるのは確率だけである。そして、確率とは人知が及ばない現象である。原発の価格は、安全をどの水準で考えるかによって決まる。事故の起きる確率を低くしようとすればするほど、原発による発電は高くつく。

それでもエネルギーの価格が高ければ原発を造る価値がある。だから、石油危機が起きた

（単位：GWh）

フィリピン	シンガポール	タイ	ベトナム	東南アジア合計	日本
975		345	218	1,544	6,166
1,097	146	3,377		4,966	45,761
11,070		1		21,727	2,501
8,111		6,983	65,722	131,875	84,766
				0	18,060
18	1,200	50		1,274	19,090
708	242	18,004	68	21,617	15,058
19,854	49,109	124,760	46,055	382,987	417,308
5,661	361	570	1,910	25,875	82,550
43,303	619	36,920	68,211	356,125	349,204
90,797	51,677	191,010	182,184	947,990	1,040,464

１９７０年代、世界中で原発が造られた。

しかし、石油ショック後も世界経済は成長した。２０１８年の世界のＧＤＰは１９７０年の約30倍に増えた。そのために１９７０年頃に１バレル３ドルであった原油の価格が90ドルになっても、世界の経済にとってそれほどの影響はない。

原発に逆風が吹くきっかけは度重なる事故だった。スリーマイル（１９７９年）、チェルノブイリ（１９８６年）、福島（２０１１年）と次々と大事故が起きた。原発はいったん事故が起こると被害は１０００年スケールで続き、その対応に天文学的な費用が必要になる。

そんな原発の建設に周辺の住民は強く反対する。福島の事故が起きてからは、すで

図18　東南アジア各国の発電量の内訳（2016年）

［出典：IEA（国際エネルギー機関）　https://www.iea.org/data-and-statistics］

	ブルネイ	カンボジア	インドネシア	マレーシア	ミャンマー
風力			6		
太陽光	1	3	21	310	11
地熱			10,656		
水力		2,619	18,677	20,019	9,744
原子力					
ごみ発電			6		
バイオマス		42	1,793	760	
ガス	4,224		65,699	65,234	8,052
石油	45	379	15,704	1,184	61
石炭		2,551	135,358	69,153	10
合計	4,270	5,594	247,920	156,660	17,878

に稼働している原発周辺でも反対運動が再熱している。そんな反対派を納得させようと思うと、安全対策にとんでもない費用が必要になる。先ほども述べたように科学に絶対という言葉はないから、「絶対安全です」と言うためには、無限大の費用が必要になってしまう。

そのような状況の中で、事態を冷静に分析していた人々は、原発は割が合わないと考えるようになっていた。アメリカの企業はそんな状況を正確に読んでいたようだ。そのために福島の事故が起きる前の２００６年（すでにスリーマイル、チェルノブイリで事故が起きており、原発反対の動きは世界中に広がっていた）に、アメリカのウエスチングハウスは原子力事業を６４００億円

図19　東南アジア各国のエネルギー輸入割合（2013年）

［出典：世界銀行　https://data.worldbank.org］

ブルネイ	-458%
インドネシア	-112%
ミャンマー	-40%
ベトナム	-15%
マレーシア	-6%
カンボジア	32%
タイ	42%
フィリピン	45%
シンガポール	98%

で東芝に売却した。

原子力部門の購入は当時の東芝のトップであり、国際派として知られた西田厚聰氏の判断だった。彼は情報の収集に熱心であり、新聞などで興味のある広告を見かけると、すぐに本や雑誌を秘書に買いに行かせたという逸話を聞いたことがある。彼は読書好きであり勉強家であった。

そんな彼でも経営判断を間違った。それは日本人の頭の中には石油ショックの記憶、そして1941年にアメリカから石油を禁輸されたことによって、開戦に踏み切らざるを得なくなった記憶が刷り込まれているためだろう。

エネルギーは日本の生命線、そんな暗黙知がエリート層に存在する。だから、原発を推進すると言うとエリートは必ず賛成してくれる。政治家や経産省も応援してくれるはずだ。東芝がウエスチングハウスの原子力部門を購入するとした判断には、そんな甘えがあったのだと思う。

しかし、福島原発の事故が起きると東芝の原発事業は頓挫した。それは東芝の経営が傾くきっかけになった。西田氏はそんな中で経営から退き、２０１７年に73歳で亡くなっている。

ベトナムへの原発輸出

とは言え、日本は原発に関して高い技術を持っている。原発の輸出は日本のエリート層の心をくすぐる。ベトナムは日本の原発に関心を寄せている。そんなわけで、日本は官民あげて原発をベトナムに輸出しようと思っている。しかし、結論を先に言えば、ベトナムは原発を造ることはないだろう。

なぜ、ベトナムは原発を建設しようと思ったのだろうか。そして、なぜ、日本から買いたいと言い出したのであろうか。考えてみたい。

前項で原発による発電は安全面の対策を考えると高くつくとしたが、それでも２００６年から２００８年のように石油価格が高騰すると、石油を輸入している国は不安になる。さらに、原油や天然ガスなどのエネルギー資源の輸出国であるロシアが２０２１年2月にウクライナへ全面侵攻したことにより、世界のエネルギー情勢は混迷を深め、エネルギー価格の上昇は一過性のものにとどまらない可能性がある。

ベトナムは石油の輸出国であるが輸出量は減少しており、今後、輸入国に転じるとされる。

ただ、ベトナムは石炭資源も豊富であり、**図19**で見たように全体ではエネルギーを輸出している。そんなわけで、日本のように自給率が低いから原発を造った方がよいと考える環境にはない。

ちなみに、原発によって作られるエネルギーは国内生産とされる。これは原料となるウランは輸入したものであっても、それを長期間保存できるためである。ウランの輸入が原子力発電のネックになることはない。そのために、原子力発電は自給エネルギーに入れられている。

中進国や開発途上国が原子力による発電を言う場合には、その背景に国威発揚がある。原子力発電は1960年代に技術が確立されたといっても、それは高度な技術の塊と言ってよい。原発を持つことによって、開発途上国の政府は国民に発展の成果を示すことができる。また周辺国の途上国に対して優越的な感情を持つこともできる。

それだけではない。原発は安全保障に役立つ。それは原子力発電を行うことによって、プルトニウムが作られるからである。プルトニウムは長崎型原爆の原料になる。燃えカスであるプルトニウムがすぐに原爆の原料になるわけではないが、そこから少し加工すれば原爆を作ることができる。

プルトニウムは再処理してプルサーマル原子力発電の燃料にすることができるが、その技術は少々難しい。日本では、福島の事故以来、この再処理工場が稼働していないために、プルトニウムが溜まり始めた。そのことに対してアメリカは危惧を表明している。表向きはテロ組織に盗まれることが心配と言っているが、心の中では将来日本が核武装する準備ではないかと疑っている。

東南アジアの国の中で最も軍事に力を入れているのはベトナムである。それはベトナム戦争を戦ったからではない。すぐ隣に中国という目に見える脅威があるためだ。

そんなベトナムは、エネルギーを多く輸入しているわけでもないのに、原子力による発電を言い出した。一人当たりGDPが2000ドルに満たない段階で、原発の保有を言い出したことには、将来、核兵器を持ちたいとの底意が隠されている。

そして、原発を日本とロシアから輸入したいと言っている。原子力による発電の技術を持つ国は、現在、アメリカ、ロシア、フランス、日本の他、中国、韓国に限られている。

韓国も原子力による発電の技術を輸出したがっているが、原発はいったん事故が起きると取り返しがつかない事態に陥るために、総合的な技術力を考えれば韓国を信頼することはできない。ベトナムにとって中国は潜在的な脅威である。だから中国から原子力発電を買いたくない。そうなると、先にあげた4か国の中から選ばなければならない。

アメリカは有力だが、アメリカはベトナムに原発を売りたくはないだろう。同様に旧宗主国であったフランスからも購入したくない。そうなると、日本とロシアになる。ロシアは軍事技術の一部では優れているものの、チェルノブイリでの事故からも分かるように、原発の安全技術に関しては信頼性に欠ける。だが、長年のよしみもあるので無視することはできない。そんなわけで、ロシアから2基、そして信頼性が高い日本から2基を導入しようと考えていた。しかし、その日本で福島の事故が起きた。そのような状況の中で、建設予定地周辺の住民を説得することが難しくなった。

ベトナムは中国と同様に社会主義国であり、その政治形態は共産党の一党独裁である。しかし、国会議員は「祖国戦線」という組織の推薦を受ける必要があるとされているが、直接選挙によって選ばれている。定員は500人であるが、現在、その約10%は共産党員ではないとされる。

そのため、中国の全国人民代表大会のようにシャンシャン大会では終わらない。活発な議論がある。原発などに関する議論は結構活発に行われる。そのような状況で、原発建設を強行すれば、国論が割れる。これは当局が原発の導入をためらうようになった一番大きな理由だろう。

それでも、ベトナム政府は原発の導入を検討し続けていると言っている。それは中国の脅威に対する備えだ。ベトナムにとって原発はエネルギー政策というよりも安全保障政策である。完全に導入を諦めたと言わない方が、安全保障上有利だと思っているフシがある。

ただ、ＬＥＤやスマホの普及により、思ったほど電力需要が増加しない可能性がある。なんとか火力発電で対応ができそうなのだ。そんな状況で、ベトナム政府が国論を二分する可能性のある原発の建設を強行するとは思えない。

反対運動が盛んになればなるほどその建設に多くの費用が必要になるから、もはや原発は安いエネルギー源とは言えない。日本企業はベトナム政府が原発の導入にもう一度本気になってくれることを願っているが、ベトナム政府が翻意する可能性は低いであろう。

第3節◉スマホが変える東南アジアの交通手段

新幹線輸出は進むか

日本からの新幹線の輸出について触れたい。以前から、ベトナムではハノイとホーチミン市を結ぶ新幹線が計画されている。同様にタイやインドネシアに対しても、新幹線の輸出が話題になる。だが、筆者は東南アジア諸国への新幹線の輸出が順調に進むことはないと考えている。

日本が東海道新幹線を開通させたのは、東京オリンピックが行われた1964年である。新幹線は高速輸送手段として優れている。だが、その地位は飛行機によって奪われつつある。狭い日本では今でも新幹線は有力な移動手段だが、より国土が広い国になると、飛行機の方が便利である。

日本が新幹線を造り始めた頃、飛行機は今ひとつ信頼性に欠けていた。日本でも、しばしば大きな飛行機事故が発生していたが、それから半世紀ほどの時間が経過した現在、飛行機は飛躍的に安全な移動手段になった。まだ墜落事故がないわけではないが、世界中を多くの飛行機が飛び回る時代になっても、大きな飛行機事故が起きることは少なくなった。

そんな時代、アジアではLCC（格安航空）が急速に発展し始めた。これはアジアの移動手段を大きく変え始めている。ハノイからホーチミンまで直線距離で1140㎞ほどであり、直線で線路を引くことはできないから、新幹線が時速300㎞で走行しても4時間以上が必要になる。それに対して、現在、飛行機は2時間で、両都市をつないでいる。そんな状況では、安全性に問題がないのなら、新幹線を選ぶ人は少ないだろう。

新幹線の建設には新たな問題が浮上している。それは建設コストである。もし、移動手段が新幹線しかないのであれば、いくら費用がかかっても建設する。しかし、現在は飛行機や高速道路を利用して移動が可能である。

この建設コストが高いことは日本でも問題になっている。技術的には日本中に新幹線網を張り巡らすことが可能である。だが採算を考えると、それはできない。そんなわけで地元が新幹線の導入を要請しても、国土交通省や鉄道各社はその要請になかなか応じない。東海道、山陽新幹線、新潟新幹線、東北新幹線までは順調につくられたが、東北新幹線の延長や九州新幹線、長野新幹線などの建設は遅れがちだった。採算を考えると、そうやすやすと建設するわけにはいかない。

東南アジアでの新幹線の建設も同じような状況にある。そして、もう何年かすれば、東南アジアで新幹線を造ってもよいと思う路線は、現在よりも大幅に減るだろう。その原因は中国にある。

中国の新幹線事情に学ぶ

中国は驚くべきスピードで新幹線を建設している。２００７年に最初の新幹線が造られたが、２０２２年の時点で、総延長は約４万２０００kmに達するとされる。日本の新幹線網の延長はミニ新幹線も含めて約３３００kmだから、中国の新幹線網の延長は日本の10倍以上である。現在、景気対策として、さらに新幹線網が延長されている。

だが、中国の新幹線は大きな問題を抱えている。中国メディアによると、国鉄の債務は６兆元（約１１７兆円）超に達しているという。そんなにお金をかけたのに、その経済効果には疑問符が付いている。それは、国土が広い中国では長距離の移動には、新幹線より飛行機の方が便利だからだ。これまでのところ、新幹線の乗車率は低く、なんとか採算がとれるのは北京と上海を結ぶ路線だけとも言われる。大半の路線は赤字だと言う。

太古の昔から、中国は大規模な土木工事が大好きである。秦の始皇帝の阿房宮と万里の長城、それ以外にも隋の煬帝の大運河などがある。万里の長城は歴代の皇帝も造り続けた。中国では大規模な土木工事は権威の象徴でもある。大規模な土木事業を行ってこそ、偉大な王朝として認められる。そんなわけで土木事業は採算を無視して人民をこき使って行うことになる。それは人々の怨嗟(えんさ)を買い、王朝が滅びる原因になった。

それが分かっていながら、共産党政権になっても権威の象徴としての土木工事はやめられないようだ。新幹線も政権の権威の一環として建設された。だから、採算を無視して驚異的なスピードで建設された。日本のように、赤字路線を作らないように慎重に造ったわけではない。

だが、万里の長城が何の役にも立たなかったように、中国の新幹線網も無用の長物になる可能性が高い。今後、中国の景気が後退すれば、ほとんど乗る人がいない新幹線を維持することは、鉄道会社にとって重荷でしかないであろう。そのような状況で、建設に要した莫大な費用はどのようにして回収するのであろうか。今後、中国の新幹線は不良債権の山として大きな問題になる。

飛行機が発達した今日、新幹線は３００kmから５００km程度の移動に適している。それ以上の距離は飛行機で移動する方が効率的である。また３００km以下の距離ならば、自動車で移動する方が便利だ。このような事情が明らかになりつつあるので、東南アジア諸国が新幹線の建設に一生懸命になるような状況ではない。

現在、中国は自国ではほとんどの地域に新幹線を造ってしまったために、その余った建設能力を東南アジアに輸出しようと考えている。それは一帯一路の一部になっている。だが、現在、東南アジア諸国はその受け入れに慎重である。

マレーシアはナジブ政権の時代に中国による高速鉄道の建設に合意したが、マハティール政権になって、中国にその計画の見直しを求めた。今後、中国で不動産バブルが崩壊し、それが金融システムにまで及ぶようなことがあれば、中国における新幹線建設の無謀さは今以上に指摘されることになろう。そうなれば、新幹線の売り込みがうまくいくはずもない。

鉄道は19世紀の遺物

東南アジアでは新幹線の建設がなかなか進まない。それだけではない。都市と近郊をつなぐ電車や地下鉄などもなかなか整備されない。日本は鉄道網が整備されており、そんな我々から見ると、東南アジアは遅れた地域に見えてしまう。

しかし、少し冷静になって世界を見渡してみると、経済が発展すると鉄道が整備されると考える我々の方が間違っているようだ。

19世紀にイギリスを中心にヨーロッパで鉄道網が整備された。イギリスは鉄道をインドにも引いた。鉄道を利用してイギリスは支配する地域を増やしていった。19世紀において鉄道はハイテクの象徴であり、またその革命的な輸送能力は権力が支配地域を広げる上でも有効に働いた。

日本の近代化のモデルはイギリスだったから、日本は明治になると鉄道網の整備に力を入れた。「♪汽笛一声新橋をー」と鉄道唱歌に歌われた、新橋と横浜間の鉄道は文明開化の象徴であった。

しかし、20世紀の前半に国土の整備が進んだアメリカでは、輸送を鉄道よりも道路に頼るようになった。東南アジアの発展は明らかにアメリカ型を踏襲している。

そんな東南アジアでは、道路沿いに人口が集中するようになった。人口密度が高いアジアではその方が合理的なのかもしれない。それは鉄道では駅周辺だけに人口が集中して、駅と駅の間は発展しないからだ。鉄道は〝点〟の発展になるが、道路は〝線〟の発展になる。

オートバイが急速に普及したベトナムでは、道路沿いに住んでいれば、かなり遠くまで通勤や通学をすることができる。また道路沿いに住んでいれば、自分が自動車を持っていなくとも、卸業者の車が家まで荷物を届けてくれる。商売ができる。彼らは歩いて行けるところに農地を保持している。そんな光景をよく目にする。

経済が順調に発展し始めると、道路沿いに住む農民は農業収入よりも商店で得る収入の方が多くなる。また、息子や娘がオートバイに乗って働きに行く。東南アジアでは農業の兼業化が急速に進んでいる。

それに対して、交通を鉄道網に頼った日本では地方都市が駅を中心に発展したために、農民は駅のある街に引っ越さなければ商業などのサービス業に就くことができなかった。ベトナムを見ていると、鉄道よりも道路の方が地方を豊かにするという点で優れているように思える。

経済発展が始まる前にスマホが普及

筆者はベトナムを見ているが、ベトナムでは日本以上のスピードでスマホが普及したように感じる。現在、全ての若者がスマホを持っていると言ってよい。今でもベトナム人の賃金は高くない。ベトナム人は安月給を補うために副業を行っているが、それでも平均的な労働者の収入は副業をあわせてハノイやホーチミン市などで1か月に4万円から5万円、地方では2万円程度だろう。

しかし、そんなベトナムで10万円もするスマホを持っている若者をよく見かける。もちろん格安機種を持っている人が多いのだが、格安機種でも3万円程度はするから、それは月収に相当する。どうやって購入するのだろうか。日本人は不思議がっているが、それほどまでに猛烈なスピードでスマホは普及してしまった。また、新しい機種が出ると買い替えも盛んである。

ベトナムには本屋が少ない。大都市にはあるが、地方で本屋を見かけることはまずない。

新聞も少ない。ベトナムの新聞としてニャンザンが有名だが、それは共産党の機関紙である。そんな新聞を読んで面白いわけはない。だから、ベトナムの人々には日本人のように新聞を読む習慣はない。本も新聞も読まない。テレビは普及しているが、全てがＮＨＫのようなもので、共産党の宣伝色が強くて面白くない。そんな社会でインターネットとスマホは急速に成長した。

ベトナムは経済成長が軌道に乗り人々の生活に余裕が出始めた時期と、スマホが普及する時期が重なった。中国では固定電話が普及する前に携帯電話が普及したと言われたが、ベトナムでは携帯電話が普及する前にスマホが普及した。

スマホは世界を大きく変えている。それはベトナムなど東南アジアにおいて顕著である。その結果、今後、東南アジアにおける経済発展は日本など従来型の発展とは大きく異なる可能性がある。

スマホと自動車

スマホをいじっていると時間が潰れるので、スマホ以外のものを欲しがらなくなると言われるが、それは日本だけの現象ではないようだ。筆者が最も興味を持って見ているのは、東南アジアにおける自動車の普及である。工業生産の中で自動車が占める役割は大きい。自動車は裾野が広い産業である。

一人当たりGDPが3000ドルを超えると自動車が急速に普及すると言われる。2021年現在、東南アジアではインドネシア(4333ドル)、ベトナム(3756ドル)、フィリピン(3461ドル)などがその時期を迎えている。しかし、スマホが普及した現在、そのような過去の経験則はあまり役に立たないと考える。

自動車は移動手段であるとともに富の象徴だった。人はお金持ちになると、押し出しのよい大きな車に乗りたがる。日本でも車には富の象徴としての役割があった。私が覚えているCMに「隣の車が小さく見えます」、「いつかはクラウン」などというキャッチフレーズがあった。自家用車は移動手段であるとともに、見栄を満たすものでもあった。

それは中国でも同じだった。中国人は日本人よりももっと見栄っ張りだから、どの国の人よりも自動車を欲しがった。それも大きくて豪華な車。中国では、小型車は人気がないと聞いた。

しかし、そんな中国でも変化が起きている。2017年頃から車の販売が低迷し始めた。エコノミストはその原因を経済の減速によって説明しようとしているが、筆者はちょっと異なる現象が起きているのではないかと思っている。

車が売れない原因はスマホの普及にありそうだ。中国のスマホの普及は日本以上である。

スマホが普及すると、新たな現象がいくつも起きる。その一つがシェア自転車であった。これは一時のブームで終わったようだが、それでも一時はすごい人気であった。

スマホはシェア経済に向いている。自動車のシェアも普及し始めた。ただ、シェア自動車はそれなりに面倒臭い。シェア自転車で問題になったように、管理が難しいためだ。みんなで所有するものは管理が難しい。社会学でいうところの〝コモンズの悲劇〟である。中国のシェア自転車のブームがあっと言う間に去ったように、シェアは経済の主流にはならないと思う。

その一方で移動手段に革命が起きている。それはウーバーやグラブに代表されるスマホを用いたタクシー・システムである。これは、東南アジアの交通事情に革命的な影響を与えている。

ベトナムのタクシー革命

東南アジアでは、本格的な自動車の普及はこれからである。ベトナムでの自動車の普及は日本より50年、中国より20年は遅れている。現在、ベトナムの年間自動車販売台数は約50万台に過ぎない。それは日本が４４５万台、中国が２６８３万台であることを考えると、極めて少ない。

そんなベトナムではスマホを利用したグラブに代表されるタクシー・システムが急速に普及した。数年前まで、ベトナムのタクシーは信頼できなかった。遠回りをしたりメーターを改造したり、外国人だけでなくベトナムの人々もその柄の悪さを嫌っていた。

しかし、数年前からスマホを用いたシステムが普及し始めると、状況は大きく変わった。ここで重要な役割を果たしたのが白タク（免許を持たない一般人が運転するタクシー）である。ベトナムでは、誰もがスマホを用いてタクシー業を始めることができる。その結果、自家用車を持っている人が暇な時間を利用して、小遣い稼ぎを始めた。また、自家用車を貸して、借りた人がタクシーとして使うことも増えた。

一般の人がタクシーを安心して使えるようになった。スマート・タクシーでは動いた道筋が記録に残る。決済もスマホで行うことができる。現金で払ってもよいが、現金を使わなくてもよい。そんなシステムでは過大な請求をされることはない。

人件費が安いこともあり、ベトナムのタクシーは安い。それに加えて、白タクがライバルになったために、プロのタクシーはよほどサービスを良くしないと、白タクにお客を奪われてしまう。

シェア経済の良い面が出たようだ。まだ地下鉄が一路線もないベトナムでは、人々は常に移動手段に困っていた。そんなベトナムでは、スマホを用いたタクシーが急速に普及した。

それはプロのタクシーの運転手にとっても、悪い話ではなかったようだ。なぜなら、流しでお客を探す必要がなくなったからである。料金が安いこともあって、すぐに客からスマホに連絡が入る。具体的なデータは知らないが、空車率は下がったと思う。その結果、観光地での強引な客引きも減った。

日本ではタクシーが信頼できるものであり、かつタクシー業界が過当競争気味であることから、スマホを使った白タクが許可されることはなかった。しかし、ベトナムではタクシー業界が幼稚な段階にあったために、スマホを利用した白タクが許可されて、それは交通手段に革命的な変化を及ぼした。

現在はベトナムでも自動車にクーラーが付いている。高級なホテルではなく一般の飲食店で食事をした後でも、スマホでタクシーを呼ぶと5分から10分ほどで店の前にタクシーが現れる。会計を済ませる前にタクシーを呼んでおいて、会計しながら待っていればよい。暑いベトナムでは、店の前までタクシーが来てくれるのは何よりのサービスである。これなら専用の運転手付きの自家用車を持っているようなものだ。

余談になるが、ベトナムではいつまで経ってもハノイやホーチミン市のモノレールや地下鉄が完成しない。それには役人の汚職が関係していると噂され、市民の怒りの対象になっていた。しかし、昨今、それを怒る人はめっきり減ったという。なぜなら、モノレールや地下鉄を利用する際には、駅まで歩いて行かなければならないし、駅を降りてからも目的地まで歩く必要があるからだ。暑いベトナムでは人々は炎天下を歩くのを嫌う。

そんなことから、店の前まで冷房の効いた車が来てくれて、料金も安いスマホ・タクシーが大変な人気である。もはやモノレールや地下鉄が完成しても利用する人は少ないのではないかとまで言われている。

自動車産業なき経済発展

このスマホを利用した交通システムは、東南アジアの経済発展の行方も左右しそうだ。それは駐車場の問題とも関連する。東京がそうであるようにアジアの都市は人口密度が高い。アジアの都市にはロサンゼルスのように巨大な田舎と表現される人口密度の低い都市はない。そんな都市では地価が高い。そのために中心部では駐車場が少ない。そんなわけで自家用車で移動しても駐車場の確保に苦労する。専用の運転手を雇っていなければ、中心部を自動車で移動することはできない。

しかし、グラブなどのシステムを用いれば駐車場の確保を心配することはない。これもウーバーやグラブなどが好まれる理由である。

ほぼ全ての家庭が自動車を保有し、自動車が富や地位の象徴ではなくなると、自動車の保有は苦痛である。普通の勤め人が自家用車を利用するのは休日だけである。それでも子供が小さい時はドライブなどに出かけるが、子供が大きくなればドライブにも行かなくなる。バッテリーが上がることを心配するようになる。わが家ではそのような状況がここ10年ほど続いている。

モータリゼーションが訪れる前にスマホが普及したベトナムでは、人々の自動車に対する感覚が日本や中国とは異なってしまったようだ。多くの人が、自動車は所有するものではなく使用するものと考えるようになった。

一般の人にとって自動車はいまだに高価である。そんな自動車に対してローンを組んでまで手に入れようと思う人は少なくなった。

スマホが普及すると、日本でもメルカリに代表される中古市場が活性化するなど、人々の行動パターンが変わったが、ベトナムでは自動車に対する感覚が真っ先に変わってしまったようだ。

ベトナムの一人当たりGDPは、2022年には4087ドルになった。一人当たりGDPが3000ドルを超えたのに、ベトナムではいまだ自家用車ブームは起きていない。たしかに街を行き交う自動車は増えて渋滞が発生するようになったが、20年前にタイで経験したどうしようもない交通渋滞は今のところ発生していない。タイや中国での経験とベトナムはどこか異なる。

10年ほど前にインドのタタ自動車が日本の軽自動車などよりも小さな車を発売したことがあった。しかし、庶民がそれほど自家用車を欲しがらないのであれば、小型車が人気を博することはない。

ある程度の収入がある人は、中型車を購入して、休日や空いた時間に白タクを走らせて収入を得たいと思うはずだ。東南アジアで日本の軽自動車は売れないだろう。

ここに書いたことは、今後の東南アジア経済を考える上で、とても重要だと思っている。我々日本人の頭の中には、経済発展とは工業化、その中でも自動車産業が花形という思いが強く刻まれている。

しかし、スマホが普及した現在、全てのものに対して、所有よりも使用が重視されるようになった。ヤフーオークションやメルカリがブームを起こしたように中古品も抵抗感なく流通する。それは工業部門が経済発展をリードする時代ではなくなったことを意味している。

第4節◉貿易から見える東南アジアと日本の関係

輸出額がGDPに占める割合

東南アジア諸国ではGDPに占める輸出額の割合が大きい。これは東南アジア経済の特徴と言ってもよい。一般にこの割合は小国で高くなる。それは小国では必要な物を全て国内で取り揃えることが難しいからだ。足りないものは輸入によって賄う。そのためには外貨を稼がなければならないから、輸出に力を入れる。一方、大国は必要なものを国内で生産できるから、その比率は低くなる。

東南アジア諸国の輸出額がGDPに占める割合を**図20**に示した。図には参考のために、日本、アメリカの値も示した。シンガポールは香港と並んで輸出額がGDPに占める値が特に高いために、この図から除いた。その割合は２００％近辺を上下している。シンガポールや香港は東京の23区のような地域であり、外から食糧やエネルギーを持ってこなければ生きていけない。また、貿易の中継点であることを生業にしている。そんなわけで、かなり例外的な存在である。そのため除いた。

図20より分かるように、日本の割合は低い。我々は何となく日本は貿易立国であるとの

認識を持っている。「国土が狭く資源に乏しい日本は世界から資源やエネルギーを輸入して、それを原材料にして工業製品を作り、それを輸出することにより国が成り立っている」という言説を、我々は小学生の頃から習ってきた。だが、それは世界を見渡した時に間違いである。

日本は貿易立国ではない

ここで少々脱線したい。日本において輸出額がGDPに占める割合は2割以下である。それなのに、なぜ貿易立国であると教えられるのであろうか。それは輸出が大企業によって行われているからだろう。

日本は中小・零細企業が多い国として知られるが、中小・零細企業の多くは輸出に関わっていない。下請けとして部品を親会社に納入して、親会社の製品が輸出されることはあっても、中小、零細企業の製品が輸出されることは少ない。

日本では優秀な人材は丸の内や大手町に本社を構える大企業に入社するが、そんな大企業には輸出産業が多い。その一方で小売など国内を相手にしているのは中小や零細企業が多い。そこは優秀な人材が行くべき場所ではないと考えられている。そんな日本では、学校において「輸出産業が日本を支えている」という言説を教育している。

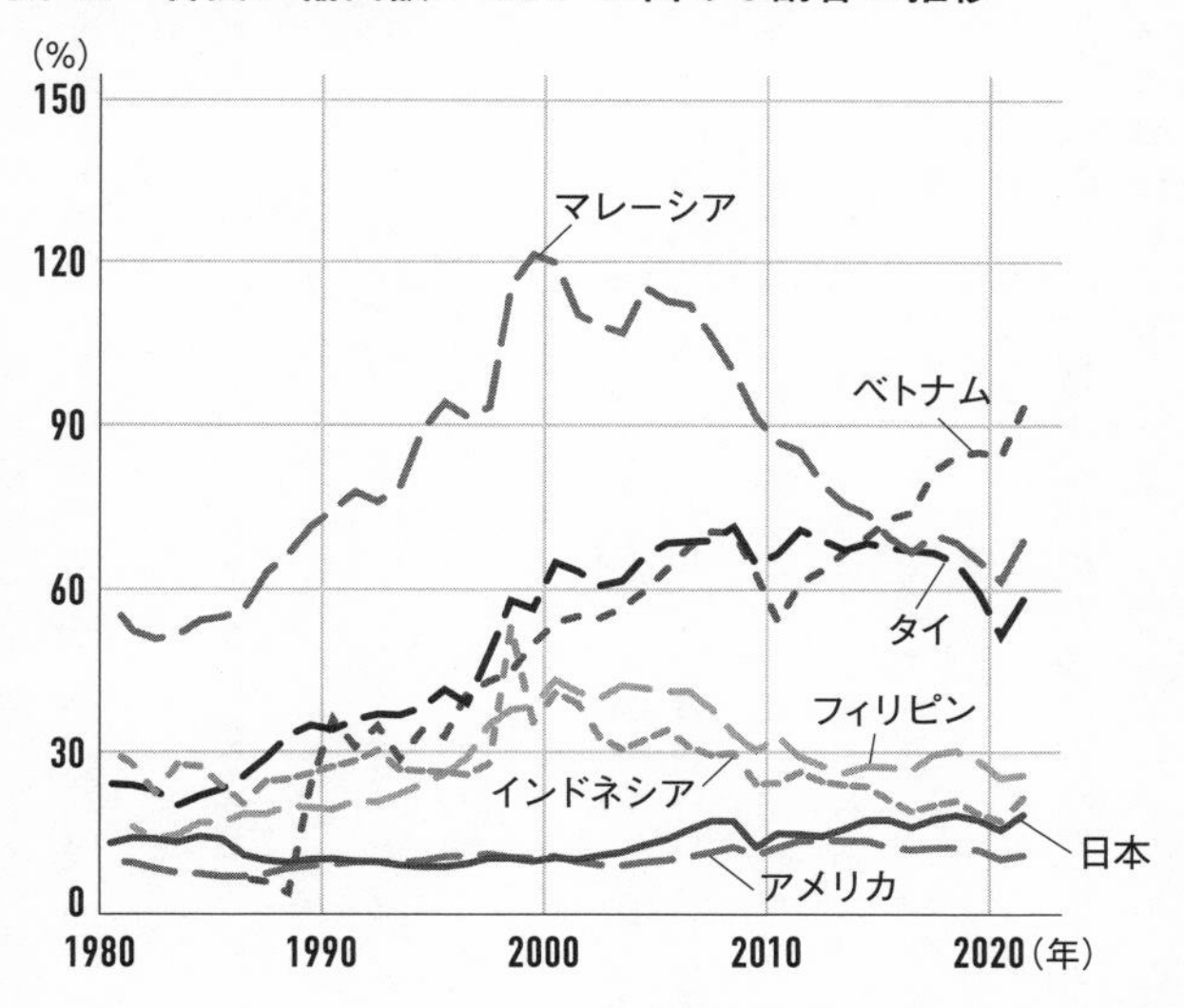

［出典：世界銀行　https://data.worldbank.org］

その教育の成果は、円の交換レートを語る時に強く表れる。アメリカは為替のレートを、その時の利害で調節する。アメリカ人は強いドルを好む。強いアメリカ、強いドル。一般の民衆はドルが安くなることを望んでいない。それは**図20**を見れば明らかだろう。アメリカの輸出額がGDPに占める割合は日本とほぼ同程度である。その一方で輸入額は多い。だから強いドルは国益になる。通貨が強ければ、海外のものを安く買える。

同様に日本も円高になれば海外の製品を安く買える。海外旅行にも安く行ける。日本のように輸出額がG

ＤＰに占める割合が低い国では、必ずしも円安は国益ではないのである。円安が有利に働くのは輸出で儲ける大企業であり、一般国民は損をする。

ベトナム、マレーシア、タイは貿易立国

話を元に戻す。ベトナム、マレーシア、タイでは輸出額がＧＤＰに占める割合が高い。マレーシアの人口は約３０００万人であり小国と言ってもよいが、ベトナムの人口は約1億人、タイは約７０００万人もあり、決して小国とは言えない。ちなみに、イギリスやフランスの人口は約６０００万人である。

これは、この3国が輸出によって稼ぐ政策を強く推し進めてきたからに他ならない。１９９０年代以降、ベトナムでこの割合が急上昇している。一方、マレーシアでは一時より低下傾向にある。21世紀になった頃から、タイの割合は横ばいである。これはそれぞれの国の経済発展段階を反映していると思われる。この3国の中ではベトナムの発展が最も遅れている。そのような状況で、政府は輸出によって稼ぐことを目標に、そのような産業への優遇政策を行っている。

例えば国有地を輸出産業のために安く払い下げる政策だ。輸出産業に税制上の優遇措置を設ける場合もある。まさに、現在のベトナムはそのような状況にある。**図20**を見れば分か

るように、そのような状況は1980年頃から2000年頃のマレーシアに重なる。同じ時期にはタイの割合も増えていた。

そのような輸出産業に対する優遇政策は、ある程度経済が発展すると見直されることになる。それは全ての人が輸出産業に従事しているわけではないからだ。輸出産業だけに税制上の優遇措置を講じては不公平である。また、そのような行為には汚職が絡んでいることが多い。あからさまな輸出産業の優遇は国民から白い目で見られることになる。

マレーシアやタイは2000年頃から、そのような時代に入ったのであろう。そう考えれば、ベトナムももうしばらくすれば輸出に強く依存した経済を修正しなければならなくなるだろう。

フィリピンの経済発展の見通し

上記の3国に比べて、フィリピンとインドネシアは輸出額がGDPに占める割合が低い。両国ともに1990年頃から2010年頃まで、一時的にその割合が高まったが、それでもベトナムやマレーシアほど高まることはなかった。そして2010年頃から低下し、現在、インドネシアの割合は日本と変わらない水準にまで低下している。

インドネシアの人口は2億6000万人と大国である。開発途上国でも大国であるインドやブラジルでは輸出額がGDPに占める割合は日本と同じような水準にあるから、インドネシアの割合が低いことは理解できよう。

しかし、現在、フィリピンは東南アジアの中ではベトナムと共に経済発展が期待されている国である。それにもかかわらず、輸出割合は低い。このことは、**図16**においてフィリピンでは工業生産額のGDPに対する割合が低かったことに関連している。どうも、フィリピンはベトナムに比べて工業製品を作って輸出することが苦手なようだ。その理由は、これまで宗教や食肉の消費傾向などに関連して述べてきたように、ベトナムの文化が中国的であるのに対してフィリピンがラテン的であるためであろう。

現在、東南アジア諸国の中で投資の対象としてベトナムとフィリピンに注目が集まっている。しかし、ベトナムとフィリピンの将来性は大きく異なると思う。ベトナムは中国のように急速に発展するが、フィリピンはラテン諸国のように、ある程度発展するとそこからは発展しなくなると考えている。

フィリピンの人には悪いが、フィリピンへの期待は期待はずれに終わることが多い。東南アジア諸国が次々に独立した1960年代、最も経済発展が期待されたのはフィリピンであった。それはアメリカが宗主国だった関係で人々が英語を話すこと、また、アメリカはフランスやオランダほど植民地に対してひどいことを行わなかったので、経済の基盤がしっかりしていると思われたからだ。しかし、それから60年が経過した現在、フィリピン経済はマレーシアやタイに大きく遅れをとってしまった。

実は、この辺りの解釈は、数式を用いて議論することが王道と考える開発経済学が最も不得意とするところである。橋や道路を整備しても、その後、経済が順調に発展軌道に乗る国と乗らない国がある。これまでの開発経済学ではこのような問題に答えを見つけることはできない。

だが、このことは東南アジアの今後を考える上で重要なポイントになる。それは、東南アジアが中国文明、インド文明、イスラム文明、そしてラテン文化の影響がミックスされた地域であるからだ。

本書は東南アジアの各国がどの文明に近いか、肉や魚の摂取パターンから分類したが、それは数式を使った将来予測よりも的確に未来を見通すことができると考えている。

日本は東南アジア貿易のお得意様

ところで、日本はどの地域と貿易を行っているのであろうか。それを**図21**に示した。この表はよく見かけるものである。表の数字はドルベースを1ドル１１０円として換算している。日本の輸出額は約83兆円であり、一方、輸入額は約85兆円で約２兆円の貿易赤字である。

日本はもはや貿易によって稼ぐ国ではなくなっている。
そんな日本の最大の貿易相手は中国、それにアメリカ、ＡＳＥＡＮ諸国、ＥＵ諸国が続く。中東や韓国も重要な貿易相手である。その一方で、アフリカとの交易は少ない。ＡＳＥＡＮとの交易額はＥＵよりも大きい。もはや日本にとって東南アジアは無視できない経済圏になっている。

この表を見れば、歴史認識などで問題を抱えているが、中国や韓国と関係を維持する必要があることも分かろう。特に韓国との貿易において日本は黒字を計上している。嫌なやつと思っても、縁を切ると損をする。また、アメリカが事あるごとに貿易問題を取り上げることも分かろう。アメリカとの貿易においても、日本は6兆円もの黒字を計上している。日本は石油や天然ガスを輸入しなければ生きていけないが、その代金をアメリカと韓国から稼いでいる。

図21から日本にとってどの地域が重要か分かるが、それだけでは物事の半分しか分からない。自分がどう思っているかだけでなく、相手がどう思っているかを知らなければ、うまく付き合っていくことはできない。

相手の立場に立って考えてみよう。まずは中国である。中国の最大の輸出相手はアメリカであり、２０２１年の輸出額の18％を占めている。日本は国別ではアメリカに次いで2位の

図 21　日本の貿易概況

相手国・地域	2021年（兆円）			シェア（%）	
	輸出	輸入	収支	輸出	輸入
世界	83	85	-2	100%	100%
中国	18	20	-2	22%	24%
米国	15	9	6	18%	11%
ASEAN	13	13	0	15%	15%
EU (27)	8	9	-1	9%	11%
韓国	6	4	2	7%	4%
ロシア・CIS	2	8	-6	2%	10%
中東	2	8	-6	2%	10%
アフリカ	1	2	-1	1%	2%

［出典：JETRO（日本貿易振興機構）https://www.jetro.go.jp/world/］

5％である。国別では2位であるから、中国にとって日本は重要なお客さんであるが、それでも5％でしかない。一方、日本にとって中国の割合は、**図21**に示したように22％にもなる。日本にとって中国は重要な商売相手だが、中国にとってはそれほどでもない。このことは日中関係の根底に存在する。

アメリカの2021年の輸出額は1 9 3兆円、それに対して輸入額は3 3 1兆円、貿易赤字は1 1 8兆円にもなる。最大の貿易赤字を計上している国は中国の39兆円であり、それにメキシコの12兆円、ドイツの7・7兆円が続く。日本は4位で6・6兆円。アメリカが貿易戦争を仕掛けなければならない相手が中国であることが分かろう。そのついでにメキシコやドイツ、日本に八つ当たりしている。

韓国についても見ておこう。韓国の輸出額は71兆円（2021年）、輸入額は68兆円であり、3兆円の貿易黒字を稼ぎ出している。その輸出額は日本の約9割にもなり、一方、韓国のGDPは日本の約5割程度だから、韓国の経済がいかに輸出に依存しているかが分かろう。輸出先は中国が18兆円と全体の25％を占めている。それにアメリカの11兆円、ベトナムの6・2兆円が続く。日本への輸出額は3・3兆円でしかない。

韓国にとって日本はそれほど重要なお客さんではなくなっている。韓国にとって最も重要なお客さんは中国である。だから、ついつい中国の意を忖度してしまう。ここに挙げた数字を見れば韓国が外交で日本と距離を置いて、中国に接近する理由が分かろう。

東南アジアと日本が貿易でどのような関わりを持っているか**図22**に示した。日本と中国、米国、それに韓国を比較する。ここには輸出額を示したが、輸出額が多ければ多いほどよいお客さんということになる。それ故に東南アジアの国々は**図22**に示した割合が高い国と特に良好な関係を保ちたいと考えるはずである。

日本への輸出の割合が多いのはフィリピン、タイ、インドネシアである。ただ、高いと言ってもフィリピンでも14％であり、タイやインドネシアは10％以下になっている。一方、中国とアメリカの割合は高い。中国はミャンマーで30％、ラオスで29％などとなっており、その割合は全ての国で日本より高くなっている。韓国の割合は全般的にそれほど高くない。

図22　東南アジア諸国から日本、中国、韓国、米国への輸出額とそれが各国の輸出総額に占める割合（2021年）

※当時の為替レートで円に換算

国名	輸出総額	日本	中国	韓国	米国
カンボジア	2.1 兆円	0.1 兆円 6%	0.2 兆円 8%	0.0 兆円 0%	0.8 兆円 39%
インドネシア	25.5 兆円	2.0 兆円 8%	5.9 兆円 23%	1.0 兆円 4%	2.8 兆円 11%
ラオス	0.8 兆円	0.0 兆円 1%	0.2 兆円 29%	0.0 兆円 0%	0.0 兆円 1%
マレーシア	30.0 兆円	1.8 兆円 6%	4.6 兆円 15%	0.9 兆円 3%	3.4 兆円 11%
ミャンマー	1.7 兆円	0.1 兆円 6%	0.5 兆円 30%	0.0 兆円 0%	0.1 兆円 4%
フィリピン	8.2 兆円	1.2 兆円 14%	1.3 兆円 15%	0.3 兆円 3%	1.3 兆円 16%
シンガポール	50.0 兆円	2.0 兆円 4%	7.4 兆円 15%	2.2 兆円 4%	4.2 兆円 8%
タイ	29.9 兆円	2.7 兆円 9%	4.1 兆円 14%	0.6 兆円 2%	4.6 兆円 15%
ベトナム	37.0 兆円	2.2 兆円 6%	6.2 兆円 17%	2.4 兆円 7%	10.6 兆円 29%
合計	185.2 兆円	12.2 兆円 7%	30.4 兆円 16%	7.4 兆円 4%	27.9 兆円 15%

［出典：JETRO（日本貿易振興機構）https://www.jetro.go.jp/world/］

東南アジアからの輸出において米国は中国と並んで重要な地位を占めている。米国の割合は特にカンボジアで高い。これは次節で示すことだが、カンボジアとラオスは中国からの投資が多い。しかし、両国には違いがある。カンボジアでは中国の投資によって作られた製品を主に米国に輸出している。一方、ラオスでは作られた製品は中国に輸出されている。

輸出額全体を見た時、東南アジアの主な輸出先は中国とアメリカである。日本への輸出額は両国の半分程度にとどまる。

このことは東南アジアにおける日本の地位が低下する直接の原因である。東南アジアの主な輸出先がアメリカであることには変わりがないが、中国の影響は確実に強まっている。それでも東南アジアに行くと日本人というだけで親切にしてもらえることが多い。これは過去に日本が東南アジアとの貿易で存在感を示していた時代のなごりだろう。過去の影響に甘えていると、将来確実にその地位を失う。

タイは親日国として知られているが、タイからの輸出額が最も多いのはアメリカである。それに中国が続く。アメリカには4・6兆円も輸出している。それに中国の4・1兆円が続き、日本は2・7兆円と3位に留まる。同様の傾向はインドネシアでも見られる。1位は中国の5・9兆円、それにアメリカの2・8兆円、日本は2・0兆円で第3位である。

東南アジアへの投資と影響力の強い国

貿易と並んで投資額も、国際情勢を読み解く上で重要なカギになる。誰だって投資家には頭が上がらない。株式会社の社長を決めるのは株主総会である。このことは、国際社会でも同様である。海外への投資はお金儲けの手段であるとともに、海外に影響力を及ぼすための重要な手段になっている。

近年、日本の貿易収支は化石燃料の価格が高騰した際にマイナスになることがある。だが、これまでに海外に投資した資産からのリターンがあるために経常収支はなんとかプラスを維持している。少子高齢化が進む日本は、人生で言えば熟年から老年に達したと言ってよい。そんな国は貿易で稼ぐよりも投資で稼ぐようになる。現在、日本の経常収支がなんとかプラスを保っているのは先達が努力した結果とも言える。

図23に２０２１年における東南アジアへの投資額を示した。表には日本、中国、韓国、米国からの東南アジア各国への投資額を示す。

日本は東南アジアからの輸出先としては中国や米国の後塵を拝していたが、投資額では米国や中国と遜色のない水準にある。日本からベトナム、タイに対する投資額が多い。特にタイでは日本資金の割合は全体の３割を超えている。タイ経済において日本の果たす役割は大きい。一方、中国の投資はカンボジアとラオスで他を圧倒している。カンボジアやラオスに

図23　東南アジアへの投資額とそれが総投資額に占める割合(2021年)

※当時の為替レートで円に換算

国名	投資総額	日本	中国	韓国	米国	備考
カンボジア	0.20兆円	0.01兆円 3%	0.13兆円 61%	0.00兆円 1%	0.02兆円 9%	許可ベース
インドネシア	3.42兆円	0.25兆円 7%	0.35兆円 10%	0.18兆円 5%	0.28兆円 8%	実行ベース
ラオス	0.32兆円	0.00兆円 1%	0.18兆円 58%	0.01兆円 2%	0.00兆円 1%	対内直接投資
マレーシア	1.17兆円	0.10兆円 9%	0.04兆円 4%	0.09兆円 8%	0.38兆円 33%	国際収支ベース
ミャンマー	0.07兆円	0.00兆円 1%	0.02兆円 22%	0.01兆円 10%	0.00兆円 0%	許可ベース
フィリピン	1.06兆円	0.13兆円 13%	0.01兆円 1%	0.02兆円 2%	0.02兆円 2%	許可ベース
シンガポール	0.90兆円	0.02兆円 2%	0.00兆円 0%	0.00兆円 0%	0.64兆円 72%	対内固定資産投資
タイ	0.99兆円	0.26兆円 26%	0.17兆円 17%	0.05兆円 5%	0.12兆円 12%	対内直接投資
ベトナム	3.49兆円	0.45兆円 13%	0.31兆円 9%	0.77兆円 22%	0.08兆円 2%	許可ベース
合計	11.62兆円	1.22兆円 10%	1.20兆円 10%	1.12兆円 10%	1.54兆円 13%	

[出典：JETRO（日本貿易振興機構）https://www.jetro.go.jp/world/]

おいては中国の影響力が強く、現在、両国は中国の植民地と言ってもよいような状態にあるが、それは投資額からも分かろう。

表中のミャンマーの値は2021年2月に起きたクーデター以降の値であるが、他国に比べて投資額が極端に少なくなっている。日本と米国からの投資はほぼなくなっている。そのような中でも、中国は投資を行っている。また韓国からの投資もゼロにはなっていない。この数字からも、現在のミャンマーと中国の関係を類推することができる。また、韓国は軍事政権でも付き合うようだ。この数字からも両国がどんな態度で国際社会と関わっているか基本的な態度を窺い知ることができる。

中国は東南アジアからの輸出先として米国と肩を並べる水準にあり、日本や韓国を大きく上回っていた。だが投資においては日本や韓国とほぼ同じ水準にある。このことは中国の発展段階が多くの資金を海外に投じるまでには至っていない事を示している。

一方、韓国は多くの資金を東南アジアに投資している。韓国のGDPは日本の4割程度であるにもかかわらず投資額は日本とほぼ同水準になっている。特にベトナムではその投資額は日本の約2倍になっている。

既に述べたがベトナム戦争に韓国軍が参加したことからライダイハンの問題などがあり、ベトナム人の韓国に対する印象は良くない。そんなベトナムであるが、韓国人はベトナムに華僑がいないことに気づき、ベトナムを東南アジアにおける投資先として選んだ。朝鮮半島に住む人々は歴史において中国の脅威にさらされてきた。そんな彼らは中国人と商売において争うことがいかに難しいかを学んだ。その結果として華僑がいないベトナムを商売の相手として選んだようだ。日本人もぜひこのようなアジアの地政学を身につける必要があろう。

２０２１年の東南アジアへの総投資額は11・62兆円にもなり、世界の国々は東南アジアを有力な投資先と考えている。この投資は東南アジアの経済発展の原動力になっている。

これまで日本は東南アジアへの投資ではアメリカと並んで大きな役割を果たしてきた。現在、中国と韓国からの投資が増えているが、世界が東南アジアに注目する中で日本はより一層東南アジアへの投資を増やしていく必要があろう。

経済が発展し続けており距離的にも近く、また中国や韓国とは異なり概ね親日的である東南アジアは投資の対象として好適である。東南アジアへの投資は少子高齢化に悩む日本にとって希望の星と言っても良いであろう。

第4章 華僑を知らなければ東南アジアは語れない

華僑とは

華僑とは海外に住む中国人を言う。その多くは東南アジアに住んでいる。海外に住むといっても、中国から出張でやって来たビジネスパーソンではない。清朝の末期から中華民国の頃、つまり中国が混乱していた時代に、中国を逃れてアジアを中心に全世界に移り住んだ人々とその子孫を言う。日本にも横浜や神戸の中華街には華僑とその子孫が住んでいる。

その総数をつかむことは難しいが、1994年に出版された本では台湾、香港、マカオに2700万人、その他の地域に2300万人とされる[14]。合計で5000万人である。

1980年代の調査ではインドネシアには600万人の華僑が住んでいた。マレーシアとタイにもそれぞれ450万人ほどが住んでいる。現在は華僑と現地人との間に生まれるなどして現地に同化した人も多く、どこまでが華僑でどこからが中国にルーツを持つ現地の人かを区別することは難しい。

華僑は東南アジアにおいて、ベトナムを除けばどの国でも経済界において大きな影響力を有している。シンガポールでは政治の世界でも大きな力を持っている。

日本経済新聞の「私の履歴書」（2018年）の欄に掲載されたモフタル・リアディ氏（インドネシアのコングロマリットであるリッポー・グループの創始者）の話は典型的な華僑の成功物語である。

リアディ氏は1929（昭和4）年にインドネシアに生まれた。リアディ氏は生まれて間もなく父親の出身地である福建省に連れていかれて、祖母によって育てられた。その後、一度はインドネシアに戻って父と生活したものの大学教育は中国で受けている。

当時、インドネシアは戦後の混乱期に当たり、高等教育を受けた者は極めて少なかった。そんな中でリアディ氏は大学にまで進んでいる。それは華僑が教育熱心であることを示している。

華僑は教育を中国で行うことが多い。その結果、多くの華僑は中国語を話し、かつ中国の古典に通じている。そんなことから、多くの華僑は第二世代、第三世代になっても中国との強いつながりを持っている。第一世代が100年ほど前にやって来たので、現在の華僑はその孫やひ孫の世代になっている。

華僑の多くは福建省や広東省東部の潮州の出身である。中国南部の沿岸部の出身である華僑は香港や台湾との関係が深い。

客家（ハッカ）も多い。客家とは漢民族の一種族であるが客家語を持ち、多くが福建省から広東省東部に居住する中国の少数民族である。客家は中国社会ではちょっと異質な存在であり、迫害とまではいかないが、「客」の文字からも分かるように、中国のどこに行っても居心地が悪かったようだ。そんな客家は中国を飛び出して世界に住処（すみか）を求めた。世界の華僑の約1／3は客家の出身とされる。

このようなストーリーから分かるように、華僑は中華人民共和国の対外戦略が作り出したものではない。だから、華僑と北京など北方に住む人々との関係はそれほど強くない。

華僑の広いネットワーク

異郷において頼れるものはない。そんな境遇が彼らの結束を強めた。同郷人の絆は特に大切にしている。彼らは商売が上手であり、異なる国に渡った同郷人のネットワークを利用して貿易を行っている。

ハンチントンの『文明の衝突』に書かれていることだが、中国人と日本人は海外に移住した時に、その子供への接し方が大きく違うそうだ。日本人が海外に移住した場合、その子供の世代でも日本語が話せなくなる。また、日本の文化を忘れて現地に同化する。これはペルーのフジモリ元大統領を思い出せば納得いくだろう。彼の両親は日本から移住したが、彼は日本語を話すことができない。考え方も日本的ではなくペルー的と言ってよい。

一方、中国系の移民は第三世代程度まで中国語を話すケースが多い。それは先にあげたリアディ氏のように、中国で高等教育を受けることが多いためだ。

華僑の第一世代が国を出た頃は、清朝や中華民国だったが、現在、中国は共産党が支配する国になっている。そんな中国を華僑は嫌っているようだ。彼らは根っからの商人であるから、共産主義は好きになれないのであろう。

最近になるまで、華僑は子弟を台湾や香港で教育することが多かった。そして主に台湾や香港と取引していた。しかし、１９９７年に香港が中国に返還された頃から、華僑は中国本土の人々とも付き合うようになった。それは鄧小平の改革開放路線が定着して、思想的にも付き合いやすくなったのに加えて、中国が大きな経済力を持つようになったためである。華僑の本質は商人であり、思想信条よりも利を優先する。

ある宴席で華僑の本音に近いところを聞くことができた。「中国共産党の関係者とお付き合いしているのだが、本当のところは怖い。できれば付き合いたくない」と言っていた。華僑は中国共産党と付き合っていると、何かの際に自分たちの富が奪われるのではないかと心配している。

彼らはインドネシアやミャンマーの国籍を持っているが、インドネシアやミャンマーの政府が本気で華僑を守るとは思えない。それどころか、何かの際に政府は華僑を人身御供として中国政府に差し出す可能性がないとも言えない。どの国も信じていない。この感覚は国の存在が当たり前である日本人には分からないものなのだろう。

中国本土と商売はするが、用心するに越したことはない。特にここに来て、習近平が毛沢東時代に回帰するかのような政策を始めると、華僑は口には出さないが警戒を強めている。

中国人実業家で大富豪だったが２０１４年にアメリカへ亡命し、中国共産党の最高指導部メンバーらの腐敗・汚職を暴露した郭文貴（かくぶんき）や、オンライン・マーケットの運営などを行うアリババグループの創業者ジャック・マーが２０１９年に55歳の若さで会長職を引退した経緯などについて、耳を象のようにして情報を集めている。

華僑の情報源はマスコミではなく、各地に張り巡らせたネットワークである。そのためにマスコミを介するよりも、よりリアルな情報を手に入れることができる。それに基づいて家族、親戚、同郷の友達を多くの地域に分散させて商売を行う。これが彼らのやり方である。

それはヨーロッパにおけるユダヤ人と同じような手法である。ユダヤ人と同じような境遇にあり、似たような手法で商売を行っているのだが、ユダヤ人とは異なり華僑は学者や音楽家などの芸術家を輩出していない。彼らが行うのは商売だけである。華僑は製造業も苦手だ。それは中国人の性格をよく表しているとも言える。

ここからは、国別に華僑に関わるエピソードを書いてみたい。そこから、華僑が東南アジアで強い経済力を持ちながら、現地の人から嫌われていることが分かろう。

インドネシアの華僑を襲った１９９８年の暴動

インドネシアは世界で最も多くの華僑が住む国である。現在、華僑の人口は約８００万人、インドネシアの人口は2億７０００万人であるから、華僑は全人口の約3％を占めている。インドネシアの華僑はモフタル・リアディ氏が福建省出身であったように、福建省出身者が多い。

インドネシアは俗に「人口の3％しかいない華僑が経済の90％を牛耳っている」と言われる。それほど、華僑は強い経済力を有している。

ただ華僑全員が金持ちというわけではない。どんな集団でもそうであろうが、富裕層は全体の1％未満である。華僑の多くは個人商店主と言ってよい。そして、個人商店主の全てが成功しているわけでもない。ただ、それでも大多数の華僑の収入は現地人よりも多い。

多くの華僑は自分の店を持っており、現地人を雇用している。このような構造は恨みを買いやすい。宗教の違いも対立を生みやすい。インドネシア人はそのほとんどがイスラム教徒であるが、華僑は儒教やキリスト教の信者である。

第二次世界大戦が終わってインドネシアが独立を果たした時点において、すでに華僑は経済面で優位に立っていた。お金持ちは嫌われる。これは万国共通の真理だ。まして異邦人が現地人を使っているような状況にあれば、なおさらである。

そんな華僑に対する反感も、独立の英雄であり社会主義的な傾向を持ったスカルノが大統領である時代はそれほどでもなかった。しかし、スカルノが失脚して軍人であるスハルトが政権の座につくと、インドネシア人の華僑に対する感情は悪化していった。そのような国民感情を背景にして、スハルト政権は中国語で看板を出すことを禁止するなど、華僑に対して厳しい政策を行うようになった。

そんな政策を行いながら、スハルトはスキャンダルまみれになる。スハルトは政権の座につくと華僑であるサリムグループの創始者林紹良（インドネシア名スドノ・サリム）と、密接な関係を持つようになった。スハルトは政策では華僑に激しい政策をとったが、一部のお金を持った華僑とはズブズブの関係になった。それが庶民の反発を招いた。

１９９７年に起きたアジア通貨危機によってルピアが暴落して、インドネシア経済は大きな打撃を受けた。それはスハルト政権への不満に発展した。翌年5月、学生集会に対する治安部隊の発砲が引き金となり、それに怒った学生たちが政商サリムの邸宅を焼き払う事件に発展した。長年、スハルトと組んでインドネシアの経済を牛耳ってきた政商サリムはインドネシア人の怨嗟の的だった。この暴動によってスハルト政権は倒れた。

暴動もサリム邸の焼き討ち程度で終わればよかったのだが、いったん火がついた反華僑の感情は燎原の火の如く広がった。華僑が経営する店が投石によって破壊されたり放火されたりした。

この一連の暴動によって、今も正確な数字は分かっていないが、１２００人以上の華僑が殺されたとされる。また多くの華僑の女性が性的な暴行を受けた。華僑は我先にと争うように国外に脱出した。

国際社会からの強い非難を受けたこともあり、政府は華僑の安全を保証するとともに、華僑を不公平に扱っていた法律も改正した。暴動は収まり華僑は少しずつ戻ってきた。あれから20年を経た今日、街にあの暴動の痕跡を見ることはできない。そして、21世紀に入って中華人民共和国が大きな経済力を持つようになると、インドネシアにとって華僑は軽んじることができない存在になった。

だが、あの暴動の記憶は華僑側にはもちろんのこと、インドネシアの人々の心の中にも深く刻まれている。インドネシア人は激しい暴動が終わってみると、自分たちがいかに華僑を恨んでいたのか、つまり自分の心の中を知ることになってしまった。あれはイスラム教徒が異教徒を襲った宗教暴動ではない。経済的な支配に対する不満の爆発であった。

もちろん、華僑にとってはもっと深刻な記憶になっている。その結果、現在、華僑は細心の注意を払ってインドネシアに暮らしている。

インドネシア経済を押さえる華僑

ここで、インドネシア経済の90%を押さえてしまった華僑の強みについて考えてみたい。華僑の強みは中国本土の経済発展とは直接の関係はない。何度も述べるが、華僑は商売人であり、共産主義者ではないし共産党のシンパでもない。

彼らの強さの源泉はその勤勉性にある。それが南国的でありあまり勤勉でなかった東南アジアでは、強みになったようだ。移住してしばらくすると、東南アジアのどの国でもその地の経済を動かすようになってしまった。

華僑は国に頼ることができないために、家族や親類を大事にする。同郷の人々との絆も強い。同郷であるなら見ず知らずの人でも喜んで一宿一飯を提供する。若き日のリアディ氏はそんなネットワークを利用して、ジャワ島を無銭旅行して見聞を広めたそうだ。同郷人を信用して約束を守る。これがインターネットの時代になっても、有力な情報網として機能している。

ご批判を承知であえて耳の痛いことを言わせてもらうが、日本でさまざまな不満を我慢して生活している人たちは、何か不都合なことが起きると国の責任を問う。しかし、そのようなことでは豊かにはなれない。就職氷河期や下流中年などと言っていないで、東南アジアにやって来て一旗あげたらよいではないか。日本人は勤勉だから、華僑のように東南アジアで成功するチャンスはいくらでもある。

東南アジアに暮らしてみると、現在の日本が箱庭のように思えることがある（きれいだが成功するチャンスがない。狭いから衆人の監視がきつい。周囲の人と同じように行動しなければならない）。箱庭で生きることを苦しく感じる人もいるだろう。そうであるなら、箱庭を飛び出す勇気も必要になる。華僑は裸一貫で東南アジアに渡ってきて、虐殺に遭遇するリスクを冒しながら富を築いたのだ。

日本人がインドネシアでビジネスを行う場合には、華僑の協力を仰がなければならない。それは彼らが経済の90％を握っているからだ。華僑なしでのインドネシアビジネスは考えられない。しかし、いくら日本人のサラリーマンが華僑社会に溶け込もうとしても、所詮は彼らの一員にはなれない。そのネットワークの仲間に入れてもらえない。この辺りのことを、よく心得ておかないと、後になって裏切られたなどと言い出すことになりかねない。

もう一つ重要なことがある。インドネシアではあまり華僑に近づきすぎると、華僑の仲間としてインドネシア人に嫌われる。１９９８年の暴動で日本人が殺されることはなかった。それは日本人に対しては、まだあの戦争の記憶やＯＤＡの効果などがあり、好意を持っていたからだろう。だが、華僑と組んで一儲けしようということばかり考えていると、何かの際に華僑と共に日本人もターゲットになりかねない。この辺り、親日国インドネシアで華僑とどのように付き合えばよいのか、難しい問題をはらんでいる。

華僑との関係を深めたマレーシアのナジブ元首相

インドネシアの華僑について書いたことは、ほぼ全ての東南アジア諸国の華僑に対しても当てはまる。要約すれば、華僑は約100年前に福建省や広東省よりやって来た。現地の人々よりも勤勉で商才に長けていたために、経済の面で大きな力を持つようになった。国を頼ることができない華僑は血族や同郷者の結びつきが強い。そのネットワークを用いて商売をしている。

そんな華僑はどこでも現地人とは対立関係にある。華僑は現地人に比べて人口が少ないために、選挙によって自分たちの代表を政権の座につけることはできないが、経済力があるために政権との癒着を生みやすい。それは民衆の怨嗟の的になる。華僑は東南アジア経済に強い影響力を持っているものの、現地では嫌われ者である。

第1章で書いたが、マレーシアでは1969年に暴動があった。その暴動では現地人、華人ともに多くの死傷者を出した。そんな経験もあり、ブミプトラ政策という現地人優先の政策がとられてきた。強力な指導者だったマハティール首相の下でこの政治的な妥協政策はよく機能した。マレーシアは政治的な安定を維持して、一人当たりGDPが1万ドルを超える水準にまで発展した。２０２１年時点で１万１１０９ドルである。

今、そんなマレーシアが揺れている。それにも華僑と中国が関係している。だが、２００９年にマハティールの後を継いだナジブ首相は、マハティールのようなカリスマ性がなかった。そして、発展途上国ではよく見られることだが、報道によると奥さんが強欲だったようだ。

ナジブ時代は、中国が世界に対して影響力を強めようとしていた時代に重なる。華僑が多い東南アジアは中国にとって最も進出しやすい場所である。華僑はその心の中では共産党を嫌っているが、根っからの商人であるから時の権力者に寄り添うことは得意中の得意である。そんなわけで、現在、華僑を中国共産党の手先と考えても大きな間違いにはならない。

そんな華僑が中国共産党の意を酌んでナジブ首相に近づき、マレーシアは中国から大きな投資を受け入れることになった。中国からの投資によってインフラの整備は進んだが、その周辺には汚職が蔓延した。中国マネーに汚職は付き物である。もちろんナジブ首相はその中心にいた。

中国はお金をくれるわけではない。貸してくれるだけである。マレーシアは経済力があるから、スリランカやモルディブのように借金のカタに領土を奪い取られることはなかったが、借金が重荷になってきた。

そのような状況の中で、マレーシアの人々を憤激させる事件が起きた。それは2017年、中国の吉利汽車がマレーシアの自動車会社プロトンの株式の49・9%を手に入れたことである。プロトンはルック・イースト政策を行ったマハティール首相が、日本を真似て自国に自動車産業を興そうとして設立したものだ。そこには工業立国の夢が詰まっていた。

ただ、自動車産業はグローバル化が進んでおり、小国の独自資本であるプロトンの経営がうまくいっていなかったことは確かである。だからといってプロトンを中国に売り渡すとは何事か！　国民は怒った。その怒りがナジブ首相の失脚につながり、90歳を超えるマハティールの再登板につながった。

マハティールはナジブ首相が中国の一帯一路政策の一環として約束した鉄道の建設などについて中国と再交渉を始めた。マレー人（ブミプトラ）は華僑が嫌いであり、中国も嫌いである。そんなわけで、強くなった中国に従うような政策を掲げているが、本音ではそのようなことはしたくない。もちろん一帯一路にも批判的である。首相の座に返り咲いたマハティールはマレーシアの本音を実行していたに過ぎない。

日本でニュースを断片的に聞いているだけでは分からないが、高齢首相誕生の背景には、華僑に対するマレーシア人の強い反発があった。

フィリピンのドゥテルテ前大統領は中華系クォーター

フィリピンでも華僑は全人口の2％程度とされるが、その経済の90％を動かしている。民衆は華僑や中国を嫌っているが、経済を押さえられているためになかなか声を上げることができない。

経済だけではない。フィリピンでは政治の世界にも華僑が進出している。ドゥテルテ前大統領は母方の祖母が華人であり、クォーターである。中国語を話すことはできないが、聞くとだいたいの意味が分かるそうだ。

そんな彼は前の政権が行ってきた南沙諸島に対する政策を180度転換させて、中国がお金をくれるのなら、島を売り渡してもよいような発言を繰り返した。ただ、中国は口約束をするものの、本心ではお金で転ぶドゥテルテ前大統領を信用していなかったようで、なかなか援助を実施しなかった。

ラテン文化の影響かフィリピンの人々は、中国がお金をくれるのなら南シナ海の島についてはうるさく言う必要はないとの感情もあるようだ。

日本は南シナ海の問題でフィリピンとベトナムを日本の味方に引き入れたいと思っているが、両国の温度差は大きい。フィリピンでは華僑に対する反感や中国に対する警戒感はあるものの、その発露は他の東南アジア諸国より弱いように感じられる。

カンボジアはまるで中国の植民地

東南アジアの人々は概ね中国が嫌いである。だが、中国の強い経済力、最近では軍事力も恐れている。その中でカンボジア政府は中国の傀儡と言ってよい。南シナ海に関するＡＳＥＡＮの宣言はいつも玉虫色で、中国を強く非難することはないが、そんなＡＳＥＡＮの会議で中国の代弁者として振る舞っているのがカンボジアである。

現在、カンボジアは実質的に中国の植民地になっている。そうなってしまったのは、中国が大好きだからではない。カンボジアが東南アジア大陸部の強国であるタイとベトナムに挟まれているためである。カンボジアは常に両国から侵略を受けてきた。とりわけタイから侵略されたことはカンボジア人の心の中に強く残っているようだ。カンボジアの人々はタイを強く憎んでいる。

こんな事件があった。２００３年の出来事である。タイの女優が「タイのものだったアンコールワットを奪ったカンボジア人は嫌い。アンコールワットはタイに返すべき」と発言したとされる。そのニュースは瞬く間にカンボジア中に広がり、プノンペンでは民衆がタイ系の商店やタイ人を攻撃する暴動に発展した。実際には、女優の発言はなかったとされるが、カンボジア人がタイに対して強いコンプレックスを持っているために、間違った噂であっても拡散したようだ。

カンボジアでは選挙は行われているが、それは与党が必ず勝利するように仕組まれたものであり、実質的にフン・セン首相による独裁が続いている。当然のことであるが、欧米はいい顔をしない。積極的に援助してくれない。そして隣接するタイは大嫌いでベトナムも好きになれない。当然、隣国はカンボジアの発展に積極的に手を貸してくれない。貿易や金融の面で、北朝鮮ほどではないがカンボジアも孤立している。

そんな状況の中で、中国がお金でカンボジアを手なずけてしまった。そう見ておいて間違いないだろう。中国から大量の投資がカンボジアに流入している。多くの会社で経営者である中国人にカンボジア人が仕えている。もはや華僑うんぬんの話ではない。まさに中国の植民地と言ってよい。

中国にとってカンボジアはＡＳＥＡＮの結束を揺るがせるための楔（くさび）になっている。それだけではない。中国はカンボジアに租借地をつくり、そこに軍事基地を造りたいと考えている。実際に海岸の街シアヌークビル周辺で租借地を増やして、着々と準備を進めている。その基地ができれば、東南アジアの安全保障の枠組みは大きく変化する可能性があると言われている。

華僑なしには経済が回らないミャンマー

人口約５１００万人のミャンマーでは、人口の約４％、２００～２５０万人を占める華僑が経済の98％を握っていると言われる。他の国では90％と言われるのに対して、ミャンマーでは98％とその割合が高い。このような言い方に統計的な根拠があるわけではない。華僑がミャンマー経済に極めて強い影響力を持っていることを言っているに過ぎない。

その原因は、ミャンマー人が上座部仏教を強く信仰して、世俗のことにあまり関心を示さないからだろう。人のいいミャンマー人が華僑に騙されて、経済を乗っ取られてしまった。そんな印象である。

華僑は、経済を牛耳るために行政と密接な関係を持った。２０１３年のことと記憶するが、ミャンマーを訪ねた際に、ある華僑はお酒を飲んだ席で、「我々はミャンマー政府と仲が良いので、日系企業がミャンマーに進出したいと言うなら、まず我々と組むべきだ。いろいろな便宜をはかることができる」と言っていた。

２０２１年の軍事クーデターの原因について**第１章**でも述べたが、この華僑と行政の関わりも大きいと考えている。

ビルマ族はミャンマーの人口の約７割を占めるが、他にも多くの少数民族が存在し、独立を求めて武装闘争も辞さない民族もいるために、軍の力なしにはミャンマーを安定させることはできない。話し合いによる少数民族問題の解決など綺麗事に過ぎない。この現実をNLDも欧米、そして日本もよく分かっていなかった。

そんな軍は、NLDによって政府の要職を追われて、華僑と組んでお金を儲けるシステムから排除されてしまった。不満が溜まるのは当然であろう。そんな軍に対して中国がこっそり声をかける。

「政権の要職から排除され、お金儲けができなくなって、さぞお困りでしょう。もしあなた方がクーデターによってアウンサンスーチーを政権から追い払うのなら、その後は我々が助けますよ。私たち中国共産党は、欧米が民主主義を押し付けて来ることに反感を持っています。心の中はあなた方ミャンマー軍と同じです」、そんな囁きがあったのではないだろうか。

２０２１年2月の軍事クーデターは、国際社会、そして日本と日本企業にとって予想もしない出来事であった。アメリカを中心とした欧米は、軍事政権に対して経済制裁を課した。当然、日本もそれに従わざるを得ない。

その結果、アジア最後のエマージング・マーケットだと考えて勇んで進出した多くの日本企業は撤退を余儀なくされた。当然のこととして大きな減損を強いられた。

潜水艦を中国から買うことにしたタイ

先にも述べたようにタイは外交上手である。そのタイは2017年、潜水艦を3隻中国から買う契約を締結した。1隻3億ドルとされるから3隻で9億ドル、約1000億円である。

この取引には日本も絡んでいた。安倍政権は武器輸出三原則を緩めて、武器の海外輸出を解禁した。そんな頃、親日国であるタイが潜水艦を欲しがっているという情報が入った。日本はチャンスだと思った。

しかし、結果は中国に敗れた。日本の「そうりゅう」型潜水艦が1隻約5億ドルと高価だったこともあるが、タイは中国の潜水艦を選定した理由を性能がよいからだと発表した。日本の防衛産業界はショックだったろう。日本はオーストラリアへの潜水艦の売り込み合戦でも敗退している。オーストラリアはフランスから購入すると言っているので、まだ負けても悔しくないが、タイは中国から購入する。

日本は通常推進方式では「そうりゅう」型潜水艦が世界で最も優れていると自負してきた。しかし、それを親日国であるタイに売ることができなかったばかりか、タイは中国の潜水艦は性能がよいから選んだとまで言い放った。防衛関係者はその売り込み活動を大いに反省すべきである。

ただ、タイはいまだ中国からこの潜水艦を引き渡されていない。なぜなら、受注した中国企業に対して、ドイツ企業がエンジンの供給を拒否し、潜水艦の建造が進まないためだ。EUが1989年の天安門事件以降、中国への軍事品販売を禁止する措置を取っているためだった。その後、中国は中国製エンジンの使用を打診しているが、タイ海軍は、条件が合わない場合は契約破棄を示唆している。

とは言え、この潜水艦の購入は、タイが中国を重視するというメッセージに他ならない。タイ政府の判断にはタイに多く住む華僑の意向が強く反映されたことは間違いないだろう。華僑の存在があまり目立たないタイでも華僑は政治の世界に大きな影響力を有している。それは親日国タイが油断ならない国であることを見せつけた瞬間であった。

ベトナムには華僑がいない

ベトナムは、東南アジアの中で唯一、華僑のいない国である。「いない」と書くと正確ではないが、現在、ベトナムで華僑の影響力は極めて弱い。それは歴史上、ベトナムが何度も中国の侵略を受けてきたために、中国を嫌っているからに他ならない。ベトナム人は中国人を徹底的に嫌っている。

そんなベトナムにも華僑は住んでいた。それは南ベトナムがあった時代である。そもそも中国人を嫌うのは北に住むベトナム人である。しかし現在、彼らが全土を掌握してしまったために、中国人はベトナム全土で嫌われている。

南ベトナムがあった時代、サイゴン（ホーチミン市）がフランスの統治下で発展したこともあり、サイゴンには多くの華僑が住み着いていた。サイゴンのチョロン地区は華僑の街として有名であった。

１９７５年にベトナム戦争は北の勝利で終わった。その後、占領軍となった北ベトナム軍は南ベトナムの軍人、政府に協力していた人々、資本家、大地主などを国外に追放した。いわゆるボート・ピープル問題である。その際に多くの華僑もベトナムを追われ、ベトナムに住む華僑の人口は著しく減少した。

また、１９７９年に中越戦争が起きると、ベトナム人の中国への敵愾心はそれ以前にも増して高まった。そんなこともあり、現在ベトナムは、東南アジアにおいて華僑が経済に与える影響が最も少ない国になっている。

ただ21世紀に入って中国がアジアの超大国になると、中国との貿易額が全貿易額の半分を占めるなど、経済面では中国の影響力を排除できなくなっている。

ベトナム人は中国の資本がベトナムに入ることを嫌っている。そのために、中国の資本は香港やシンガポールの資本に姿を変えてベトナムへ投資されるケースが多い。ただ、米中貿易摩擦が深刻化すると、嫌われていてもそんなことは気にせずに、大量の中国マネーがベトナムに流入し始めている。中国企業はベトナムに工業団地をつくり、工場を熱心にベトナムに移動させている。

２０１８年にベトナム人がいかに中国を恐れて嫌っているかを表す象徴的な事件が起きた。政府は国会に、経済特区をつくりベトナムの土地を外国資本に99年間貸し出すことを可能にする法案を提出した。多くのベトナム人は中国資本が土地を99年租借すると考えた。それは、ほぼ全てのベトナム人が、２０１６年に発足した現政権は中国政府の息が強くかかっていると考えているためだ。そんな政府が租借法案を国会に提出した。その法案が提出されると国会は大いにもめた。共産党一党独裁とはいえ、ベトナムの国会は中国とは異なりシャンシャン大会では終わらない。

各地でこの法案に反対するデモが起きた。ベトナムではデモは禁止されているので、このデモは一部の共産党幹部が裏でそそのかしたものとも言われている。現政権は中国の圧力に屈して法案を国会に提出したが、共産党の内部は一枚岩ではなかった。

この法案は継続審議になった。そして不思議なことに２０１９年になって新たな国会が開かれても再審議が始まらなかった。政府はこの法案をうやむやにしようとしているようである。当然、そんな態度に中国は怒っているが、この辺りの水面下の動きはまだ明確になっていない。

ベトナムは韓国より日本に来てもらいたがっている

このように筋金入りで中国を嫌うベトナムは、東南アジアにおいて日本のビジネスパーソンが最も活躍しやすい国である。しかし、おそらくはこの本を読むまで、多くの日本人はその事実に気づいていなかったであろう。

日本人は気づいていないが、それをよく知っている人々がいる。韓国人である。韓国はこの本でも述べたように中国の圧力下で生きてきたので、その強引さ、敵にした時の商売のやりにくさをよく知っている。

だからベトナムに華僑がいないことに気づき、ベトナム経済が離陸すると、すぐに行動を開始した。ハノイ近郊にサムスンが1兆円の投資を行ったことは有名である。それだけではない。現在、ハノイには約1万人の日本人がいるが、韓国人はその10倍の10万人もいる。そして、ここ数年、韓国のベトナムへの投資額は日本を上回っている。

ただ、このような状況をベトナム人はあまり喜んでいない。それは韓国人の振る舞いが中国人に似ているためとも言われる。韓国のビジネスパーソンは強引なのだ。その結果、韓国人への嫌悪感が日本人に対する好意につながっているとも言われる。

ベトナム人が日本人を好ましく思う理由は、そんな感情的な面だけではない。より冷徹な面がある。それは南シナ海で中国と対立するベトナムが海外の支援を求めているからである。軍事的な支援ではない。何か事が起きた時に、ベトナムの側に立って中国を非難してくれる国を求めている。

最も頼りになるのはアメリカだ。そのために、ベトナム戦争があったにもかかわらず、ベトナムはアメリカとの友好関係の維持に最大の努力を払っている。その成果と言ってよいだろう。2019年2月のトランプ大統領と金正恩の米朝首脳会談はハノイで行われた。その際に、ベトナム政府はトランプ大統領にベトナムの民間航空会社が1兆4000億円相当のアメリカの飛行機を買うと申し出て、トランプ大統領を大いに喜ばせている。お金を出してアメリカに媚びたのだ。

アメリカの次に中国にものが言えるのは日本である。その次はドイツと考えている。しかし、ドイツにとって南シナ海は遠いために、近隣では日本が最も頼りになると考えている。韓国は中国の言いなりだから頼りにならない。そんな理由でベトナムは日本との関係を強めようと思っている。

筆者が見るところ、このような事情を最もよく理解していたのが安倍政権だった。そんなこともあり、安倍政権はベトナムで大変に評判がよかった。日本の進歩的マスコミは安倍政権の歴史修正的な史観が気に食わなかったようだが、かつて日本が侵略した東南アジアの社会主義国において安倍政権の評判はすこぶるよい。これは日本では報道されない事実である。

反対に日本のビジネスパーソンはこの種の政治の話は苦手なようだ。学園紛争が終わってから育った世代は政治を危険なものと思っているようで、政治には関わらないに越したことはないと考えている。

しかし、そんなことでは海外でビジネスなどできない。多かれ少なかれ海外でのビジネスには国際情勢が絡んでくる。地政学を勉強すべきである。そんな視点から見ると、現在、東南アジアにおいてベトナムは日本人にとって最もビジネスをしやすい国になっている。

おわりに

初版から3年が経過したが、その間の最も大きな出来事はコロナ禍であろう。東南アジア諸国もその騒動に巻き込まれて、我が国と同様に多くの死者を出し、経済も停滞した。2022年後半になって、どの国もその災いから回復したが、東南アジア諸国は再び新たな困難に直面している。それはアメリカやヨーロッパにおける金利上昇に端を発した世界経済の停滞である。

アメリカを始めとした多くの国々は、コロナ下の経済を支えるために金融を大幅に緩和した。その結果として市場に資金があふれて、コロナ騒ぎが収まると物価が上昇し始めた。アメリカのFRB（連邦準備制度）など先進国の中央銀行は、物価上昇を抑制するために金利を上げているが、それは東南アジア経済に悪影響を及ぼし始めた。

ベトナムでは順調な経済発展を反映して土地価格の上昇が続いていた。ベトナムには土地価格は決して下落しないとする土地神話が存在していた。そんなベトナムだが、アメリカの金利上昇に影響されたものと思われるが、2022年秋に突如として不動産価格が下落し始めた。不動産バブル崩壊である。中国は既に不動産バブルの崩壊に見舞われているが、ベトナムでも同様の現象が起きた。

このことは１９８９年のソ連崩壊以来続いてきた東アジアの奇跡の成長が最終段階に入ったことを示している。道路、橋、港湾などインフラ整備、また住宅の建設に支えられた成長は一段落した。中国やベトナムでの不動産バブル崩壊はその象徴と言えよう。

中国やベトナムは、これからバブル崩壊後に日本が歩んだ道と同じ道を歩むことになろう。そこでは成長ではなく富の偏在の是正や福祉が重要になる。高齢化が進む東アジアにおいては年金や医療保険の整備は特に重要な課題になっている。

近年、東南アジアの国々は順調な経済発展が続いていたために、経済が停滞する日本を馬鹿にしたような目で見ていたような気がする。しかし奇跡の成長が最終段階に来たために、今後はバブルが崩壊した後の日本と同じような道を歩まざるを得なくなった。東南アジア諸国は、まだ十分にそのことに気づいてはいないようだが、そう遠くない時期にそれを実感することになろう。

そんな東南アジアにとって日本は良い教師である。いずれにしろ東南アジアは地理的にも近く、大陸部には仏教という共通の文化的な土台もあるために、日本にとって相互理解が容易な地域と言ってよい。

米中対立が激化する中で、日本は中国と距離を置かざるを得ない立場に追い込まれているが、そんな日本にとって東南アジアは良いパートナーになれる。本書が東南アジアで既にビジネスを行っている、また行いたいと考えている人々の役に立つことがあれば、筆者としてこれにまさる喜びはない。

改訂版の出版に際しても育鵬社の山下徹氏に大変にお世話になった。ここに謝意を表する。

２０２３年11月

川島博之

●主な参考文献

1）與那覇潤著『中国化する日本』文藝春秋、2011年
2）磯田道史著『武士の家計簿』新潮新書、2003年
3）古田元夫著『ベトナムの世界史』東京大学出版会、1995年
4）小倉貞男著『物語ヴェトナムの歴史』中公新書、1997年
5）山田朗著『大元帥昭和天皇』新日本出版社、1994年
6）柿崎一郎著『物語タイの歴史』中公新書、2007年
7）淵田美津雄・奥宮正武著『機動部隊』朝日ソノラマ文庫、1982年
8）アンガス・マディソン著、金森久雄監訳『世界経済の成長史』東洋経済新報社、2000年
9）国立社会保険・人口問題研究所
https://www.ipss.go.jp/pp-zenkoku/j/zenkoku2023/pp_zenkoku2023.asp
10）川島博之著『農民国家 中国の限界』東洋経済新報社、2010年
11）川島博之著『データで読み解く中国経済』東洋経済新報社、2012年
12）レスター・R・ブラウン著、今村奈良臣訳『だれが中国を養うのか?』ダイヤモンド社、1995年
13）川島博之著『世界の食料生産とバイオマスエネルギー』東京大学出版会、2008年

14）若林敬子著『中国 人口超大国のゆくえ』岩波新書、1994年

川島博之（かわしま ひろゆき）
ベトナム・ビングループ主席経済顧問、Martial Research & Management Co. Ltd., Chief Economic Advisor。1953年生まれ。1983年東京大学大学院工学系研究科博士課程単位取得退学。東京大学生産技術研究所助手、農林水産省農業環境技術研究所主任研究官、東京大学大学院農学生命科学研究科准教授を経て現職。工学博士。専門は開発経済学。著書に『中国、朝鮮、ベトナム、日本――極東アジアの地政学』（育鵬社）、『戸籍アパルトヘイト国家・中国の崩壊』『習近平のデジタル文化大革命』（いずれも講談社＋α新書）、『「食糧危機」をあおってはいけない』（文藝春秋）、『「作りすぎ」が日本の農業をダメにする』（日本経済新聞出版社）等多数。

扶桑社新書483

歴史と人口から
読み解く東南アジア

発行日 2024年1月1日　初版第1刷発行

著　　者………川島博之
発 行 者………小池英彦
発 行 所………株式会社 扶桑社
〒105-8070 東京都港区芝浦1-1-1 浜松町ビルディング
電話 03-6368-8870（編集）
03-6368-8891（郵便室）
www.fusosha.co.jp

印刷・製本………株式会社広済堂ネクスト

Printed in Japan　ISBN 978-4-594-09584-0